DEUX DANS BERLIN

Richard Birkefeld (né en 1951) et Göran Hachmeister (né en 1959) écrivent à quatre mains. Tous les deux historiens, leur domaine de recherche couvre l'histoire culturelle et sociale de la première moitié du XXe siècle. Ils ont publié de nombreux livres et essais d'histoire. *Deux dans Berlin* leur a valu en 2003 le *Deutscher Krimipreis* et le *Glauser Krimipreis* du premier roman.

RICHARD BIRKEFELD
& GÖRAN HACHMEISTER

Deux dans Berlin

TRADUIT DE L'ALLEMAND PAR GEORGES STURM

ÉDITIONS DU MASQUE

Titre original :

WER ÜBRIG BLEIBT, HAT RECHT
publié par Eichborn

ISBN : 978-2-253-16480-7 – 1ʳᵉ publication LGF

1

Les kapos s'étaient éloignés. Il entendait leurs rires, les voyait fumer au bord de la carrière. Ils jetèrent un coup d'œil au fond, firent des remarques méprisantes, reprirent enfin leur ronde. Plus personne ne lui prêtait attention. Épuisé, il s'adossa au wagonnet.

Il en avait assez de s'abrutir au travail au fond de ce chaudron, harcelé par ses bourreaux qui le frappaient et lui crachaient dessus ; du lever au coucher du soleil, vêtu de haillons puants, sans trêve ni répit, sans avoir le temps de manger, de pisser, de murmurer même quelques mots.

Il suivait des yeux le moindre mouvement des kapos, entendait encore leurs rires grossiers ; puis il les vit s'éloigner de plus en plus, s'arrêtant de nouveau et lançant des cailloux dans la carrière. C'était leur occupation favorite. Ils visaient ses camarades qui extrayaient des pierres de la paroi rocheuse, s'amusant ainsi à blesser ou tuer des êtres humains. Ce jeu s'appelait « tir-aux-pigeons-d'argile ».

Il se détourna un instant, se couvrit la bouche de ses mains pleines d'ampoules, étouffant difficilement une quinte de toux.

Surtout ne pas attirer l'attention.

Des profondeurs de la cuvette montait le bruit confus des pics et des masses, les cris de douleur sporadiques de camarades touchés par des projectiles, auxquels se mêlaient jurons et insultes. Le bourdonnement dans ses oreilles augmenta : il faisait tellement d'efforts pour se concentrer qu'il en frissonna. Les guenilles à rayures plaquées contre son corps dégouttaient de sueur, le soleil d'août chauffait la carrière à blanc. Il s'accroupit, se recroquevilla dans l'ombre courte du wagonnet.

À quelque cinquante mètres, dans l'air vibrant de chaleur calcinante, il distingua une poignée de détenus. Comme lui, ils avaient cessé le travail après avoir chargé un wagonnet de blocs de pierre. Quelques-uns se laissèrent glisser dans l'ombre de la benne ; d'autres restaient debout, faisant semblant de traîner des pierres. Toute pause dans le travail prolongeait la vie – mais aussi les supplices, et les souffrances. Tous le savaient, beaucoup ne pouvaient l'endurer…

Il les avait vus, tous ces candidats à la mort, membres disloqués, carbonisés, plaqués contre la clôture électrifiée, le corps fracassé au fond de la carrière après un saut de trente mètres, des visages bleuâtres au cou pris dans des nœuds coulants de haillons torsadés en corde, ou exsangues quand ils s'étaient ouvert les veines avec des objets émoussés.

Du regard, il chercha les sentinelles SS postées autour de la carrière. La plupart allaient par deux ou trois, scrutant attentivement les lieux, le doigt sur la détente du pistolet-mitrailleur. La lie de l'Allemagne, des Allemands avides de butin, des soi-disant compatriotes qui baragouinaient l'allemand, venus de Roumanie, d'Ukraine ou de l'Autriche annexée, des assassins qui tous les jours tuaient des déportés que ces chiens de kapos rabattaient délibérément sur leur ligne de tir. Ce jeu s'appelait « fusillé-au-cours-d'une-tentative-d'évasion ». La plupart du temps, c'est à l'appel du soir qu'on apprenait qu'ils s'étaient de nouveau adonnés à ce plaisir, quand quelqu'un manquait dans les rangs. Fusillé-au-cours-d'une-tentative-d'évasion – un pauvre gars, qu'on avait peut-être connu, avec qui le matin même on avait encore franchi le portail du camp, en passant sous l'inscription dérisoire « Juste ou faux. Ma patrie ».

Il voulut cracher par terre, mais il avait la bouche sèche. Il cogna du poing sur la pierre. Ma patrie allemande ! Le sol allemand ! Elle lui avait tout pris, la patrie, elle l'avait trompé et réduit en esclavage, et voilà qu'elle voulait aussi éteindre en lui la dernière étincelle de vie. Cette merde brune et sèche, ce dur terreau allemand si encensé ne voulait rien savoir de ses efforts pour lui arracher des pierres, comme s'il voulait l'empêcher d'atteindre ce contingent journalier de caillasses à charger sur les bennes qui seul le maintenait en vie. Il haïssait la guerre, les uniformes, la race aryenne des seigneurs, le Führer, cette ordure mythomane et toute sa suite, le pied-bot et ce gros porc de Goering. Il haïssait tout cela. Et pourtant, naguère, il y avait cru. Il avait la rage au coeur parce qu'il savait que cette haine lui sauvait la vie. Certains de ses camarades continuaient à vivre parce qu'ils aimaient leur famille, leur femme, leurs enfants ou Dieu sait qui. Lui aussi aimait sa femme et son fils, la question ne se posait même pas, mais cet amour le rendait fou, le minait, faisait de lui un être vulnérable. La haine, au contraire, lui donnait de la force et lui permettait de puiser au plus profond la volonté de résister. Grâce à la haine, il supportait humiliations et souffrances, encore et encore, jour après jour.

« J'aime la haine », disait-il quelquefois au cours de ces conversations nocturnes à voix feutrée, quand ils étaient allongés dans les baraques, accablés, éreintés. Des camarades incorrigibles qui continuaient de croire en Dieu lui portaient la contradiction. Ils n'avaient toujours pas compris, compris qu'ils rôtissaient depuis longtemps en enfer.

Il continuait à frapper du poing le sol rocailleux.

J'aime la haine, et je survivrai à cet enfer.

Les noms. Ils étaient là, de nouveau, les noms de ceux qui l'avaient précipité dans ce gouffre satanique, ils le dévisageaient, les yeux écarquillés. Il distinguait leurs visages dans les rochers de la carrière, dans les nuages, dans les lignes du bois du plafond de la baraque, dans les tas de merde des latrines. Il se les imaginait, à cet instant précis assis au café Kranzler, dans des conversations animées, jouissant de cette paisible journée d'été sans se poser une seule seconde la question de savoir ce qui se passait au-delà de leur petite communauté, ce qui pouvait lui arriver, à lui et à ses camarades, dans cette patrie de merde.

Sa respiration se fit plus calme, la sueur séchait lentement sur son front. Il leva les yeux et suivit le vol d'un rapace qui décrivait des rondes haut dans le ciel, en quête d'une proie. L'oiseau planait au-dessus du chaudron, volait au-dessus des kapos toujours arrêtés et qui continuaient à lancer des cailloux. Il monta loin au-dessus d'eux, vers le soleil.

Il cligna les yeux et crut découvrir d'autres oiseaux de proie dans les rayons brûlants. Il sursauta. Crevant la lumière aveuglante, ils se jetaient sur lui comme des ombres, épousant les accidents du terrain. Des nuages de poussière s'élevèrent, tourbillonnant dans l'air chaud. Le rugissement régulier de moteurs se faisait écho à lui-même, en vagues successives, roulant sur le paysage tremblant. Il devint si assourdissant qu'il se ramassa encore plus sur lui-même, prenant appui contre la benne de ses paumes moites. Il vit les sillages de feu des rafales crachées par les mitrailleuses de bord, les sentinelles fauchées par les balles, des geysers de pierres voler par-dessus les rails, des wagonnets et des groupes de détenus s'abattre dans les profondeurs. Un tonnerre de détonations auquel se mêlèrent d'horribles cris résonna du fond de la cuvette.

Il s'était jeté sous le chariot. Étendu sur le dos, il ne bougeait plus. Des traînées d'huile noires mêlées à des rubans de condensation formèrent des demi-cercles dans le ciel. Les chasseurs-bombardiers revenaient. Alors que le vrombissement augmentait, il se retourna sur le ventre, tête dans le menton, mains plaquées sur les oreilles. De grosses gerbes de terre furent soulevées devant lui et projetées dans les airs, des arbres brisés. Des blocs de pierre d'un quintal tourbillonnèrent avant de s'abattre sur le sol. Des éclats de bombes percutaient la terre autour de lui ou retentissaient sur le métal de la benne. Il fallait qu'il file, et vite.

À travers les rayons des roues, il aperçut un groupe de gardiens courbés en deux, trébuchants et hurlants, qui se précipitaient vers le wagonnet voisin pour y trouver refuge aux côtés des détenus. Puis un éclair de feu, aussitôt suivi d'une violente explosion. De la terre, des pierres et du métal qui giclent dans les hauteurs.

L'onde de choc de la déflagration lui fouetta le visage et la benne tangua si violemment au-dessus de lui qu'elle se vida avec fracas de son chargement. Des corps déchiquetés furent projetés en l'air. Des morceaux d'intestins et des fragments de membres, de torses et de têtes, des lambeaux de chair et de vêtements tombèrent en pluie sur lui et le sol rocheux se teinta de rouge vif. Il entendit un bruit sourd. Le corps d'une sentinelle SS qui gémissait venait de s'écraser devant lui.

Là-bas, où quelques instants auparavant l'autre wagonnet stationnait encore, un énorme cratère apparut lentement sous les nappes de fumée qui se dissipaient ; la terre avait été ouverte en deux jusqu'au flanc de la carrière.

Il n'entendait plus rien, excepté ce bourdonnement sourd dans son oreille. Comme les explosions provoquaient toujours de nouveaux nuages de poussière et de fumée et que les avions tournaient encore dans le ciel, il partit du principe que l'attaque se poursuivait. Mais il n'avait plus peur. C'était sa chance. Il fallait qu'il se mette en route.

Il quitta son abri en rampant, progressa vers la sentinelle SS blessée. Il saisit une lourde pierre, observa le visage souillé de sang. Puis il frappa, violemment, cogna encore jusqu'à ce que cessent les gémissements. Sans prendre garde aux projectiles qui fusaient à côté de lui, il défit le manteau ouvert, arracha les bottes, détacha le ceinturon, tira sur la veste, déboutonna le pantalon et le fit glisser sur les jambes flasques.

Il enfila ces vêtements trop grands dans l'ombre de la benne, puis regarda autour de lui. La carrière tout entière était envahie par des nuages de poussière. Les kapos avaient disparu et on ne voyait plus aucune sentinelle à l'horizon. Partout gisaient des corps démembrés. On reconnaissait des uniformes et des guenilles de prisonniers. Ça puait l'urine et le kérosène.

Le bourdonnement dans son oreille faiblissait. Il entendit des explosions dans le lointain. Elles provenaient des usines Gustloff et des baraquements SS. Il ne perçut plus aucun bruit, ne décela aucun mouvement dans les environs immédiats. Seuls les cris montaient toujours par intervalle du fond de la carrière.

Il se mit à courir lentement. Il fallait s'habituer aux lourdes bottes. Puis il accéléra, finit par sprinter sur le sol rocheux, plié en deux, jusqu'à ce qu'il atteigne l'orée du bois où étaient d'habitude postés les sbires SS. Il se précipita dans le sous-bois. Des branches le fouettèrent violemment, lui griffèrent le visage et il reprit ses esprits. Il devait se concentrer, s'orienter dans la forêt. Pour aller où ? Dans quelle direction ?

Direction nord-est. Il devait aller vers le nord-est !

Où était le soleil ? Dans son dos, côté droit.

Exact. Toujours direction – comment s'appelait-il, ce patelin ? – direction Buttstädt.

Il prit son élan entre des arbres très rapprochés, enjamba des chemins forestiers, franchit des clairières jusqu'à ce qu'enfin il ait traversé la forêt et passé les contreforts de l'Etter. Devant lui moutonnait une suite de coteaux et il reconnut non loin les croupes vertes de Schmücke, Schrecke et Finne.

Quelque part là-bas, de l'autre côté de l'Unstrut, de la Saale, de la Mulde et de l'Elbe, quelque part au nord-est – il y avait Berlin.

En étant prudent, avec de la chance, il atteindrait la ville.

Il savait qu'il allait y arriver.

Lotti et Fritzchen l'y attendaient – et les autres aussi, naturellement, ceux dont il prononçait sourdement les noms.

2

Coup de sifflet du train bref et strident. Le roulement sourd des roues qui l'avait accompagné depuis qu'il s'était réveillé d'un sommeil sans rêves provoqué par des somnifères fut remplacé par un bruit de fond plus net, interrompu à intervalles réguliers par un claquement sec.

Un pont, certainement, un pont très long. Une construction métallique avec de nombreux pylônes.

Il demanda à l'infirmière affairée qui passait :

— Où sommes-nous ?

— Nous traversons le Rhin.

Le Rhin ! De retour au pays, au Reich ! Il essaya sans y parvenir vraiment de s'imaginer la vallée du Rhin, les pentes vertes des coteaux qui montaient doucement, le rouge des toits, le ruban brun-bleu du large fleuve.

Il y avait des jours qu'il était allongé sur le lit de camp inférieur d'un train de voyageurs français transformé en convoi sanitaire. Il ne voyait rien du paysage. Il lui semblait qu'on avait plusieurs fois changé de direction. Il avait attendu de longues heures sur des voies de dégagement, le temps de céder le passage à des hommes et du matériel qui montaient vers le front de Normandie, ou ailleurs vu les événements. À des nœuds ferroviaires, en pleine voie, le train avait subi des bombardements à basse altitude. Sur les lignes qui convoyaient des renforts, il y avait d'incessantes attaques suivies d'incessantes déviations. Des bribes d'informations, des rumeurs couraient dans les compartiments. Tout semblait s'effondrer. Une armée en déroute. Qui n'avait plus le moral.

Une odeur de chloroforme et de fumée de cigarettes flottait dans l'air. Il se demanda où se trouvait ce pont ; à l'endroit où finissait la plaine du Rhin, montant doucement vers les hauteurs de l'ouest, ou à une passe étroite encadrée de rochers abrupts, comme aux environs de la Lorelei ? *« Ich weiss nicht, was soll es bedeuten… »*

Il l'ignorait.

« Le Rhin, le fleuve allemand, pas la frontière de l'Allemagne. » Seules quelques bribes de ce qu'il avait appris à l'école lui traversèrent l'esprit ; c'est tout ce qu'il se rappelait.

Fais un effort, il faut aussi que tu saches analyser des situations nouvelles. Regrouper les informations, comprendre vite, agir rapidement. Voilà le mot d'ordre du jour.

Il avait vu la moitié de l'Europe, mais n'était jamais allé dans la région du Rhin supérieur et du Rhin moyen. Sans doute passerait-on par Francfort, ou Cologne, la Ruhr et Hanovre, puis Berlin, sa destination.

Il connaissait Cologne. *« Présentez-vous à Cologne, vous y prendrez vos instructions. »* 9 novembre 1939, seize heures, au lendemain de l'attentat manqué contre

16

Hitler à la brasserie Bürgerbraükeller de Munich. L'opération Schellenberg. Il avait fait partie du commando SS armé. En violation de la frontière, ils étaient allés en territoire hollandais en civil, à Venlo, pour enlever deux officiers des services secrets britanniques. Succès sur toute la ligne.

Et il se rappelait aussi Paula et son allure provocante, cette putain bien en chair d'un bistrot pour ouvriers non loin du Neumarkt. Paula se disait parisienne, appelait tout le monde « chéri » et parlait quelques mots de français à une époque où c'était déjà interdit, voire même dangereux. Ils trouvaient ça particulièrement séduisant, en harmonie avec leur présence, leur mission. Une petite touche d'ambiance. « *Mettez-vous à la place de votre adversaire, étudiez le terrain, puis fondez-vous dans la foule* », leur avait inculqué l'instructeur. Qu'est-ce qu'ils avaient ri, avec cette fausse française sur les genoux, des obscénités vulgaires dans les oreilles, la tête pleine de bière *Kölsch* et de vin du Rhin. Ils se trouvaient si jeunes, si invincibles, l'élite du pays, du pays le plus puissant du monde, l'Allemagne. L'opération Walter Schellenberg remontait déjà à quatre ans et demi. Une éternité. Cela n'avait absolument rien à voir avec ces opérations auxquelles il avait participé ensuite à l'Est.

Et voilà qu'il était allongé dans ce train crasseux : une balle lui avait traversé la cuisse.

« La bonne blessure, avait dit le chirurgien. Pour ce qui est de galoper, ça prendra son temps, au moins un mois ; on vous expédie à Berlin pour une guérison complète. »

Il n'aurait vraiment pas dû aller sur le champ de bataille ; c'est Bergmann qui était compétent pour diriger les opérations de terrain. Quelle mouche avait bien pu le piquer ? Après le débarquement en Normandie, les actes de sabotage de la Résistance avaient augmenté et elle avait porté des coups sensibles à la logistique allemande, y compris dans le secteur dont il avait la responsabilité. Il fallait compter tous les jours avec des attaques contre des postes de garde, des ponts qui sautaient, des agressions contre des lieux de spectacle et de loisirs. Ajoutons à cela des opérations bien préparées contre des unités allemandes en voie de regroupement, en route vers le nord, vers le front. La Résistance s'enhardissait de plus en plus, le nombre de coups échangés augmentait et les Français devenaient de plus en plus imprudents. C'était le moment d'agir vite et de frapper fort.

Il avait tout réglé à la perfection, recueilli comme toujours toutes les informations, en avait fait la synthèse, avait exploité les écoutes radio, tiré l'essentiel des rapports des indicateurs. Grâce à ce flot de renseignements, d'allusions, de messages codés et d'aveux arrachés, il s'était fait une idée d'ensemble très précise. Il s'agissait d'une importante livraison d'armes des Anglais dans le secteur G/7. Il avait organisé ses unités, mis en place le dispositif, prévu des groupements tactiques d'intervention rapide ainsi que la surveillance des environs – comme dans les manuels d'instruction. Tout devait se dérouler sans accroc. Le temps avait manqué pour peaufiner tous les détails, mais il n'y avait pas eu moyen de faire autrement…

Une ferme isolée du Massif central servait de repaire aux résistants. Un terrain facile à surveiller, quoique intelligemment choisi par les défenseurs. Il avait à sa disposition des fascistes français, des miliciens fermement décidés à s'attaquer à leurs propres compatriotes dans la lutte finale contre le bolchevisme. Il avait détaché ses propres groupes de sécurité en vue d'un encerclement d'envergure, y ajoutant tous les hommes qu'il avait pu obtenir. Arrivant par le nord, les miliciens devaient pénétrer sur les lieux en premier, par surprise. Les autres unités s'occuperaient du reste de l'encerclement, dresseraient des barrages sur les routes.

Évidemment, l'affaire avait mal tourné, comme souvent.

Sa place était aux transmissions. À ce poste, son travail consistait à coordonner les mouvements de troupes sur le terrain, les déplacements rapides d'unités. Il était celui qui avait l'œil à tout. Le « Debout, en avant, en avant ! », c'était le métier de Bergmann. Et Bergmann s'était senti mis à l'écart parce que, cette fois, il s'était rendu en personne sur les lieux pour diriger l'opération.

La ferme avait été rapidement cernée. Il faisait clair, une nuit de pleine lune, le terrain était accidenté. Armes au poing, ils traversèrent des champs parsemés de cailloux. Au voisinage de murets de pierres sèches isolés, des buissons de genévriers se détachaient du sol. Une région faite pour des chèvres et des ânes, sèche mais pleine de charme. *La douce France*. On entendait le chant des cigales et il flottait des odeurs d'herbes qu'il ne connaissait pas. Certaines, suaves, sentaient le savon, Paris, d'autres le moisi, comme chez lui en automne.

— *Hans, ça sent la pourriture, ici.*

Il rit.

— *C'est beau ici.*

Merit avait ramé avec lui en direction de l'îlot. Ils étaient allongés sous le saule pleureur. L'eau de la petite rivière clapotait doucement contre la berge qui sentait la vase. Il lui caressa l'avant-bras, elle le repoussa.

— Hans, tu sens la pourriture...

— Tu dis des bêtises.

Un signal rouge avait soudain clignoté dans la nuit. On entendit le crépitement d'une mitrailleuse, suivi d'un tir nourri dévastateur. Il ne savait absolument pas pourquoi il était venu là. Il avait donné l'ordre : « Debout, en avant, en avant ! » Bergmann assistait à tout cela, l'air consterné. Les hommes se précipitèrent en avant, firent feu avec leurs pistolets et les mitrailleuses, installèrent les mortiers dans la pagaille. Plus question de faire des prisonniers. Le vacarme était assourdissant. Des tirs courts et hachés, des lueurs, de sourdes déflagrations.

Tuer à quatre temps.

Merit au piano, *So nimm denn meine Hände...*

La douleur ne le transperça qu'au moment où sa tête heurta violemment le sol. La guerre était finie pour lui. Apprécier cette fin à tout prix, car ce qui suivrait serait terrible.

3

— Alors comme ça, vous êtes un ami de ce petit bout de femme !

Le vieil homme regardait Haas, l'air cordial ; il sortit sur le seuil et se planta devant lui sur le palier obscur.

Haas opina.

— Une simple connaissance, à vrai dire…

— Oui, elle habite en bas, au deuxième, chez sa tante, la Wachowiak.

Un sourire rusé illumina le visage ridé du vieil homme.

— C'est une de ces demoiselles genre pète-sec, mais au comportement irréprochable envers notre Führer, ajouta-t-il.

Le vieux n'avait pas l'air bien clair, mais il n'était pas tombé sur la tête. Il était seul à habiter ce cinquième étage sous les toits, sans doute une ancienne chambre de bonne. Il voyait le monde d'en haut. Il n'y avait certainement pas de mal à en rajouter un peu :

— Oui, je sais, elle a toujours été une fanatique, une des premières à adhérer à la Ligue des Jeunes Filles allemandes, le petit doigt sur la couture de la jupe. Mais vous semblez très bien la connaître, vous ; elle n'a pas l'air d'avoir changé, hein, cette brave fille ?

— C'est que je les connais, tous ces oiseaux !

Le vieux baissa la voix.

— Vous savez, ici, c'est une maison, comment que je vous dirais ? une maison où tout le monde connaît pas forcément la date exacte de l'anniversaire du Führer.

— Franchement, moi non plus.

Le vieux s'approcha encore.

— C'est ce que je me suis dit tout de suite. À voir votre tête, il semble pas que le brun soye votre couleur préférée.

C'était vraiment un drôle de numéro. Bien trop confiant. Il fallait qu'il prenne garde à ne pas en dire trop, ça pouvait lui coûter la vie.

— Vous savez, poursuivit-il, elle est venue habiter ici il y a quelques mois, son immeuble avait été bombardé. Elle s'est tout de suite débrouillée pour prendre la direction de la défense antiaérienne, parce qu'elle estimait que le collègue Kretschmer, le chef d'îlot, à cause de sa jambe raide, il ne pourrait pas arriver assez vite au grenier pendant les raids aériens. Elle est comme ça. Toujours la première. Mais elle a du cran, la petite, toujours seule dans les combles, armée d'une simple pelle, d'un seau de sable et d'une lance à eau, et ça à chaque alerte, de jour comme de nuit. On peut dire ce qu'on veut, mais finalement, ça surprend qu'un moustique pareil puisse avoir le cuir aussi épais.

Le vieux lui plaisait. Sans doute un de ces incorrigibles rouges, de ceux qui ne savaient pas tenir leur langue. Quinze ans auparavant, il avait certainement été de toutes les bagarres contre les SA. Un socialo ou un coco, un de ceux qui avaient toujours su que toute cette chiennerie hitlérienne ne mènerait qu'à l'abîme. Personnellement, il n'avait jamais aimé les gens de gauche, il était commerçant, avait tenu un magasin ; il n'avait jamais accordé d'importance non plus à toutes ces foutaises sur la révolution et les expropriations de Juifs. Les troubles politiques, c'est mauvais pour les affaires. Point final. Mais il avait pris au sérieux les avertissements contre le danger bolchevique. Il avait voté jadis en mars 34, pour le parti du Führer, le NSDAP… Haas se rendit compte qu'il avait changé d'attitude sans le vouloir. Il allait maintenant corriger cette erreur.

— Merci beaucoup, monsieur Heutelbeck, je vais descendre et j'espère la trouver.

Le vieux jeta un œil à sa montre-bracelet.

— Il y a de grandes chances : je crois qu'à cette heure elle est assise devant son fichu poste de radio, à écouter la voix de son maître.

Il s'apprêtait à descendre les marches quand il ressentit une légère vibration. Elle enfla jusqu'à devenir un hurlement strident, montant et descendant. Il fut comme paralysé. Une sirène ! Il faillit se pisser dessus.

Il entendit Heutelbeck marmonner :

— Ah ! voilà quand même les avions ! Je commençais à avoir peur que les tommies nous aient oubliés ce soir.

Haas n'arrivait pas à se décider. Traînant la patte, Heutelbeck faisait lentement retraite vers sa chambre. Il resta debout dans l'encadrement de sa porte.

— Faut que vous descendiez ! On a un abri anti-aérien dans la cave. On y est un peu plus en sécurité.

Il n'était pas question qu'il y aille, c'était bien trop dangereux. On ne savait jamais qui pouvait y chercher refuge. Peu à peu, il reprit vie, tout son corps se détendit.

— Et vous ?

Heutelbeck fit un signe de la main.

— J'ai de trop vieux os pour avoir encore peur de la mort. Et puis, mes jambes suivent plus. Avant que j'arrive dans la cave, le raid sera terminé depuis longtemps. Non, non, je vais me coller mon détecteur à galène sur les oreilles : j'aime bien écouter ce qu'on dit de nous à l'étranger. Bonne chance.

La porte se referma.

Il entendit des bruits de chasses d'eau. Les portes palières claquaient. Des jurons, des appels, des cris d'enfants, le brouhaha des habitants de l'immeuble qui dévalaient les marches quatre à quatre. Le hurlement de la sirène était devenu plus fort, le pénétrait jusqu'aux os, le paralysait. Il fallait qu'il reprenne le dessus. S'il ne se trompait pas, la jeune femme allait bientôt monter pour accomplir son devoir. L'occasion était trop belle.

Dans l'obscurité grandissante, face à la porte de l'appartement de Heutelbeck, il put encore distinguer le coin où le palier tournait sur la gauche. Et il devina l'escalier raide du grenier.

Quand il eut atteint la moitié des marches, les sirènes décrurent peu à peu en une plainte mélancolique. Il entendit alors le vrombissement de moteurs d'avions qui se rapprochaient. Il poussa brutalement la porte du grenier au moment où l'escadre des bombardiers passait en grondant exactement au-dessus de l'immeuble ; il eut l'impression de ne se trouver qu'à quelques mètres du ventre des appareils.

Il retint son souffle et posa le pied sur le sol du grenier qui trépidait. Ça sentait le renfermé et la poussière. L'obscurité était presque complète. Le peu de lumière venait des lucarnes. Il discerna du linge suspendu à sécher et un seau à incendie plein de sable rangé sous la pente du toit. Un manche de pelle dépassait du récipient métallique.

Il se dirigea vers une tabatière, l'ouvrit, passa la tête, regarda à droite et à gauche. Depuis ce poste d'observation, il pouvait embrasser tout le paysage des toits. L'un après l'autre, quatre points lumineux s'épanouirent dans le ciel et les torches de magnésium accrochées à des parachutes descendirent lentement vers le sol en traînées qui illuminèrent les toits d'une clarté fantomatique.

Des arbres de Noël !

Les Berlinois avaient quelquefois l'humour crâneur. Dans quelques instants, les tommies « distribueraient leurs cadeaux ». Il connaissait ce bon mot. Un codétenu le leur avait appris : « Noël va se passer comme ça : les Anglais planteront les arbres de Noël, la défense aérienne livrera les boules, Goebbels nous racontera des salades pendant que nous, nous serons tous assis dans la cave en attendant la distribution des cadeaux. »

Il n'était pas assis dans la cave, mais accroupi dans les combles, en danger au beau milieu d'un raid aérien. Naguère, il n'aurait jamais eu ce courage, et aurait traité de fou tout individu qui ne serait pas descendu à l'abri. Mais même les hommes changeaient dans cette époque troublée.

La vue des arbres de Noël scintillants lui donna des nausées. Il fallait qu'il soulage sa vessie, mais il n'osa pas. Il s'agrippa au rebord en zinc du cadre de la tabatière, se balança sur les genoux et, par la position des guirlandes lumineuses, essaya de déterminer la future cible de l'attaque. S'il ne se trompait pas, le centre allait en être l'aéroport de Tempelhof, à quelques kilomètres de là, ce qui n'était pas pour le rassurer ; de toute façon il était trop tard, les escadrilles passaient sans discontinuer en hurlant au-dessus de lui.

Les rayons de quatre ou cinq projecteurs de la défense aérienne balayèrent le ciel nocturne, se croisant souvent à la recherche des bombardiers. Sa peur s'était envolée d'un seul coup ; fasciné, il suivit le spectacle des yeux. Les jets de lumière des batteries de projecteurs se coupèrent là où une partie des avions avait été repérée, et un instant plus tard il entendit le tactac régulier de la défense antiaérienne qui dessinait des courbes rouges dans le ciel.

Il vit tout à coup une lueur jaune-rouge à l'horizon des toits, suivie d'une déflagration sourde et violente. Ce devaient être des mines explosives. Il y avait des éclairs partout. Des boules de lumière éclataient sous ses yeux à intervalles presque réguliers. Le fracas des explosions enfla encore d'un cran, leur grondement se succédait à un rythme de plus en plus rapproché. Les premières lueurs d'incendies illuminèrent le ciel.

Les détonations des mines explosives se rapprochaient. Il se fit plus petit, tira sur ses jambes, presque suspendu à présent au zinc de la lucarne, n'arrivant pas à se décider à changer de place.

Achevez-les, mettez-les en pièces, envoyez-moi cette racaille brune en enfer... Il avait ouvert la bouche, croyait crier, mais ne respirait que bruyamment, par saccades.

Les boules de feu se déplaçaient vers Schöneberg. Il entendit un sifflement dans les airs. Tout près, très près au-dessous de lui. Les explosions semblaient monter de derrière l'immeuble, vers la porte de Halle. Elles résonnaient dans la cour arrière et leur écho se multipliait dans la nuit. Le souffle violent des explosions lui coupa la respiration. Il tomba à la renverse, se retrouva sur le sol, se protégeant la tête avec les bras. L'immeuble tremblait, des carreaux de lucarnes éclatèrent, à sa gauche quelques tuiles se détachèrent, ça crépitait de partout, comme s'il grêlait des pierres.

Il y eut un répit.

Il se redressa, jambes vacillantes, et guetta de nouveau par la tabatière. Quelques rues plus loin, les flammes dévoraient les immeubles bombardés. Il entendit du bois pétiller et se fendre en craquant, des murs s'effondrer. Il entendit l'air chaud qui sifflait dans le défilé des rues en feu, le devinait s'engouffrant par les fenêtres en chuintant, traversant des maisons éventrées réduites à l'état de carcasses, projetant dans le ciel rougeoyant des bouts de papier enflammés et des braises de la taille de grêlons. Sa vue était troublée par des nuages de suie et de poussière que les rayons des projecteurs tentaient de percer. La DCA se remit à tirer sans arrêt, mais les flottilles en formation carrée passaient dans le ciel, escadrille après escadrille, lâchant leurs charges en un ballet mortel.

Mettez-les en pièces ! Mettez-les en pièces !

Peu de temps après, des bombes au phosphore explosaient dans les tranchées de décombres creusées par les mines. Elles crevaient les toits, les flammes léchaient les murs des cages d'escaliers et des combles, embrasaient des conduites de gaz ; elles éclataient sur les pavés, projetant d'innombrables boules de phosphore enflammé. Les murs des appartements mis à nu, perforés par des éclats de bombes, et que seuls retenaient encore d'invisibles tiges de fer à béton, pendaient aux façades des immeubles comme des tapisseries arrachées.

Le vent lui apporta une âcre odeur de brûlé et il vit à l'horizon le mur de flammes où tremblaient des mirages. Il ne put en détacher les yeux et fixa cet enfer rouge et noir jusqu'à ce qu'ils s'emplissent de larmes.

Brûle, Berlin, brûle ! Balancez des bombes explosives dans les flammes, des bombes de dix, vingt, trente quintaux, que ça forme une masse de feu que plus personne ne pourra jamais éteindre, écrasez la ville sous vos bombes...

« Écrasez la ville sous vos bombes ! » Il était réellement en train de hurler dans la nuit, cou tendu hors de la lucarne ; il n'avait plus peur, il se sentait soulagé, libéré, il n'était plus seul et c'est presque avec détachement qu'il observa quelques bombes perdues qui crevaient les toits de maisons voisines en rugissant, expédiant des nuages noirs dans le ciel.

Le plus fort de l'attaque semblait passé. Il entendait bien encore quelques déflagrations ici ou là, une fois même une rapide suite d'explosions dans le lointain. La toux sèche des unités de la DCA retentissait encore à l'horizon, mais le vrombissement des moteurs d'avions s'apaisait lentement. Le ciel rougeoyait d'innombrables immeubles en flammes.

— Vous êtes cinglé, mon vieux ? Fatigué de vivre ? Dépêchez-vous de descendre à l'abri. Immédiatement !

Il ne l'avait pas entendue venir, avait presque oublié qu'il était là pour elle. Il se retourna lentement.

La silhouette de la femme n'était qu'à une portée de bras. La lueur rouge qui brillait à travers le carré de la lucarne lui éclairait le visage. Elle avait à peine changé, debout là, mignonne et frêle. Même le casque d'acier trop grand pour elle lui allait bien, formant un contraste qui seyait presque avec ses vêtements soignés.

Elle le regardait droit dans les yeux, mais ne le reconnut pas, vraisemblablement parce qu'il était à contre-jour.

— Qu'est-ce que vous faites là, à la fin ?

Elle avança d'un pas.

— Vous habitez ici ?

Son bras se détendit. Le rayon d'une lampe de poche se vrilla dans les yeux de Haas. Des secondes durant, il n'entendit que sa propre respiration et les tirs sporadiques dans le lointain.

— Toi ! murmura-t-elle enfin.

— Oui, me voilà de retour.

Il lui arracha la lampe et la lui braqua dans les yeux.

Elle avait un peu vieilli, semblait plus soucieuse. La lumière crue creusait des ombres sous des yeux fatigués et des pattes-d'oie bien marquées.

— Oui, me voilà de retour, répéta-t-il lentement. Et maintenant, on va enfin parler sérieusement tous les deux.

4

Le bruit était indéfinissable. Un bruit intense, aigu, persistant. Une alerte ? Une sirène ? La porte d'entrée ? Le téléphone ?

C'était le téléphone. On appelait de nouveau.

— *Oui. Parfaitement.*

Les transmissions, technique de communication la plus moderne, le téléphone... Nouvelles fraîches, toujours de nouveaux rapports. Et des chiffres.

— *Oui, nous avons tout reçu clairement, je répète : lieu d'intervention atteint dans les temps prévus, 27... 43... 342...*

— *28... 147... 275... 93...*

Le Gruppenführer entre dans la pièce. Le téléphone, une grande table en bois, des cartes avec les lieux d'intervention. Une petite table, une machine à écrire, le rapport.

Tout le monde se lève d'un bond, rectifie la position.

— *Alors, Sturmführer, où en est-on ?*

Le manteau atterrit sur le dossier d'une chaise.

— *Tout se déroule comme prévu, Gruppenführer. Le territoire est bouclé. Terrain boisé, mauvais chemins d'accès, quelques marécages infranchissables à l'est,*

*des étangs à l'ouest et au sud-ouest, autant d'obstacles
naturels. Les groupes d'interventions sont déployés.*

*— Merci pour votre aide, Sturmführer... Bon tra-
vail.*

*Le Gruppenführer sort. La porte se referme. L'air
froid de novembre s'est infiltré dans la pièce.*

— 59... 219... 83...

Toujours des chiffres.

Les rapports.

Le Gruppenführer.

Le village... L'église...

Les cris.

Il se réveilla, baigné de sueur, ouvrit des yeux
hagards. Il ne voyait que le plafond sombre. Des
rayures vertes zébraient le compartiment par intermit-
tence.

5

— Vous descendez l'allée centrale et vous prenez la deuxième travée à gauche, après la fontaine. Vous trouverez la tombe à droite, juste devant le mur.

Le gardien aux cheveux gris leva les yeux du plan. Avec ses lourdes poches gonflées sous des yeux aux paupières rougies, il était l'image même de la compassion éternelle.

— Vous êtes l'époux et le père ?

Il confirma.

— Je sais que ça ne vous consolera pas, mais ça fait des mois que des hommes viennent ici, le plus souvent des permissionnaires. Ils cherchent tous les tombes de leurs parents, des maris, des fils, des frères. Tellement de morts !

L'homme se leva en prenant appui sur la table et le précéda, l'air pataud dans ses lourdes bottes en caoutchouc.

— Des fois, on ne peut même pas dire avec exactitude aux familles où sont enterrés leurs enfants et leurs femmes. Parce qu'il faut qu'on en mette beaucoup dans des fosses communes. Des fois, après des raids, il y a tellement de morts dans les rues... on ne peut quasiment plus les identifier, ou alors il faut les ensevelir le plus rapidement possible à cause des risques d'épidémie. On aimerait bien creuser des tombes individuelles, mais on n'a pas le temps.

Il suivit l'homme sur une petite avant-place recouverte de gravier.

— Même ici, ils ne trouvent pas toujours leur repos éternel. Pas plus tard qu'hier, il y a un obus perdu qui est tombé en plein dans une fosse commune. Je vous dis pas ! C'était effroyable. Infect ! Il a fallu qu'on ramasse tout ça et qu'on réenfouisse les morceaux. Ne le prenez pas mal, mais on peut dire que votre famille a eu bien de la chance.

Il désigna de la main une petite allée bordée de sapins argentés.

— Faut que vous alliez par là. Je vous renouvelle toutes mes condoléances. Heil Hitler !

Il s'engagea sur le chemin et se retrouva quelques minutes plus tard à l'endroit recherché, près d'un bosquet de quelques bouleaux rabougris. Une herbe rare recouvrait le sol jonché de feuilles aux couleurs de l'automne. Les sépultures étaient serrées les unes contre les autres sur plusieurs rangées, certaines ornées d'une croix de bois portant une inscription, d'autres recouvertes d'une pierre tombale ou de simples branches de sapin. Sur beaucoup d'entre elles, le monticule de terre remuée était encore dégarni.

Il trouva tout de suite la tombe, dans la deuxième travée. La terre s'était tassée avec les intempéries, des mauvaises herbes fanées s'échappaient de la bordure de pierre. Une petite croix de bois était plantée à la tête de la tombe. On y avait inscrit à la peinture noire un numéro et deux noms.

Lieselotte Haas. Friedrich-Christian Haas. Les noms de sa femme et de son fils.

Il fut agité de violents tremblements, tomba à genoux, s'entendit sangloter et à travers un rideau de larmes, il se vit arracher de petites poignées de mauvaises herbes, il vit ses ongles ratisser le sol sec.

Il voulut hurler de rage, d'impuissance. Il voulut éventrer le sol, se frayer un chemin jusqu'à Lotti et Fritzchen, les voir, les serrer contre lui. La terre grumeleuse coula de ses doigts comme de la cendre. Il la tassa autour des racines sèches et nues d'un lierre qu'on avait planté là et qui s'étiolait.

À Buchenwald, il avait voulu rester en vie pour les siens. Tout ça pour rien. On les lui avait arrachés il y avait des mois déjà, déchiquetés par une bombe et ensevelis sous des décombres.

Pourquoi ? Pourquoi vous ? Frick, saloperie de menteuse, tu le savais pourtant, alors pourquoi n'as-tu rien dit, malgré mes coups dans ta gueule de faux jeton ?

D'un coup sec, il arracha la tige d'une fougère. Les feuilles fanées se réduisirent en poussière sous ses doigts. Il secoua la plante et des miettes de terre sèche tombèrent dans l'allée. Une odeur âcre se fixa sur ses mains. Ses yeux s'emplirent de nouveau de larmes. Il prit appui sur la bordure de pierre, posa son front contre la croix de bois. De la morve lui coula du nez et goutta sur la tombe.

Il avait cru qu'il ne pouvait y avoir pire douleur que celle endurée au camp. Mais ici la souffrance était plus profonde, plus forte. Il eut des crampes d'estomac, les spasmes se nouèrent en une boule d'acier. Tout brûlait en lui. Il eut de la peine à se relever.

Il se mit à pleuvoir. Il n'y prêta pas attention ; il enleva son chapeau, voulut sentir les gouttes de pluie tambouriner sur son crâne. Durant son séjour au camp, s'il n'avait parié que sur l'amour, dorénavant sa vie n'aurait plus aucun sens – elle se serait tout simplement arrêtée ici, comme soufflée, devant ce rectangle de terre sans espoir. De la main, il balaya ses cheveux courts et s'essuya.

Au camp, il avait misé sur la haine, une rage qui devenait de plus en plus indéfectible et sauvage à chaque nouveau coup du sort. Il enfonça son chapeau sur sa tête. Il était certes seul et à bout – mais pas face au néant. Il la sentait au fond de la gorge, cette fureur indescriptible, il la sentait monter, elle cherchait une issue…

« Tas de fumiers ! »

Était-ce bien lui ? Venait-il de crier ? Dans un cimetière, devant la tombe de sa famille ? Ils allaient apprendre à le connaître, éprouver ce qu'il était devenu, ce qu'ils avaient fait de lui. Il essaya de mettre de l'ordre dans les noms, les visages qu'il avait en tête, mais il n'y parvenait pas. Il n'en savait pas encore assez, ignorait où ils se terraient, derrière quelles façades en ruines de cette ville à l'agonie ils se cachaient. Mais il les retrouverait, même si c'était la dernière chose qu'il ferait dans sa putain de vie. Il n'avait plus rien à perdre. Ruprecht Haas, l'épicier du coin, était mort depuis longtemps, ce n'était plus un être humain, et ce depuis bien plus longtemps qu'il ne se l'était avoué. Il en avait déjà eu le pressentiment quand la Frick lui avait parlé de la mort de sa famille. Mais ça ne lui était devenu vraiment évident qu'au moment où, avec le tranchant de cette pelle fichée dans le seau de sable, il lui avait ouvert le crâne jusqu'à ce qu'il explose avec un bruit d'air s'échappant d'une bouteille de limonade dont on a, du pouce, fait sauter le fermoir à ressort.

Il ne faisait plus partie de la communauté des humains. Il était devenu une bombe à retardement.

6

La jeune infirmière secoua le thermomètre.

— La température est presque normale. Ça commence à aller mieux.

Il lui sourit.

— Il faut encore que je vous prenne le pouls.

Son lit était situé côté fenêtres d'une grande salle d'hôpital pleine de patients. Aux deux bouts de la pièce, des infirmières entraient et sortaient par les portes battantes, arpentaient le couloir, poussaient devant elles des portiques pour perfusion, transportaient des plats-bassins, passaient de patient en patient avec des plateaux chargés de médicaments ou de paquets de charpie.

L'infirmière s'était assise sur le bord du lit. Elle chercha son pouls et se concentra sur le cadran de sa montre.

— Parfait, dit-elle. Vous n'allez pas tarder à partir pour une maison de conva…

Trois lits plus loin, un blessé qui s'était mis à hurler, se dressa sur son lit, roula sur le côté et cogna durement le plancher. L'infirmière se précipita.

— Le 6 s'est évanoui !

Le médecin accourut, grand, blond, pâle, visage balafré. Il rétablit le calme, donna des ordres avec une raideur toute militaire.

— Opération d'urgence, préparez les poches de sang !

Les infirmières se dispersèrent comme une volée de moineaux.

Des poches de sang... des conserves de sang, de la viande en conserve, du sang. Les conserves contre la mort !

Les conserves le poursuivaient depuis le début. Parmi les lambeaux de souvenirs qui montaient en lui, il entendit la voix dure, familière : *« Kalterer, vous vous occupez des conserves ; et vite ! »*

Presque au même moment, l'autre voix affleura sa conscience, une voix calme, qui pesait ses mots : *« Mon cher Kalterer, c'est un bond en avant dans votre carrière, l'ascenseur pour les étages supérieurs. »*

Pourquoi lui, Hans-Wilhelm Kalterer, n'était-il pas resté au rez-de-chaussée ?

Il était dans le bureau de son supérieur, le commissaire de police Scharf. Il vit deux tramways se croiser sur l'Alexanderplatz. On était en juin 1939.

Les câbles d'un ascenseur peuvent lâcher. Mais à cette époque-là, au cours de cette conversation avec Scharf, ambitieux au point d'en être aveugle et idiot, il n'y pensa même pas.

« C'est votre chance, Kalterer. Saisissez-la – ou vous préférez croupir ici ? La guerre va éclater, les choses intéressantes vont se passer ailleurs, pas aux mœurs ou aux enquêtes dans un quartier chaud de Berlin. Ce ne sont que des voies de garage. » Scharf l'avait flatté, lui avait mis la main sur l'épaule, l'air

jovial. « *Vous êtes l'homme de la situation, venez avec moi. Entre nous, il faut que nous fassions de la police une composante du mouvement, un instrument de notre Führer. Finis les règlements de cette administration publique dégénérée. Vous devriez marcher avec nous, avant qu'on soit obligé de vous mettre au pas. Ça fera meilleure impression... »*

Il s'était décidé. Techniques de combat rapproché, formation à différentes armes de tir, entraînement incessant et finalement répétition générale dans les landes du Brandenbourg. Jusqu'au jour J, jusqu'à ce que le jour J soit arrivé, le jour de l'entrée en action, le point de non-retour.

Il avait connu des centaines de personnes au cours de sa carrière, des camarades, des supérieurs, de simples relations, les amis précieux et les autres. Il avait oublié beaucoup de noms, ou ne se les rappelait qu'après de longs efforts, et cela malgré cette bonne mémoire qu'il avait exercée dans son travail.

Mais ceux des hommes assis là avec lui, en civil, dans cette simple chambre de l'hôtel Maison de Haute-Silésie, lui étaient encore bien présents : Skibba, Hartmann, Schröder, Brunnenkamp – les camarades.

Mais il y avait aussi un certain Honiok, Franz, de Hohenlieben, district de Gleiwitz, quarante et un ans, représentant en machines agricoles, le premier mort et sans doute la première conserve de la guerre, traîné jusqu'à la station radio allemande de Gleiwitz, étourdi, sans connaissance, et fusillé sur place. Et il y avait aussi Naujocks, naturellement...

Alfred Helmut Naujocks. Le vétéran, le boxeur amateur, le costaud, Standartenführer SS, sans doute parmi les premiers à s'être battu pour le Führer contre

les rouges dans des combats de rue, il y avait longtemps de cela. Ils l'admiraient tous, le Naujocks, le
chef du commando.

Mais pour la mise en scène projetée, le simulacre
d'attaque polonaise, un mort ne suffisait pas.

*« Kalterer et Schröder, allez nous procurer d'autres
conserves. »*

Ils étaient allés chercher les futurs cadavres de l'opération « Conserves en boîte » parmi les détenus du camp
de concentration de Sachsenhausen. Quelqu'un les avait
abattus. Pas lui. Un autre.

Deux infirmières poussaient hâtivement le lit entre
les deux travées. Le soldat geignait à peine.

— Je te parie qu'il ne s'en tirera pas, lui souffla
son voisin de lit. Deux jours, pas plus. Une bouteille
de schnaps ?

Kalterer ne répondit pas. Depuis des jours, il se
sentait accablé, recru de fatigue. Mais il n'arrivait pas
à s'endormir. Il restait éveillé, à fixer le plafond. Il
aurait eu besoin de schnaps, de beaucoup de schnaps,
de cognac français, comme ce jour où ils s'étaient
congratulés à l'hôtel, aux premières lueurs de l'aube,
épuisés et complètement délirants en écoutant le discours du Führer : *« La Pologne, cette nuit, pour la
première fois, et ce sur notre propre territoire, a fait
ouvrir le feu par des troupes régulières. Depuis cinq
heures quarante-cinq du matin, nous ripostons ! À partir de maintenant, nous rendrons bombe pour bombe. »*

Beaucoup de bombes étaient tombées depuis ce
jour-là, et cette simple guerre contre la Pologne était
devenue une guerre contre le monde entier, impossible
à gagner désormais.

Il se retournait sans cesse sur sa couche, finit par abandonner toute idée de sommeil et s'assit sur le bord de son lit. Il s'était souvent demandé pourquoi on avait bien pu appeler les morts des « conserves ». Pour souligner leur totale disponibilité ? *Perinde ac cadaver* ? Une ici, une là ; non, pas celle-là, pas celle avec des traits aryens ; ça ne fait rien, nous en avons beaucoup d'autres en réserve.

Il pensa à deux vers d'un poème. Son camarade de classe au collège, ce jeune idéaliste aux penchants socialistes, lui murmurait toujours ces deux lignes quand le professeur d'allemand racontait avec beaucoup de pathos sa bataille de la Somme : « L'État a besoin d'hommes-conserves / Et pour lui le sang a goût de jus de framboise. »

Kalterer s'étira sur son lit. Il était bien question de l'État allemand, et passé ces années humiliantes d'après 1918, tous les moyens étaient bons. *La force crée le pouvoir et le pouvoir le droit.* Mais entre-temps la situation avait changé du tout au tout. Gleiwitz et Venlo avaient encore pu passer pour des coups de main bien menés, téméraires, des actions d'éclat. Mais ensuite ? « *La guerre est cruelle, et à la guerre, être modéré c'est faire preuve de bêtise.* » C'est Naujocks qui avait dit cela. Éliminer le moindre doute en soi : beaucoup de supérieurs s'y entendaient. Il avait étouffé tous ses scrupules, obéi aux ordres, fait son devoir. Les vers de Brentano lui revinrent en mémoire : « *... et celui-là est mauvais qui prend la fuite.* » Il avait voulu faire carrière, évidemment. Peut-être Merit avait-elle eu raison, mais aussi longtemps qu'il avait la possibilité de monter dans la hiérarchie, il se moquait éperdument de savoir ce qui se passait autour de lui. Il

était soldat, officier. Qu'aurait-il pu faire d'autre ?
Brentano jetait un regard plus fataliste sur tout cela.
*« Celui qui tombe ne se relève pas, celui qui est debout
peut encore vaincre, le survivant a raison, est mauvais
qui prend la fuite, tralali[1]. »*

Depuis longtemps, les choses n'étaient plus aussi
simples.

---

1. Citation d'un poème de Brentano (1778-1842), l'auteur de
La Lorelei. Wer übrig bleibt, hat recht, est le titre original du
roman. (Toutes les notes sont du traducteur.)

7

C'était un dimanche, tôt le matin. Excepté les quelques corbeaux qui passaient en croassant au-dessus du terrain, tout était tranquille. Mais il fallait tout de même rester prudent. Beaucoup de gens avaient perdu leur logement au cours des bombardements et trouvé un abri provisoire dans les cabanes de jardins ouvriers. Par bonheur, les parcelles avoisinantes ne semblaient pas occupées et personne n'y était venu récemment. Leurs propriétaires avaient peut-être été évacués à la campagne ou tués sous les bombes. Haas avait eu de bons rapports avec ses voisins, ils avaient souvent échangé des semis et s'étaient entraidés pour la construction des cabanes.

Il connaissait beaucoup de petits jardiniers dans la colonie. Certains savaient parfaitement qui il était, mais il était incapable de deviner s'ils étaient au courant de ce qu'il lui était arrivé. C'était possible : le parti avait le bras long et il était présent jusque dans les plus petites associations de jardiniers du dimanche. Il était donc plus prudent d'éviter ses voisins et de ne pas se montrer.

Il saisit une cuvette en émail, se glissa par la porte en bois et pompa de l'eau au puits. Il retourna à sa cabane, se lava puis se planta devant un fragment de miroir, coupa du mieux qu'il put avec la lame rouillée de son rasoir sa barbe barbouillée de savon de soude. Son visage s'était aminci, ses joues s'étaient creusées, les pommettes faisaient saillie. Cela lui allait bien, d'une certaine manière. Il se passa la main sur le menton, regarda ses yeux foncés et esquissa un léger sourire. Il remarqua alors les nombreuses petites rides qui donnaient cet air de parchemin froissé aux coins de ses yeux et aux commissures de ses lèvres, et il vit les rides d'amertume qui apparaissaient de son nez à sa bouche. Il ne ressemblait pas précisément à Willy Fritsch, plutôt à une espèce de Luis Trenker qui aurait vieilli trop vite. Mais bah…

Il se pencha en avant, ouvrit la bouche et palpa les deux chicots qui lui restaient à la mâchoire inférieure. Les salauds… Il avança le menton, retroussa les lèvres. On ne verrait la brèche que s'il riait à gorge déployée. Et ça ne risquait pas de lui arriver souvent.

Il quitta les jardins à bicyclette et suivit la ligne de la S-Bahn jusqu'à la station Lichtenberg. Malgré l'heure matinale, il y avait déjà beaucoup de monde, énormément de cyclistes. Ils devaient faire partie des équipes du dimanche.

Le Moloch brun continuait donc à braver sa défaite, les entreprises les plus importantes pour la production de guerre semblaient encore tourner à plein, on travaillait encore vingt-quatre heures sur vingt-quatre, l'arrière-front s'éreintait encore à la tâche, on s'esquintait encore l'échine, les doigts en sang. Le système continuait encore à fonctionner.

Sur la Frankfurter Allee, il se mêla à une colonne de cyclistes qui s'étirait en longueur. La plupart étaient des femmes. En manteaux grossiers ou vestes épaisses, en pantalons, la tête coiffée d'un foulard, elles pédalaient en silence. Il se sentit rassuré dans cette foule. Il faisait partie de ceux qui, nombreux, se rendaient à leur travail.

La chaussée devint plus mauvaise à partir de Friedrichshain. Il vit des rangées de carcasses évidées de maisons calcinées d'où montaient encore des fumerolles et devant lesquelles s'amoncelaient, débordant largement des trottoirs, d'énormes tas de décombres, des meubles brisés et, partout, des débris de verre et des tuiles cassées, des entonnoirs de bombes pleins d'une eau verdâtre.

Il ne put cacher une joie maligne, souhaita toutes les bombes du monde à tous ces braillards de « Heil Hitler ». Ils n'avaient qu'à tous passer par où il était passé, vivre ce qu'il avait vécu. Le grand Reich allemand réduit à un gigantesque trou plein de ruines, voilà qui lui plairait. Il se tiendrait au bord, et pisserait dans l'abîme en riant.

Il se laissa glisser vers l'arrière du groupe, il ne pouvait pas tenir leur rythme plus longtemps. À présent qu'il roulait plus lentement, il sentit le froid mordant s'insinuer sous son manteau. L'automne arrivait doucement, il lui faudrait bientôt faire du feu dans sa cabane, au risque de trahir son refuge. Il fallait qu'il pense à tout, fasse attention à tout. Mais il pourrait peut-être attendre encore quelques semaines. Il y avait assez de bois dans la petite remise à outils, aucune inquiétude de ce côté-là. Il pouvait se nourrir quelque temps avec les conserves et les confitures. Il lui restait un peu d'argent et même quelques cartes d'alimentation. Ce qui lui manquait vraiment, c'était des papiers, de vrais papiers. S'il tombait sur un contrôle, tout serait fini.

L'inscription blanche toute fraîche luisait sur la façade noire criblée de trous. Les traînées de peinture avaient dégouliné le long du mur et formaient des taches sur le sol. « Nos murs sont brisés, pas nos cœurs ! »

Oui, mais c'est parce que vous n'en avez pas ! Que des grandes phrases, des formules creuses sur les murs des maisons, à la radio, au-dessus des portails des camps.

À chacun selon son dû ! « À chacun » y avait-on écrit – et pas toujours uniquement aux autres ! Vous comprenez ? Regardez autour de vous, la gueule que ça a, tout ça, tout est foutu… *À chacun selon son dû !*

Il appuya plus fort sur les pédales, tourna à droite dans la rue de Varsovie, prit de nouveau place dans une file de cyclistes qui se dirigeait vers le port de l'Est. Ils roulaient à la file indienne, disciplinés, s'efforçant de rester dans l'étroit chemin qu'on avait dégagé entre les ruines.

En rangs. Comme vous l'avez appris.

Le passage s'élargit. Il accéléra pour dépasser ceux qui pédalaient devant lui. Le vent froid de la course lui piquait les yeux. Il avait trop longtemps fait partie de la cohorte des suivistes. Crétin d'électeur sans cervelle de 1933, il avait détourné le regard, ne s'était intéressé à rien. Jusqu'à ce qu'il se retrouve broyé lui-même sous les meules brunes. Et c'est à partir de là qu'il avait commencé à comprendre ce que cette lie entendait réellement par discipline, éducation et ordre.

46

Il dépassa un groupe d'ouvriers avant la légère montée qui menait au pont Oberbaum. Ils l'encouragèrent de la voix :

« Vas-y, camarade, fonce, file, magne-toi de terminer enfin l'arme-miracle ! » Au milieu du pont, il entendait encore le rire des hommes qui le poursuivait.

Les premiers rayons de soleil faisaient scintiller les vaguelettes sur la Spree. Il ralentit, se servit de la déclivité pour descendre en roue libre vers la gare de Görlitz. Il atteignit rapidement sa destination. Il allait enfin pouvoir vérifier si l'information que la Frick lui avait lâchée sous les coups se révélait exacte.

8

Le café était plus grand qu'il ne l'avait imaginé. Une vaste salle s'ouvrait devant lui, s'élargissant vers le fond. Devant les fenêtres, des banquettes et devant chaque banquette, une table et des chaises. Un large passage les séparait du long comptoir assiégé par des hommes qui parlaient haut et fort. Beaucoup portaient des bleus de travail, des salopettes de mécanicien, des habits de maçon ou des velours de charpentier.

Quelques individus, assis seuls à une table, lisaient le journal ou prenaient leur petit déjeuner. Une délicieuse odeur d'oignons, de saucisse de foie et de pain grillé le disputait à celle de la fumée de cigarettes qui stagnait dans la pièce.

Il passa lentement devant le comptoir où il ne restait plus une seule place libre et chercha une table du côté du mur aveugle, une place au fond d'où il pourrait garder un œil sur la porte. Personne ne paraissait vraiment faire attention à lui.

Les nombreux clients et les chaudes vapeurs de cuisine conféraient à la pièce une chaleur supportable. Il quitta son lourd manteau, le suspendit avec son chapeau à une patère surchargée et contempla les deux femmes blondes affairées derrière le comptoir. La plus jeune s'occupait des boissons, tirait des bières pression ou remplissait des verres de schnaps. L'autre devait avoir dix ans de plus. Elle prenait les commandes, servait les repas et les boissons. Elle se déplaçait avec habileté entre les tables, le comptoir et la cuisine, dont elle ouvrait la porte battante d'un solide coup de reins. Il n'aurait su dire pourquoi, mais elle lui rappelait un peu Lotti. Pas à cause de son physique. Lotti était brune, avait plutôt le type du Sud. Mais cette serveuse en avait des airs, cette féminité voluptueuse, indéniable. Il ne pouvait s'empêcher de la regarder et elle finit par le remarquer. Elle se dirigea vers lui en s'essuyant les mains à son tablier.

— Bonjour ! Monsieur désire ?

Il jeta un bref coup d'œil à la courte carte.

— Je crois que je vais prendre un pot de camomille, un sandwich à la saucisse de foie avec des cornichons et des œufs brouillés.

— Je vous apporte ça tout de suite.

Elle lui sourit, tourna les talons et disparut derrière la porte battante de la cuisine.

Le café se remplissait. Certains s'arrêtaient de discuter, quittaient le comptoir, saluaient bruyamment à la ronde et sortaient, tout aussitôt remplacés par de nouveaux groupes qui s'y pressaient à leur tour. Comptoir et tables étaient complets. Il s'étonna de voir autant d'hommes à cette heure matinale. Sans doute à cause du changement d'équipes. Le bistrot était au carrefour des quartiers de Kreuzberg, Friedrichshain et Neukölln, et les ouvriers venaient vraisemblablement des usines environnantes pour arroser d'une bière avec schnaps le début ou la fin du travail.

Il connaissait cette atmosphère chaude et tranquille et n'arrivait pas à s'en défaire. Jadis, il s'autorisait tous les jeudis une soirée dans son bistrot habituel. Toujours après la fermeture du magasin. Des années durant. Une soupe aux pois cassés, puis un schnaps et quatre demis. Il avait maintenu ce jour de sortie, même après son mariage avec Lotti et la naissance de Fritzchen. C'était son jour, son jeudi sans famille.

Le café lui sembla une oasis en plein milieu d'un désert de ruines. Ou une île pour buveurs de bière, pour hommes seuls dont les femmes ou les familles avaient été évacuées à la campagne. Ou pour ceux qui commençaient à se rendre compte que leurs hurlements d'enthousiasme pour le Führer les avaient bel et bien mis dans de beaux draps et qui voulaient noyer cette lueur d'intelligence dans l'alcool. Il se leva et se fraya un chemin jusqu'à la table des journaux. Les quotidiens étaient déjà pris. Restaient les hebdomadaires, *Der Stürmer, Der Schwarze Korps* et *Das Reich*. Il se décida à contrecœur pour *Das Reich* et regagna sa place.

« *Bataille défensive sur le secteur nord du front est.* » Il ne s'intéressa pas particulièrement aux nouvelles de la guerre, pas plus qu'à un article où il était question d'une insurrection à Varsovie. En revanche, un éditorial de Goebbels attira son attention : « *Prêts à tout et déterminés* ». Dès les premières lignes, il comprit que leur auteur sentait la fin proche… C'était le dernier sursaut, puis c'en serait fini de la gloire, des forfanteries, des grandes gueules.

« *À la guerre, il n'y a pas d'erreur plus grave que de se faire de vaines illusions au moment où l'on remporte des succès. Un peuple n'est pas vaincu parce*

50

qu'il a subi une série de revers militaires. Il en faut beaucoup pour vaincre une grande nation, et le plus souvent elle ne l'est vraiment que quand elle se déclare elle-même perdue. Du Führer au dernier homme, à la dernière femme, au dernier enfant même, la nation est prête à tout et déterminée à tout. Nous sommes simplement nés dans le malheur et d'effroyables douleurs. Le monde nouveau que nous rêvons n'est pas perdu. Nous n'en abandonnerons pas l'idée jusqu'à ce que le destin nous exauce. Les faibles peuvent périr, restent les forts. À nous de décider de quel côté nous sommes. Qui pourrait douter de notre choix ! »

Il se prit la tête dans les mains et jeta un œil à travers la fenêtre à moitié tendue d'un rideau de dentelle. Il a raison, le pied-bot. Certes, pas au sens où il l'entend, mais ce qu'il dit est vrai, à condition de mettre ses paroles en perspective : un homme n'est pas vaincu parce qu'il a subi une série d'échecs personnels. Il en faut beaucoup pour ôter la vie à un homme, et il n'est définitivement perdu que lorsqu'il s'est dit lui-même perdu.

— S'il vous plaît, votre commande.

Haas sursauta, il n'avait pas entendu la serveuse approcher. Elle posa le plateau devant lui, lui souhaita un bon appétit et retourna derrière son comptoir.

Au moment où il allait saisir le sandwich à la saucisse de foie, un barbu entra dans le bistrot.

Oui, c'était bien lui. Sans aucun doute. Il se le rappelait plus corpulent, mais la guerre n'épargnait personne et marquait tout le monde. Il observa le barbu qui traversa la salle, s'empara d'une chaise deux tables plus loin et fit un signe de la main à la serveuse la plus âgée.

— Bonjour, Karine. Comme d'habitude, s'il vous plaît.

Puis il sortit de la poche de son manteau un paquet de cigarettes et une boîte d'allumettes, les posa sur la table, retira son manteau, le plia soigneusement et l'installa sur le dossier de sa chaise. Durant un instant, il regarda Haas droit dans les yeux.

Celui-ci remarqua que ses gestes s'étaient ralentis et que l'étonnement se peignait sur son visage. Pas de doute, il l'avait reconnu.

Haas fit semblant de le reconnaître :

— Herr Buchwald ? Georg Buchwald ?

— Oui !

L'homme se leva et vint vers lui.

— Pour une surprise, c'en est une ! Vous, ici ? Le hasard, tout de même ! C'est bien sympathique de se revoir.

Haas se leva à son tour et lui tendit la main.

— Venez, mais venez donc à ma table.

— Volontiers.

Buchwald alla chercher son manteau et ses cigarettes, prit place en face de lui tout en continuant à secouer la tête, l'air incrédule.

— C'est bien que vous soyez sorti. Quand est-ce qu'on s'est vus la dernière fois ?

— Au Nouvel An de 42-43.

— Oui, exactement.

Buchwald fit une pause et le regarda.

— Quelle horrible soirée !

Il approuva et contempla son assiette d'œufs brouillés.

Buchwald alluma une cigarette, souffla la fumée et dit :

— C'est étonnant que je vous rencontre ici. C'est mon bistrot, vous savez. Ça fait des années que je viens presque régulièrement, le dimanche surtout. Je suis venu souvent avec Angelika. Elle aimait beaucoup cette atmosphère.

— Ah ! oui, cette chère Mlle Frick !

Haas s'étonna du calme de sa voix.

— Votre charmante fiancée. Au fait, comment va-t-elle ? Vous vous êtes mariés entre-temps ?

Buchwald secoua la tête et murmura :

— Elle est morte. Assassinée. Il y a trois jours.

Il voulut en dire davantage, mais Haas vit qu'il avait les larmes aux yeux.

— Mais c'est effroyable ! Que s'est-il passé ?

Les larmes de Buchwald ne le touchaient absolument pas. Il lui fit un petit signe de tête, saisit sa fourchette et attaqua ses œufs brouillés.

— Je n'en sais rien.

Buchwald haussa les épaules.

— Elle a été tuée dans les combles de son immeuble pendant un raid aérien. On ne sait pas par qui. La police m'a prévenu. Je n'ai même pas pu la voir une dernière fois. Les légistes gardent encore sa dépouille… Morte, comme ça, du jour au lendemain. (Il secoua la tête, l'air presque résigné.) Je n'arrive toujours pas à y croire.

— Et alors ? La police a une idée du coupable ?

Haas continuait à manger ses œufs brouillés avec appétit.

— Pensez-vous ! dit Buchwald d'un ton maussade.

Il se tut un moment, puis se pencha en avant.

— Vous savez, murmura-t-il, les policiers m'ont interrogé, moi aussi. Ils m'ont même demandé si j'avais un alibi. Mais ce soir-là, j'étais à la maison, seul ; ensuite, quand ça a commencé, je suis descendu à l'abri, naturellement. Mais maintenant plus personne ne veut m'y avoir vu.

Il balaya le plateau de la table du plat de la main.

— Le commissaire m'a pressé comme un citron, il voulait tout savoir de mes relations avec Angelika. Ils m'ont traîné au commissariat. J'ai eu vraiment peur. Ils m'ont confronté à un homme qui prétend avoir vu l'assassin. Et ensuite, je suis passé au service anthropométrique, et ils ont fait des photos, pris mes empreintes digitales, comme si j'étais un criminel. Et tout ça parce que la tante d'Angelika était allée raconter à la police que nous avions rompu nos fiançailles. Ils me soupçonnent, moi, vous vous rendez compte ! Ça me fait tout drôle.

Il baissa encore d'un ton.

— Ils sont même venus chez moi hier, et m'ont de nouveau assailli de questions. Si je leur avais parlé de nos problèmes, ils m'auraient embarqué tout de suite, pour toujours. Je finis tout doucement par comprendre ce qui vous est arrivé.

Haas leva le nez de son assiette et regarda Buchwald :

— Vous vous êtes disputés avec Mlle Frick ? J'ai du mal à le croire. Vous formiez pourtant un couple uni.

Buchwald se redressa. L'expression de deuil s'effaça instantanément de son visage, son front se plissa, il éleva la voix.

— Bah, possible que nous en ayons eu l'air ! Mais il n'y avait absolument rien d'harmonieux entre nous.

Il poursuivit à voix basse :

— Angelika a toujours été difficile à supporter. Difficile à comprendre. Elle m'a laissé sécher d'envie. Tenez : elle se fiance à moi, mais n'arrête pas de trouver à redire à tout, que je ne suis qu'un simple typo-

54

graphe, elle ne cesse de me parler des bons partis qu'elle pourrait avoir.

Buchwald tira nerveusement sur sa cigarette et reprit avec des mines de conspirateur :

— Je peux vous le dire, à vous – et je suis tout à fait sincère, même si on ne doit pas dire de mal des morts – d'une certaine manière, je suis aussi un peu soulagé que tout ça soit fini.

Il regarda Haas dans les yeux :

— Ça sonne plus brutal que je ne le pense. Mais, d'une certaine façon, elle m'est restée étrangère. Même aujourd'hui, je ne sais toujours pas ce qu'elle voulait de moi, et ça a failli me rendre cinglé.

Buchwald jeta un bref coup d'œil à la cigarette presque entièrement consumée qu'il tenait entre ses doigts et en tira une bouffée nerveuse. Il ne parvint pas à écraser le mégot dans le cendrier. Le bout incandescent s'émietta dans une faible lueur, continua à fumer entre son pouce et son index jusqu'à ce qu'il écrase la braise avec sa boîte d'allumettes.

— Au fait, vous savez que c'est votre appartement qui a été la cause de la rupture de nos fiançailles ?

Tout en regardant Haas, il s'essuyait les doigts noircis de cendre à une serviette en papier.

— Quand vous avez été arrêté, Angelika ne s'est vraiment pas gênée : elle n'a pas arrêté de faire pression sur Karasek pour échanger son logement contre le vôtre. Elle a eu gain de cause deux ou trois semaines plus tard et votre femme a dû déménager. Je lui ai dit ce que j'en pensais. Ça a donné lieu à une telle dispute qu'elle a rompu les fiançailles et m'a flanqué dehors. Bien entendu, je n'ai rien dit de tout cela à la police, ils en auraient conclu à un drame de la jalousie. Depuis cette empoignade, je n'avais pas remis les pieds dans son immeuble et je n'avais pas revu Angelika depuis des mois.

La Frick ne lui avait pas parlé de ça. Elle ne lui avait donné que des réponses insolentes, même quand elle avait eu un œil en sang et tellement enflé sous les coups qu'elle n'y voyait plus. Mais ce qu'elle lui racontait lui avait semblé logique. Trop logique à présent, aussi convaincant qu'un discours de Goebbels.

La femme blonde vint à la table et déposa un bol de chicorée devant Buchwald. Quand elle eut tourné les talons, il poursuivit :

— Je l'ai rencontrée une fois, par hasard, et nous avons pris rendez-vous. Je pensais qu'on pourrait peut-être se rabibocher. Depuis qu'Angelika avait perdu son appartement et vivait chez sa tante, elle était un peu plus sociable. En tout cas, c'est ce que j'ai cru.

Il contempla un moment les cendres de son mégot, puis haussa les épaules :

— Mais je me suis trompé. Les vieilles querelles ont repris à notre première rencontre.

Buchwald respira profondément.

— Elle coucherait avec moi de temps en temps, mais uniquement par hygiène. C'est ce qu'elle a dit. De toute façon, il n'y avait pas d'hommes plus intéressants pour le moment, avec une meilleure situation que la mienne : ils étaient tous au front.

Il ouvrit la boîte d'allumettes, en sortit une, la posa devant lui sur la table et tira une cigarette du paquet.

— Je vais vous dire une chose : si Angelika n'avait pas été assassinée, j'aurais rompu de toute façon, et dans pas longtemps. Je me l'étais juré. Elle ne pensait qu'à elle. Et je me suis fait avoir, une fois de plus.

D'un geste exercé, il craqua l'allumette et l'approcha du bout de la cigarette.

Haas prit sa tasse chaude à deux mains.

— Mon Dieu, ça alors, jamais je n'aurais cru ça d'elle !

Il but une gorgée de camomille. Elle avait une odeur presque suave.

— Mais, dites-moi, si j'en crois votre histoire, il n'y aurait aucun rapport entre mon arrestation et cet échange d'appartements ?

Buchwald cala la cigarette entre ses doigts.

— Vous voulez dire, si Angelika vous aurait dénoncé pour avoir votre grand appartement ?

— Exactement.

Haas reposa calmement sa tasse.

— Non, je ne crois pas. À la Saint-Sylvestre, Angelika était avec moi sur le balcon. On n'a absolument rien entendu, ni rien su, de tout ce qui se passait. Et c'est bien ce que nous avons déclaré à la Gestapo. Que vous étiez complétement perturbé ce soir-là. Rien de plus.

Il regardait Haas dans les yeux.

— Mais, même si elle n'a pas entendu ce que j'aurais dit, elle aurait tout de même pu en glisser un mot à la Gestapo ?

— Je ne pense pas.

La cigarette tremblait légèrement entre ses doigts.

— Cette histoire d'appartement n'a été pour elle qu'une bonne occasion, j'en suis certain, ajouta-t-il.

Haas reprit une gorgée de camomille.

— Et, à votre avis, monsieur Buchwald, Karasek, Stankowski ou la Fiegl, est-ce qu'ils auraient dit quelque chose, eux ?

La réponse jaillit :

— Ça, c'est bien possible. Ils sont membres du parti à deux cents pour cent ceux-là. Pour eux, cela n'aurait été qu'une bonne action.

— Au fait, vous savez où ils se sont refugiés ?

Buchwald réfléchit un instant.

— Je n'ai pas revu Frau Fiegl depuis cette fête de la Saint-Sylvestre. Je ne sais même pas si elle vit encore. Qui pourrait l'affirmer, en ces temps si troublés ! Pour autant que je sache, Karasek habite quelque part à Dahlem. Dans une maison qui lui appartient aussi. La graisse surnage, c'est comme ça. D'après ce que j'ai entendu de Stankowski que j'ai rencontré par hasard, il occuperait encore une bonne position dans l'immobilier et achèterait à tour de bras des terrains encombrés de ruines.

— Vous savez où il habite maintenant, celui-là ?

— Il a trouvé un petit appartement qui donne sur la place Adolf-Hitler et il y vit avec sa femme.

— Mais vous ne connaissez pas l'adresse exacte de Karasek ?

— Non.

Il tira sur sa cigarette et souffla la fumée d'un air pensif.

— Mais cette espèce de grande gueule de parvenu a certainement le téléphone interurbain. Et son adresse doit être dans l'annuaire.

Évidemment ! Stupide de n'y avoir pas pensé ! Karasek était le suivant sur sa liste.

— Mais qu'est-ce que vous leur voulez ? demandait justement Buchwald.

Haas repoussa sa tasse vide.

— Vous savez que ma famille a été tuée dans un bombardement ?

— Oui. Ça m'a fait tellement de peine…

La cigarette s'était remise à trembler.

— Vous avez une idée de la manière dont ça a pu se passer ? Tous les autres locataires sont restés en vie. Votre fiancée était présente le soir de ce raid ; elle vous en a peut-être parlé ?

Buchwald le regarda fixement.

— Comment ça ? Votre femme était dans la maison quand elle a été touchée de plein fouet par cette bombe ?

— Oui, naturellement. Vous ne le saviez pas ?

— Non. Angelika m'a seulement dit…

Il n'écoutait plus. Buchwald n'avait pas la moindre idée de la teigne qu'il aurait installée chez lui, bien au chaud, si la Frick était devenue sa femme. Elle le lui avait avoué, cet échange de logements : Lotti se plaignait tellement de ne plus pouvoir payer ce grand appartement devenu trop cher pour elle, qu'elle se serait réjouie de l'échanger contre le sien, plus petit et plus avantageux. Tout cela avait l'air plausible, mais il avait trouvé bizarre qu'elle abandonne si vite un appartement qu'ils avaient aménagé ensemble. La Frick lui avait donc effrontément menti. Elle lui avait aussi parlé des circonstances mystérieuses du décès de sa famille, avait marmonnné quelque chose à propos d'une porte d'abri antiaérien fermée parce que Lotti serait descendue trop tard avec le petit. Le sang s'écoulait déjà de sa bouche quand elle avait encore ajouté dans un gargouillis qu'elle savait seulement que leurs corps déchiquetés avaient été retrouvés sous la cage d'escalier du rez-de-chaussée.

— Elle ne m'a pas dit que votre famille était morte comme ça, continua Buchwald, l'air troublé. Vous croyez que ça cache quelque chose ?

Il le regarda.

Tu peux en être certain, espèce de pauvre idiot.

— Je ne sais pas. Je voudrais simplement savoir exactement comment ils sont morts. Pour trouver le repos.

— Je comprends.

Buchwald jeta un œil à sa montre, puis vida son bol.

— Vous m'excuserez, il faut que j'aille rendre visite à ma mère à Friedenau, voir si elle a bien surmonté les derniers raids. On se reverra peut-être. Comme je vous l'ai dit, je suis là assez souvent. Tous les dimanches.

9

Ainsi la police soupçonnait-elle Buchwald d'avoir assassiné sa fiancée. Le promis de la Frick n'avait jamais été sur sa liste. Au contraire. Il lui avait toujours paru bien sympathique. Aux réunions, le plus souvent organisées par Lotti – « Surtout quand on est commerçant, il faut se mettre bien avec les voisins » –, Buchwald était le seul avec qui il se sentait à peu près à l'aise. Les autres lui avaient toujours parus suspects, même quand, certains soirs bien arrosés de vin et de bière, ils levaient leur verre à l'amitié entre membres de la même communauté nationale. Tout ça n'était que vernis mensonger, il le savait à présent.

Il est certain que cette guerre de bombardements avait laissé son empreinte partout : tout le monde cherchait à sauvegarder ce qu'il restait des années d'abondance, mais chacun demeurait seul, avec ses peurs et ses méfiances. Assis en face de lui, mains tremblantes et cramponné à sa cigarette, Buchwald avait eu l'air d'un chien abandonné qui a perdu une maîtresse sévère et qui remue la queue en se frottant contre la jambe de quiconque lui marque le moindre intérêt. Toute cette communauté patriotique nationale jadis si encensée n'était plus qu'un ramassis d'hommes veules et de femmes qui vous mentaient effrontément.

— Ça vous a plu ? lui demanda la serveuse tout en s'emparant du bol de Buchwald.

Il opina, prit le dernier cornichon et lui montra son assiette vide.

— Vous pouvez débarrasser ça aussi.

— Ce sera tout ?

Elle essuyait la table à petits coups de torchons lents. Comme elle était large, elle dut se pencher en avant, ce qui la rapprocha de lui. Il ne bougea pas, renifla un délicat parfum de savon au lilas et d'eau de Cologne, auquel se mêlait une légère odeur de transpiration. Il sentit l'excitation monter et ne désira plus qu'une chose : rester assis là et fermer les yeux. Cela faisait deux ans qu'il n'avait pas été dans les bras d'une femme, les bras de Lotti. Deux années sans tendresse, privé de caresses. Il avait parfois vu des femmes, en face, dans le camp des détenues, sales, enveloppées de haillons, pieds nus dans des galoches. Quand ils savaient qu'ils n'étaient pas observé, ses camarades et lui les regardaient, muets et respectueux, espérant un geste volé ou un échange de regards à la dérobée. Grâce à ces petits signes nostalgiques et désespérés, on se sentait encore vivant, on se rappelait ce qui avait existé avant l'horreur. Il sentit des draps frais, flaira de la soie sur la peau, respira une haleine chaude sur le cou, de la chair nue, de la moiteur, du désir…

— Vous voulez encore quelque chose ?

La douleur qu'il ressentait à l'entrejambe devint insupportable. Son pénis était comme ligaturé, exsangue et gourd.

— Houhou !

Debout devant la table, plateau en main, elle le regardait amicalement, l'air interrogateur.

— Désolé…

Espérant qu'elle ne remarquerait pas son trouble, il s'empara de la carte qu'elle lui tendait. La pression dans son pantalon se relâchait. Après tout, pourquoi ne pas rester et commander encore quelque chose ? Il était mieux là que dans sa cabane de jardin non chauffée. Il avait de l'argent sur lui et des cartes d'alimentation. Tout cela venait du porte-monnaie en cuir que la Frick tenait caché sous sa veste, courroie autour du cou. Il pouvait bien s'offrir encore quelque chose. La carte paraissait certainement bien squelettique à beaucoup, mais après deux ans à manger de la merde, pour lui c'était des plats de choix.

— Je crois que je vais reprendre une saucisse de foie et un…

Il repliait la carte, levait les yeux vers elle et, au moment où il allait terminer sa phrase, il remarqua que quelque chose avait changé dans le café. Tout était soudain devenu silencieux. Et c'est alors qu'il les vit : trois hommes vêtus de manteaux de cuir et portant des chapeaux noirs. L'un d'entre eux était resté à la porte d'entrée, tandis que les deux autres demandaient déjà leurs papiers aux premiers clients du comptoir.

Il essaya de contrôler la panique qui l'envahissait, prit de nouveau la carte dans une inutile tentative de se cacher derrière, la reposa sur la table, voulut se lever mais ne réussit qu'à repousser sa chaise contre le mur, jeta un œil à gauche, puis à droite, quand son regard rencontra deux yeux compréhensifs.

— Il faut que vous sortiez de là, n'est-ce pas ?

Il aurait voulu disparaître. *Oui, il faut que je sorte*

d'ici, aide-moi, aide-moi... Il était comme pétrifié et avait l'impression qu'il n'arriverait même plus à approuver d'un battement de paupières.

— Restez calme.

La femme défit le nœud de son tablier blanc.

— Vous allez le mettre, puis vous prendrez ce plateau et vous irez tranquillement derrière le comptoir et, de là, dans la cuisine.

Il se leva prudemment, à moitié caché par la femme, saisit le tablier et le noua. Baissant la tête, il prit le plateau chargé de vaisselle et se rendit derrière le comptoir tout en observant du coin de l'œil les agents de la Gestapo absorbés dans les papiers d'identité. La plus jeune des femmes le regarda un instant l'air étonné quand il arriva en tablier chargé d'un plateau, mais elle sembla comprendre tout de suite la situation et ne s'intéressa plus à lui. Il passa devant elle, ouvrit la porte battante d'un coup de reins et se retrouva dans la cuisine. Ses genoux tremblaient, ses jambes faillirent se dérober sous lui et la vaisselle s'entrechoqua sur le plateau.

La femme apparut quelques instants plus tard. Elle lui fit signe de se taire, le débarrassa du plateau et du tablier et le conduisit par la porte de derrière dans une petite cour ceinte de hauts murs. Elle lui prit la main, le tira vers la gauche, passa devant quelques marches qui menaient à une cave et entrouvrit la porte en bois d'un bâtiment annexe. Ils se faufilèrent dans l'entre-bâillement.

Il faisait sombre à l'intérieur et il ne repéra d'abord que la vague silhouette d'un chariot à ridelles. Des tonneaux étaient empilés contre les murs. Quelques stères de bûches aussi. Ils passèrent devant des baquets de maçon, des pelles, des fourches à charbon et arrivèrent devant une échelle de meunier qui aboutissait à une trappe.

La femme lui fit un signe et gravit les échelons. Il la suivit. Elle bascula la trappe d'une brusque poussée, monta dans la soupente où elle l'attendit.

Il y régnait une lumière diffuse qui venait de l'unique fenêtre d'une espèce de chien-assis. Il vit une table, des chaises, diverses armoires, une étagère avec des livres dépareillés et, sous la pente du toit, une cuisinière en fonte.

Côté pignon, il y avait un lit en fer à deux places sur lequel étaient assis un homme et une femme, étroitement serrés l'un contre l'autre. Une valise était posée devant eux sur le plancher. Ils étaient vêtus de lourds manteaux, chapeautés, gantés, comme sur le point de partir pour un long voyage. Ils le regardaient fixement et se serrèrent encore plus l'un contre l'autre, se prirent les mains.

La femme les tranquillisa.

— Tout va bien. Ne vous faites pas de soucis. C'est un ami.

Elle se tourna vers lui et dit :

— Placez-vous près de la fenêtre et observez la porte de la cuisine jusqu'à ce que je vous fasse signe qu'il n'y a plus de danger.

Puis elle quitta la soupente. Depuis la fenêtre, il la vit traverser la cour et disparaître dans la cuisine.

Il n'osait pas parler au couple assis sur le lit. Ils avaient toujours l'air aussi effarés et se regardaient brièvement de temps à autre. Il leur tourna le dos et inspecta la cour à travers la vitre grise. Il savait qu'ils ne le quittaient pas des yeux, se sentait mal à l'aise, coupable en quelque sorte. Il revit les écriteaux, se rappela les ricanements sarcastiques, les vitres qui volaient en éclats, les hurlements, les appels à l'aide, les flammes qui sifflaient, une étoile piétinée, des vieux portant la barbe, des enfants apeurés. *« Racaille, dehors, la canaille ! »* – non, impossible, ce ne pouvait être sa voix. Était-ce bien lui, là, au bord du trottoir, cette nuit-là, éclairé par les flammes ?

Tout était si tranquille dans cette soupente. Il osait à peine respirer. Il n'entendait que les battements de son cœur. Incapable de se retourner, il restait à la fenêtre sans bouger, regardant fixement dehors. Le temps d'une éternité.

La femme blonde se montra enfin à la porte de la cuisine. Elle portait un manteau plié sur le bras et dans la main son chapeau noir. Elle leva les yeux vers la fenêtre et lui fit comprendre qu'il pouvait descendre.

Il se tourna à demi vers le couple, esquissa un sourire, se dirigea vers la trappe, descendit et courut vers la femme. Elle lui tendit le manteau et le chapeau.

— Je ne sais absolument pas quoi vous dire… comment je pourrais vous remercier pour tout. Vous êtes une femme si courageuse. Je n'aurais jamais cru qu'il y ait encore des gens comme vous, des gens qui…

Elle fit un signe de dénégation de la main.

— Pensez-vous ! Venez, il vaut mieux ne pas repasser par le café.

Il la suivit. Ils passèrent devant la fenêtre de la cuisine, tournèrent au coin du bâtiment dans un étroit passage qui longeait le mur. Quand elle s'arrêta devant une porte en fer verrouillée, il lui prit les mains pour la remercier, mais elle en dégagea une pour lui intimer de se taire.

— Inutile de dire quoi que ce soit, c'est bien comme ça. Prenez à droite en sortant, vous serez très vite dans la rue.

Il aurait préféré fermer les yeux pour ne se concentrer que sur ce seul contact. Il était tenté d'entrouvrir les lèvres, de respirer son odeur, de sentir le parfum de lilas dans ses cheveux…

C'était le premier geste humain dont on lui faisait cadeau depuis longtemps et il eut honte de l'envie qui montait en lui, d'autant qu'il se sentait comme un petit enfant perdu. Le sang lui afflua au visage. La femme lui sourit un instant, puis elle retira sa main, sortit un trousseau de clés de la poche de sa jupe et ouvrit la porte.

Il jeta un œil prudent à droite et à gauche et c'est presque sur la pointe des pieds qu'il pénétra dans la rue. Il entendit la porte se refermer derrière lui et se souvint tout à coup du nom du parfum, *Reine du bal*, une lourde odeur de musc et de lavande. Le parfum préféré de Lotti.

10

Installé sur une chaise longue sous un vieux chêne du parc de la maison de convalescence, il avait une vue panoramique sur le terrain en pente douce limité par un petit fossé au-delà duquel s'étendaient à perte de vue des chemins de terre herbus et des champs de betteraves.

En tant que maître d'œuvre, il était toujours resté à l'arrière. Pourquoi était-il allé sur le terrain ce jour-là ?

Le Gruppenführer avait déclaré :

— *Allons-y ! Ordre du jour habituel. Tenez-moi au courant Sturmführer !*

Il est au garde-à-vous, le Gruppenführer quitte la place.

Et finalement le rapport :

— *Heil Hitler, Gruppenführer ! Opération réussie. Pertes ennemies : 715 morts. Pertes propres : 4 morts.*

— *Bon travail, Sturmführer. Félicitations pour la réussite de votre plan. Tout a marché comme sur des roulettes. Pour une fois, on m'a envoyé l'homme qu'il fallait. Vous proposerai pour du galon.*

— *Merci, Gruppenführer.*

— *Devriez venir une fois avec nous. Ça fait bien dans le tableau.*

— *Oui, Gruppenführer, à vos ordres.*

Était-ce pour cette raison qu'il était allé avec eux ?

— Herr Sturmbannführer, Herr Sturmbannführer, vous dormez ?

Kalterer sursauta. Il lui fallut un bref instant pour revenir à lui.

— Non, répliqua-t-il en esquissant un pâle sourire, je me suis laissé aller à rêver en contemplant le paysage.

— Vous vous êtes endormi, dit d'un air de reproche l'infirmière, Mlle Gerda. Et pourtant je vous avais bien dit d'emmener une couverture pour vous allonger sur une de ces chaises longues. Nous ne sommes plus en été, mais en octobre. Vous pourriez attraper la mort.

La mort ne s'attrape pas, elle vient toute seule, elle vient vous chercher… ou bien on survit.

— Un officier voudrait vous parler.

Derrière l'infirmière restée à son côté pour lui prendre le pouls et qui continuait à le regarder de son air maternel et faussement menaçant, s'avança un homme de vingt-cinq ans environ, sanglé dans un uniforme SS noir, casquette à visière et gants pincés sous le bras gauche comme le voulait le règlement. Yeux bleu-vert légèrement rougis, un visage anguleux et pâle, front haut et cheveux blonds pommadés soigneusement coiffés en arrière, raie à gauche.

Un aide de camp. Vraisemblablement un de ces bruyants claqueurs de talons.

— Heil Hitler, Sturmbannführer. Je m'appelle Bideaux. Je vous présente les meilleurs vœux de convalescence du service, dit l'homme d'une voix douce et calme.

Il se comportait comme le plus compatissant des médecins de la maison de convalescence. C'est de manière presque nonchalante qu'il avait tendu le bras pour le salut hitlérien.

Kalterer lui adressa un signe de tête. Claqueur de talons, mon œil. Il ne pouvait donc plus se fier à sa connaissance intuitive des hommes ? Cet officier élancé, debout devant lui, souriant, était certainement cultivé, intelligent, mais vaniteux aussi, un peu trop imbu de cette confiance en soi qui allait vite se changer en trop bonne opinion de soi. Il ferait certainement carrière, s'il lui en restait encore le temps...

L'infirmière s'éloigna en silence. Kalterer la suivit du regard. Elle marchait d'un bon pas et disparut derrière la bâtisse. L'éclat des couleurs du feuillage était à son apogée, le gazon bien entretenu allait bientôt se couvrir de tons jaunes et noir-rouge.

— De quel service parlez-vous ? demanda-t-il à voix retenue.

— C'est le Gruppenführer Langenstras qui m'envoie.

— La direction de la Gestapo s'intéresse à moi au point de m'envoyer un émissaire ? Aurais-je commis quelque crime ?

Langenstras était l'homme de Heinrich Müller, bureau IV A, Lutte contre l'ennemi, avant tout intérieur. Pour la plupart de ses interventions, Kalterer dépendait du Service pour la Sécurité-Étranger du bureau VI de l'Office central pour la Sécurité du Reich, placé sous le commandement de Walter Schellenberg. Et Schellenberg, murmurait-on, tentait de prendre la direction du service de contre-espionnage de la Wehrmacht, décapité depuis l'attentat manqué du 20 juillet contre Hitler.

— Langenstras m'a bien prévenu que vous étiez un pince-sans-rire.

Ils échangèrent un rictus tandis qu'il se levait de sa chaise longue avec l'aide du Hauptsturmführer. Il sentit le froid de l'air, l'infirmière avait raison.

— Bien, quel bon vent vous amène ?

— Langenstras voudrait vous parler.

Le clignement d'œil sembla presque complice.

— Nous avons du travail pour vous.

Ils flânèrent lentement dans l'herbe humide en direction de la terrasse.

— Vous en saurez plus au bureau. J'ai une voiture, nous pouvons partir tout de suite, si vous en êtes d'accord. Vous arrivez à remarcher correctement...

Prudemment appuyé sur sa canne, Kalterer clopinait en silence à côté de Bideaux. Le soleil aurait bientôt disparu. Une étrange lumière s'étirait à l'horizon. Kalterer ne savait pas si c'était les feux d'automne des paysans qui nettoyaient leurs champs ou le reflet des immeubles de la ville voisine qui brûlaient, cette ville qu'il n'avait pas revue depuis si longtemps.

— Pas question de vous laisser moisir ici jusqu'à la victoire finale.

De nouveau ce clignement d'œil narquois.

Il approuva d'un geste.

— Bien, allons donc faire cette virée à Berlin.

Ils savaient tous les deux que derrière le ton cordial de leur conversation se dissimulait une mutation, un changement de service, un ordre auquel on ne pouvait se soustraire. Sans doute s'étaient-ils renseignés sur son état de santé, là-bas ; apparemment, ils avaient encore le temps de s'occuper de ce genre de choses. Ils avaient sans doute besoin de tout le monde pour l'ultime bataille. Peut-être allait-il devoir montrer à des Jeunesses hitlériennes comment on éventre un tank T34 russe avec un poignard de boy-scout. Ou peut-être avait-on besoin de ses talents pour entraîner à des combats singuliers acharnés des vétérans de la Première Guerre mondiale, pour qu'ils forment ensuite, dans leurs sous-marins individuels, au fond du Rhin, de la Vistule, de l'Oder et de la Neisse, ce grand verrou inébranlable, cette arme miracle censée stopper la progression des Alliés. Il soupira. Ils avaient certainement besoin de gens pour l'arrière. Le nombre des désertions avait considérablement augmenté, le moral au combat était tombé bien bas. Mais pourquoi l'avoir choisi, lui ? Les tribunaux militaires étaient toujours compétents pour juger et condamner. Et pour attraper les coupables et les pendre, ils en trouveraient certainement d'autres que lui. Si Langenstras voulait lui parler personnellement, il devait s'agir de quelque chose de spécial. En réalité, ils pouvaient l'engager n'importe où, de toute façon il ne pourrait pas se dérober.

— Il nous reste bien encore quelques instants, le temps de prendre mon manteau et ma casquette.

Bideaux acquiesca, et Kalterer pria une infirmière de lui chercher ses affaires.

— Cigarette ?

Bideaux lui tendit un étui en argent.

Kalterer en alluma une et aspira une profonde bouffée.

— Ah, une Juno ! « Cylindrique et longue », comme disait la réclame. J'avais complétement oublié qu'elles étaient si bonnes.

— Les relations ! ricana Bideaux. De temps en temps on arrive encore à trouver de bonnes choses.

Ils étaient dans le hall et discutaient marques de cigarettes comme des professionnels, s'entretenant des différentes espèces de tabacs européens, du noir français au russe *machorka*.

Kalterer écrasa sa cigarette. Ce Bideaux avait déjà beaucoup voyagé pour son âge, il avait beaucoup vu et savait se montrer à son avantage. Il boutonna sa veste d'uniforme vert-de-gris, boucla son ceinturon, passa les doigts sur la boucle gravée. *Mon honneur s'appelle fidélité*. Il avait toujours préféré cette maxime à ce *Gott mit uns* qui serrait le ventre du simple troufion. De quel côté pouvait bien être Dieu, sinon de celui des moutons ?

Il prit casquette et manteau pendant que Bideaux faisait toujours le malin question tabacs, regrettant d'avoir été privé du goût du causasien, jusqu'à présent du moins, assura-t-il.

Ils sortirent. Bideaux lui tint la porte. Une Mercedes les attendait, sièges en cuir brun et chauffeur. Le jeune officier s'assit à ses côtés sur la banquette arrière.

— La voiture du chef. Vous voyez que pour nous rien n'est trop beau pour vous.

11

Quel infâme salaud il avait été !

Il tremblait plus de honte qu'à cause du froid humide de son abri de jardin. Col du manteau relevé, il retira la gamelle de navets du réchaud et se glissa dans l'espace étroit entre le divan et l'abattant de la table. Il enveloppa ses épaules dans la couverture qui lui tenait un peu chaud la nuit et se mit à avaler son maigre repas à grands coups de cuiller.

Un certain jour de novembre 1938, il avait effectivement botté le derrière de Rosenkrantz, alors qu'avec sa femme on le traînait brutalement dans la cage d'escalier. Il l'avait même insulté, traité de « sale usurier juif ! », cet homme qui ne lui avait jamais rien fait, qu'il ne voyait qu'une fois par mois quand il venait encaisser les loyers du magasin et de l'appartement.

Mais ce soir-là, il y avait eu beaucoup d'agitation dans la cage d'escalier de l'immeuble. Les troubles avaient commencé dans la rue, des heures auparavant. Les vitrines du magasin de *Delikatessen* des Weiss avaient été brisées et on avait obligé Sorel Schechter, le maître tailleur d'en face, à balayer les éclats de verre sur le trottoir, pieds nus et en pyjama, tandis que des adolescents des Jeunesses hitlériennes l'insultaient et lui crachaient dessus. Accoudé à la fenêtre avec Lotti, il était en train de contempler ce spectacle quand le tapage les attira sur le palier.

Ils étaient tous là, tous les voisins. La Frick, toujours vêtue avec élégance, mais le visage tout rouge.

— Les Juifs sont notre malheur ! Les Juifs sont notre malheur !

Stankowski postillonnait des choses incompréhensibles. Sa femme, d'ordinaire si réservée, criait haut et fort :

— Il était grand temps, tout de même !

La mère Fiegl, muette mais menaçante, brandissait un parapluie comme pour frapper. Et il avait effectivement donné ce coup de pied...

Les SA qui harcelaient les Rosenkrantz dans l'escalier furent interceptés peu avant la porte palière de Karasek. Ils s'arrêtèrent brusquement. Tous ceux qui s'étaient précipités derrière eux entendirent Karasek exhorter les Chemises brunes jusqu'à ce qu'ils finissent par relâcher les Rosenkrantz et quittent l'immeuble à contrecœur. Les Rosenkrantz firent demi-tour et remontèrent lentement les marches, tête basse, par l'étroit passage qu'il avait formé avec Lotti et les voisins. Nul ne dit mot jusqu'à ce que leur porte se fût refermée. La Fiegl et la femme de Stankowski retournèrent dans leur appartement respectif, mais lui, il avait dévalé les escaliers et couru dans la rue avec les autres.

Les navets semblaient durcir de plus en plus dans sa bouche ; il eut encore plus de mal à les mâcher et dut faire un gros effort pour les avaler.

Quelques semaines plus tard, Karasek était propriétaire de l'immeuble et les Rosenkrantz étaient en Amérique – ils avaient émigré, disait-on. Au 1er janvier 1939, il ne l'oublierait jamais, il dut signer un nouveau bail, avec un loyer augmenté de presque vingt pour cent. « Faut que tu comprennes, Haas, l'économie recommence à prospérer, mais les coûts augmentent aussi. Tu supporteras bien ça ; et puis, tu fais de meilleures d'affaires, depuis que cette concurrence gênante a disparu du quartier... » Karasek lui avait lancé un clin d'œil complice, et lui, il avait souri bêtement, comme un comploteur qui aurait joué un bon tour à un rival. Et il venait pourtant de subir une substantielle augmentation de loyer.

Les navets étaient devenus immangeables, il avait perdu l'appétit. Il repoussa la gamelle au milieu de la table et s'adossa au coussin du divan.

Tout cela s'était passé avant la guerre, alors qu'il était un des partisans enthousiastes du Führer et partie prenante de cette saine communauté nationale du peuple allemand. Il avait approuvé ses idées durant la grande crise de 29, quand il avait failli être ruiné, époque où son beau magasin tout neuf allait à vau-l'eau avec tout le reste, où il avait du mal à payer son loyer, et où il fallait subvenir malgré tout aux besoins de Lotti et du petit. Le parti national-socialiste avait été son grand espoir. Et effectivement, tout se remit en marche après 1933, jusqu'à la guerre, et après encore, jusqu'au ciel...

Il avait oublié leur date de naissance, celle de leur décès, jamais : 6 juin 1940 – Kurt était tombé dans la région de Laon, dans un village qu'il avait trouvé sur la carte, mais dont il avait du mal à retenir le nom ;

2 novembre 1941, jour des Morts – Friedrich mourait des suites d'une hémorragie à Sidi Rezegh, un patelin dans le désert, les deux jambes arrachées par un éclat d'obus (un de ses camarades en permission le lui avait raconté) ; 26 juin 1942 – Reinhard s'était éteint dans un hôpital militaire de Dresde à la suite d'une blessure au ventre reçue au cours des combats de Nishnedje-wizk, non loin de Voronej. Deux jours avant sa mort, il lui avait encore rendu visite, les paroles de cette délicate conversation gravées pour toujours dans sa mémoire : « Ça faisait tellement mal… comme avec un fer à souder… mais après… je l'ai vomi ce truc… tu te rends compte… cette putain de balle russe dans mon ventre… et je n'ai plus eu mal… c'est aussi simple que ça. »

Il pensait qu'il ne pourrait plus rien lui arriver de pire. Jusqu'à cette Saint-Sylvestre, le soir où il avait reçu ce télégramme : 3 décembre 1943 – *« Le caporal-chef Dietmar Haas a trouvé à Stalingrad une mort héroïque pour le Führer, le peuple et la patrie. »*

Il lui vint alors subitement, à la seconde, des phrases, des mots pour exprimer ses doutes, son malaise, son désespoir. Parce qu'il s'était aveuglément précipité dans le piège du Führer, comme tous les autres, toutes ces personnes soi-disant honnêtes, correctes, tous ses clients et ses voisins, ceux qui l'entouraient ce soir-là, émus par ce qu'il lui arrivait, lui présentant leurs condoléances, un verre de mousseux à la main, lui affirmant que malgré ce deuil compréhensible qui le frappait, il pouvait être fier de cette exemplaire dette du sang que sa famille avait payée au Führer pour l'honneur de l'Allemagne. C'est à ce moment-là qu'il a éclaté et qu'il leur a craché la vérité… en trois, quatre phrases.

Le lendemain il s'attendait à tout, mais il était déjà dans un autre monde. Et cet autre monde, il ne l'oublierait jamais, il n'était pas très loin, tout proche pour ainsi dire de chez lui, à quelques rues seulement – le monde des caves de la Prinz-Albrecht-Strasse.

12

Durant le trajet, ils échangèrent à peine quelques mots. Kalterer en profita pour se concentrer sur Berlin. Le crépuscule était tombé, les façades des immeubles transformées en silhouettes grises. Plus ils se rapprochaient du centre de la ville, plus apparaissaient les stigmates de la guerre. Des monceaux de gravats bordaient la Frankfurter Allee, réduisant d'autant la largeur de la chaussée. Des cratères de bombes avaient été rebouchés à la hâte. Par endroits, la pluie de la veille avait transformé la rue en un chemin de terre boueux et cahoteux. Friedrichsfelde et Friedrichshain avaient été très touchés. Des tranchées de dévastation se frayaient un chemin à travers les immeubles. Le centre n'était plus qu'un tableau de désolation. Les bombardements avaient transformé des pâtés de maisons entiers en paysages de ruines, effacé les alignements de rues. Berlin était une ville à l'agonie, elle se changeait en bûcher funéraire du Reich. Son Berlin avait disparu, cette ville n'était plus qu'un souvenir. Les gravats, les décombres, les remblais, toute cette détresse aussi qui se reflétait sur les visages des passants accablés lui rappelaient Kiev, Smolensk ou Charkov.

La scène changea seulement quand ils tournèrent dans la Wilhelmstrasse. À première vue, tout ici avait encore l'air en ordre. Les aviations alliées semblaient épargner le quartier du gouvernement pour en faire le point d'orgue de leur *finale furioso*. Comme le loup qui veut noyer ses puces trempe prudemment une partie de son corps après l'autre dans l'eau de sorte que, prises de panique, elles se réfugient à la pointe de sa queue – qu'il plonge alors avec délice sous l'eau pour mettre un point final à ce nettoyage. Mais les puces ont la vie dure. Les Alliés voulaient peut-être ménager le quartier en vue de la capitulation sans conditions. Tout devait être fait dans le bon ordre : cocktail au champagne d'abord, condamnation ensuite.

Mais tout pouvait peut-être encore changer. Des parachutistes anglais perdaient leur sang à Arnheim. Après la désastreuse débâcle de France, le front ouest était stabilisé. À la frontière de la Prusse-Orientale et au coude de la Vistule, l'Armée rouge ne parvenait plus à avancer, faisait même du surplace. Tournant de la guerre ou simple pause pour reprendre haleine ? Les divergences de vue entre les Alliés étaient peut-être insurmontables et peut-être saperaient-elles leur entente. Peut-être, peut-être… Trop de peut-être dans tout ça.

Ils longeaient le complexe moderne de l'Europahaus, ce gros cube avec sa façade aussi immaculée qu'avant la guerre, qui s'étendait de la Anhalterstrasse jusqu'au musée des Arts et Traditions populaires de facture classique. En 1936, à l'Europacafé, ils avaient fêté le Nouvel An jusqu'à l'aube. Les tables de marbre blanc avaient été repoussées contre les murs pour faire place aux danseurs. Avec Merit, ils ne rataient pas une valse lente. Plus la soirée avançait, plus elle buvait de punch, et plus elle buvait de punch, plus elle se blottissait contre lui. Elle avait posé sa tête sur son épaule. La lumière des lustres étincelait sur ses cheveux châtains et donnait un éclat roux à ses boucles. Elle levait parfois vers lui un regard tendre, souriait d'un air satisfait et se pelotonnait encore plus dans ses bras. Deux mois plus tard, ils se mariaient. Un couple heureux, le jeune officier de police ambitieux et la musicienne jolie et douée.

Le chauffeur freina brutalement, vira brusquement dans la Prinz-Albrecht-Strasse et la voiture s'arrêta peu de temps après devant la porte du numéro 8. Deux sentinelles se tenaient de chaque côté de l'entrée, derrière des sacs de sable et des barbelés qui empiétaient sur presque toute la largeur du trottoir.

— Eh oui, ces derniers temps les mesures de sécurité ont encore été renforcées.

D'un seul élan, Bideaux gravit les trois larges marches du perron et tint la lourde porte à Kalterer. À droite et à gauche du portail principal s'élevaient deux colonnes massives au sommet desquelles plusieurs statues de pierre formaient une sorte d'avant-toit. Il reconnut un potier et une dentellière. Le bâtiment avait autrefois abrité une école d'arts appliqués et les sculptures apprêtées des fenêtres supérieures, les frises décoratives du genre baroque révélaient encore de manière flagrante la première destination de cet immeuble en pierres de grès. On disait que Goering, au cours d'une de ses heures de beuverie, avait salué le Reichsführer-SS Himmler en levant son verre avec ces mots : « C'est ici que nous allons modeler l'homme nouveau, même s'il nous faut commencer par lui briser tous les os. »

Bideaux, qui l'avait précédé de trois pas, ralentit l'allure pour qu'il puisse mieux le suivre, appuyé sur sa canne. On contrôla leurs papiers au passage et ils traversèrent le vaste hall d'entrée où leurs bottes sonnèrent bruyamment.

13

« Qui est la pute qui t'a chié au monde ? »

Haas avait du mal à se rappeler les premiers inter-rogatoires de la Prinz-Albrecht-Strasse. Les caves voûtées sans fenêtres étaient à peine éclairées, des cris venus de très loin parvenaient difficilement à sa conscience, les cris des autres. Il arrivait encore à reconnaître sa cellule, la pièce où on l'interrogeait et qu'on plongeait dans la pénombre, avec sa table de bois branlante et la lampe dont la lumière crue l'aveuglait. Il entendait sans les comprendre les nombreuses questions qui se télescopaient dans son crâne comme un écho mille fois répété – pas plus qu'il ne comprenait ses réponses qui crissaient dans son souvenir comme des grincements de scie.

Ils ne l'avaient pas battu, mais humilié, roué de fatigue selon toutes les règles de l'art, jusqu'à ce qu'il soit réduit à un petit amas pathétique, tremblant et fiévreux, prêt à signer tous les procès-verbaux – de toute façon, ils savaient déjà tout.

Puis vinrent les débats au tribunal, dont il ne gardait aucun souvenir. Il n'avait en revanche jamais oublié le verdict. Dix ans – deux mots marqués au fer rouge en plein cerveau. Maison de correction. Une maison de repos, tout compte fait : plus d'interrogatoires la nuit, pas de peur du lendemain pour le tourmenter. Il suffisait simplement de se laisser aller au rythme sourd de la journée : dormir, manger, travailler dur, assembler des pièces de moteurs d'avions, douze, quatorze heures par jour.

Un matin, ils l'avaient arraché à cette monotonie, sans commentaires et sans explications. Ils avaient pénétré dans sa cellule, le maton et deux hommes en manteaux de cuir, lui avaient ordonné de le suivre et de monter dans un camion à caissons avec une douzaine d'autres compagnons de misère. Après quelques heures de route, on les avait fait descendre à un endroit qu'il ne connaissait pas. Aussitôt arrivé, on l'avait poussé d'une bourrade dans une baraque. Il y avait un officier SS, carré dans son fauteuil, chaussé de bottes vernies lustrées, les pieds sur la table, plongé dans un dossier qu'il tenait négligemment d'une main tout en secouant de l'autre sa cendre de cigarette sur le sol.

Il ne se passa rien. Un silence de plomb régnait dans la pièce ; seul le plancher grinçait de temps en temps, quand un des deux gardiens qui l'encadraient changeait de jambe d'appui. Il s'écoula une éternité avant que l'officier levât enfin la tête.

Tout ce qu'il supporta plus tard au camp allait être mille fois plus inhumain que ce qu'il vécut ce premier jour. Et pourtant, ce premier jour fut pour lui l'expérience la plus décisive. Non seulement parce qu'elle le surprit alors que rien ne l'y avait préparé, mais parce qu'il comprit qu'au moment précis où il était entré dans ce lieu, il avait cessé d'exister en tant qu'être humain. Et il le sentit à l'instant où l'officier, ce porc, fit une moue de dédain, se passa la langue sur les lèvres, ouvrit la bouche. Il sut tout à coup que le diable avait les yeux bleu clair.

« Qui est la pute qui t'a chié au monde ? »

Il se sentit rougir d'indignation et de peur. Il ne put soutenir le regard, se cramponna nerveusement des deux mains à son pantalon trop large et privé de ceinture et ses yeux fixèrent un point dans le vide. Il ne trouvait tout simplement pas de réponse à cette question et sentit pourtant, instantanément, que dans cette pièce la moindre hésitation pouvait coûter la vie.

Quelques secondes plus tard, il se retrouvait à terre. Il ressentait des douleurs dans la région des reins, un liquide chaud lui coulait de la bouche et quand il essaya de déglutir, ce fut pour constater que ce qu'il avalait là de dur était ses incisives.

— Pour la dernière fois, le nom de cette maudite vieille pute qui t'a chié au monde ?

Le plateau du bureau lui masquait l'officier. Le sang coulait de ses lèvres éclatées et formait une flaque rosâtre sur le plancher de bois.

— Ma mère… ma…. elle a reçu une médaille du Führer… elle a eu la Mutterkreuz.

Rires, coups de pied. Il était étendu sur le dos, jambes rejetées sur le côté. De nouveau des rires et des coups de pied. Il voyait à travers un brouillard le plafond de la baraque tapissé de lambris neufs.

— Il n'a toujours pas compris. Allez, on reprend, tout doucement : Quelle putain… ?

Les coups de pied dans le bas ventre étaient si brutaux qu'il crut que ses testicules allaient éclater. Millimètre après millimètre, son corps se recroquevilla dans d'indescriptibles douleurs jusqu'à ce que ses genoux viennent toucher son front, que ses muscles soient secoués de spasmes et que sa vessie et ses intestins se vident.

— Il va tout dégueulasser, Sturmführer !

Rires.

À présent encore il avait cette puanteur dans les narines, sa puanteur. Mais, après ce qu'il avait vécu dans ce camp, cette odeur ne le gênait plus. Ce qu'il avait fini par répondre était bien pire.

— Ma mère…

— Le nom de cette truie ?

— Elisabeth.

— Née ?

— Née… Schreiber.

— Bien, et maintenant la même chose, en une seule phrase, pour le formulaire !

— Ma mère… Elisabeth, née Schreiber…

Coups de pied.

— … cette vieille pute.

— Brave garçon !

— … m'a…. tas de merde… chié au monde.

— Ben voilà, on finit quand même par y arriver ! On finira bien par faire de toi un bon Allemand.

14

Kalterer remarqua aussitôt la forte corpulence de Langenstras, debout devant une des grandes fenêtres, mains croisées dans le dos, contemplant le parc qui s'étendait jusqu'à l'arrière des bâtiments de l'Europahaus. Ses cheveux poivre et sel étaient réglementairement rasés sur la nuque, mais la veste d'uniforme pas entièrement boutonnée laissait la patte de col ornée de l'insigne brodé d'or flotter lâchement contre son cou ridé.

— Heil Hitler, Gruppenführer !

Kalterer se mit au garde-à-vous.

Langenstras se retourna lentement, plongea quelques instants ses yeux dans les siens, détourna brusquement le regard et désigna sans un mot une table et quelques sièges situés près d'une fenêtre, dans le coin droit de la grande pièce aux rayonnages de livres reliés plein cuir. D'un coup d'œil fugace, Kalterer y décela des ouvrages théoriques sur la police et ses méthodes d'investigation, des titres familiers. Il s'assit dans un des trois imposants fauteuils de cuir.

— Voulez-vous boire quelque chose ? Café ?

La voix sombre semblait légèrement voilée.

— Volontiers, merci.

Langenstras pressa un bouton et repoussa une pile de dossiers. Au-dessus de lui était accroché un grand tableau représentant le Führer à la fête des moissons sur le Bückeberg. Suivi d'une nombreuse escorte, un bouquet de fleurs des champs à la main, il gravissait un pré fraîchement coupé. Des paysans en costume traditionnel, des jeunes filles en blouse blanche et des Jeunesses hitlériennes en culottes courtes faisaient la haie d'honneur. Leurs visages exprimaient clairement la solennité avec laquelle ils accueillaient ce moment : le Führer bénissait la moisson et la patrie allemande. Rien d'idéaliste dans ces jeunes visages sérieux, le peintre les avait représentés avec réalisme. Kalterer les connaissait, il les avait déjà vus des centaines de fois, peut-être même en ce jour de janvier 1933, le jour du Redressement national, celui où le Führer avait été nommé chancelier. Il l'avait vu debout à une fenêtre de la chancellerie du Reich, avant les retraites aux flambeaux. « Allemagne, nom sacré, infinie Patrie », avaient chanté les foules. Ça l'avait pénétré jusqu'à la moelle, remué au plus profond de lui-même. Il en avait été, comme Goethe à Valmy. Mais tout cela allait plus loin encore : il avait compris qu'à dater de cet instant commençaient des temps nouveaux qui ne toléraient ni hésitation ni mollesse, où il fallait s'engager corps et âme. Des temps qui allaient tout changer, pour lui aussi. Et il ne voulait pas manquer ça.

Une jeune femme entra par une petite porte et déposa un plateau sur la table. Elle quitta la place après une brève révérence à Langenstras.

— Votre dossier est impressionnant, Sturmbann-führer.

Langenstras ouvrit une chemise cartonnée.

— Baccalauréat, service dans la police, carrière rapide dans les différents services de la Sûreté. Extraordinaire pourcentage d'affaires résolues concernant des crimes de sang. Partout, que des appréciations positives. De l'ambition et de la ténacité, grandes capacités d'analyse, faculté d'improvisation.

Il leva les yeux.

— Si, si, tout cela est écrit là-dedans, mon cher Kalterer. Confirmé à Gleiwitz, sur le coup à Venlo, surveillance de l'ennemi en France, lutte contre les bandits en Ukraine, avancements, promotions, excellent partout, l'élite, quoi.

— J'ai fait mon devoir, c'est la moindre des choses que je doive à notre…

— C'est bien, c'est bien, nous ne sommes pas là pour échanger des politesses.

On le lui avait présenté comme un vieux sabreur colérique, toujours bourru, jamais affable. On disait que dans son bureau il avait fait tourner en bourrique les plus solides. Et à présent, c'est lui qui était assis en face de cette légende vivante, ne sachant comment se comporter.

Langenstras se tourna à demi, saisit une carafe et deux verres à cognac sur une étagère.

— Le cognac va bien avec le café.

Langenstras servit, lui tendit un verre et contempla le liquide ambré.

— Vous aimez ça, n'est-ce pas ? Bien sûr, en ce moment je ne suis pas en mesure de vous en offrir du français mais, même ici, nous avons de quoi boire – et de quoi faire…

L'alcool avait une consistance onctueuse et douce. Ils avaient même consigné ses boissons préférées dans son dossier. Langenstras savait évidemment qu'on buvait sec dans ses services, comme à la Sûreté d'ailleurs, dans les mess à l'arrière, dans les groupes d'intervention ainsi que dans la Wehrmacht ; sinon, impossible d'accomplir les missions.

— Nous avons là un petit problème, poursuivit Langenstras en reposant son verre, et je crois que vous êtes l'homme de la situation.

Kalterer saisit son regard perçant et se prépara à l'assaut qui allait certainement suivre cette entrée en matière. Porter aux nues ses subordonnés, puis les heurter de front pour les flatter de nouveau, telle était donc la méthode Langenstras. Un procédé ni particulièrement original ni très nouveau, mais efficace, même avec lui.

Langenstras se leva brusquement et alla vers la fenêtre, les mains dans le dos. Il s'y attarda un instant, lui fit face et dit :

— Trahison, Kalterer, la trahison guette, partout !

Il revint vers lui à grands pas, saisit au passage une chemise sur son bureau et le regarda, le rouge au visage.

— Il ne suffit pas d'une poignée de lâches traîtres du corps des officiers supérieurs qui imaginent et exécutent un plan pour attenter à la vie de notre Führer, non, cela concerne beaucoup de monde, dans les ministères, dans les églises, jusque dans nos propres rangs ! Vous connaissiez Artur Nebe ? Nebe a disparu.

Langenstras le regarda de nouveau dans les yeux :

— À qui peut-on encore se fier, je vous le demande ?

— Je ne le voyais que de loin en loin à la préfecture de police.

Kalterer s'efforçait de conserver une voix calme. En réalité, il avait beaucoup entendu parler de Nebe, le chef de la police criminelle et SS-Gruppenführer, le vétéran, celui qui avait rejoint le mouvement avant 1933 déjà. Jusqu'en novembre 1941, Nebe avait dirigé un groupe d'intervention chargé de nettoyer l'arrière des communistes et des Juifs. Un vrai commando de tueurs. Si un homme comme Nebe changeait de camp, on ne pouvait effectivement plus faire confiance à personne. Les rats intelligents quittaient le navire en premier.

— On a du travail plein les bras pour liquider cette racaille. Ceux qui restent doivent décider de quel côté ils veulent se ranger. Nous ne pouvons plus prendre de gants. Qui n'est pas avec nous est contre nous. Nous allons passer à l'action, et tout de suite.

Kalterer craignit un instant que Langenstras parte dans un long monologue sur le mouvement et ses idées, mais il s'interrompit sans crier gare, se rassit et posa brusquement devant Kalterer le dossier qu'il n'avait pas lâché.

— Un vieux camarade du parti a été retrouvé assassiné dans son appartement d'une villa de Dahlem. Un de ceux dont le numéro d'adhérent est à quatre chiffres, vous comprenez ce que je veux dire.

Langenstras durcit son regard.

— Eh oui, Kalterer, malgré tous nos efforts, nous autres anciens de la police criminelle n'arriverons jamais à être aussi infects que lui !

Il lui sourit d'un air complice, mais se reprit vite :

— De toute manière, c'est scandaleux : un combattant de la première heure est supprimé sans plus de façons, et dans la capitale du Reich qui plus est. Vous pouvez vous imaginer l'indignation chez les faisans dorés du parti.

Il hocha la tête en signe d'approbation. Langenstras resservit du cognac. Ils levèrent leur verre.

— Il faut absolument que nous trouvions les coupables. Où irions-nous si n'importe quels conjurés pouvaient assassiner, et en plein jour encore, d'importantes personnalités ! Nous n'avons pas balayé dans tous les coins en 33-34, et voilà le résultat ! Je vous l'avoue bien sincèrement : nous avons mené une enquête, mais n'avons trouvé aucun mobile politique à ce meurtre. La police criminelle pense qu'il s'agit d'une affaire privée, mais en haut lieu personne ne se contente de cette explication, on nous demande donc de poursuivre les investigations. Ils me mettent sous pression. Mes hommes sont bons quand il s'agit d'organiser des poursuites ou de mener à bien des interrogatoires poussés, mais ils n'entendent pas grand chose au vrai travail de détective. Bref, Sturmbannführer, les discours les plus courts étant les meilleurs, je voudrais que vous vous occupiez de cette affaire.

Élucider un meurtre, un vrai travail de flic, un travail de police classique, comme par le passé – tout cela avait l'air trop beau pour être vrai. Il ne serait plus obligé de vivre dans la poussière et la boue. C'était l'occasion ou jamais d'abandonner enfin le sale boulot. Arrêter un meurtrier, imposer l'ordre et la loi, comme à ses débuts dans la police berlinoise. Il reprit prudemment une gorgée de cognac.

— Vous êtes l'homme qu'il nous faut, Sturmbann-führer. Votre dossier plaide pour vous, reprit Langenstras.

— Gruppenführer, je me sens flatté, oui, flatté. J'accepte avec plaisir les tâches qui me sont confiées, où qu'on m'envoie, partout où je peux servir notre Führer et l'Allemagne dans ces heures diff…

— Affaire conclue donc. (Langenstras se leva.) Emportez le dossier, plongez-vous dedans et, avant tout, je veux des résultats.

— Une question, Gruppenführer.

Langenstras haussa le sourcil gauche.

— Comment dois-je m'y prendre ?

— Que voulez-vous dire ? Vous êtes un professionnel et vous savez comment on enquête.

Il devint plus direct.

— Je veux dire, si mes investigations rejoignaient celles de la police criminelle et qu'on ne découvre aucun mobile politique ?

— Amenez-moi un coupable et nous verrons bien !

Langenstras se tourna vers la porte.

— Je suis très occupé. Je vous prie de m'excuser, Sturmbannführer, mais il faut que je mette fin à cet entretien. On a déjà emménagé vos affaires dans un petit hôtel. Nous n'avons malheureusement pas trouvé de meilleur cantonnement. Il faut que nous nous serrions tous un peu les coudes. Vous travaillerez seul, mais vous aurez une voiture de fonction avec chauffeur, elle vous attend d'ailleurs en bas. Nous avons aussi trouvé un bureau pour vous ; comme le logement, il n'est pas tout à fait à la hauteur de votre grade, et je m'en excuse par avance. Vous avez aussi une secrétaire. Bideaux vous informera de tout le reste.

Langenstras ouvrit la porte et le prit par l'épaule.

— Au revoir, Sturmbannführer, et avec des résultats appropriés. Faites-vous d'abord conduire à l'hôtel. Reprenez des forces avec une bouteille de riesling. Elle vous attend déjà.

Kalterer fit un salut réglementaire.

— Ah ! j'y pense : saluez votre épouse de ma part.

Et Langenstras disparut derrière la porte du bureau qui claqua. Kalterer regarda autour de lui. Nulle trace de Bideaux. Il descendit lentement le large escalier, posant prudemment le pied de la jambe blessée, s'efforçant de peser dessus le moins possible. Dans son dossier personnel, il y avait donc aussi des renseignements sur sa vie privée. Peu importait après tout. Dans un premier temps, il pouvait rester à Berlin, se consacrer à une chasse à l'homme dans la grande ville, retrouver son premier métier. Le travail honnête, propre et socialement utile d'un fonctionnaire de police.

15

Ce fut seulement après avoir examiné plus attentivement l'appareil qu'il comprit : il fallait fixer au dos le petit câble que le vendeur lui avait donné et qui servait d'antenne. Il venait de troquer cette espèce de petite caisse en bois brun dans une centrale d'échanges, contre six bocaux de compote de pommes que Lotti avait préparés à l'automne 1940, comme en faisaient foi les étiquettes. De retour dans son refuge, il avait tenu à immédiatement écouter la radio. Il voulait se tenir au courant, connaître tous les jours la situation du front, savoir comment la guerre évoluait, combien de temps il lui restait encore. Mais la réception avait été si mauvaise qu'il crut avoir été berné.

Il fixa le câble au mur de la cabane avec une punaise et le crachotement cessa. Il reconnut distinctement une voix à l'accent brandebourgeois qui émanait du récepteur populaire patriotique.

« *Le commandement suprême de la Wehrmacht annonce... En Hollande, dans la région d'Arnheim, les troupes aéroportées ennemies ont été assiégées de toutes parts par des mouvements concentriques. Bien soutenues par des escadrilles d'avions de chasse, nos* troupes ont infligé de lourdes pertes à l'ennemi, en hommes et en matériel. Nous avons fait à ce jour mille sept cents prisonniers... »

Arnheim ? Il n'avait aucune idée de l'endroit où cela pouvait être. Il essaya vainement de se représenter une carte de la Hollande. Le dessin des côtes, les fleuves et les villes, tout cela restait trop vague. Mais il comprit néanmoins une chose : l'ennemi serait bientôt sur le sol allemand, la guerre ne durerait plus très longtemps. Il n'avait plus de temps à perdre. Seule la guerre lui donnait la garantie nécessaire à la réalisation complète de ses plans. Il ne se souciait pas de savoir jusqu'à quel point elle menaçait aussi sa propre vie : il n'avait plus rien à perdre. Quand il en aurait fini, ils pouvaient bien le coller contre un mur ou le pendre à un crochet de boucher, il prendrait ça avec le sourire. Une seule chose lui serait inacceptable : qu'ils le jettent de nouveau en prison ou le déportent dans un camp. Ça, jamais – absolument plus jamais.

« *Au nord-ouest de La Chapelle, l'ennemi a réussi à poursuivre son avance, soutenu par de nombreux panzers. Au nord-est, toutes les attaques ont été vigoureusement repoussées, en partie au prix de lourdes pertes pour l'ennemi. Notre contre-offensive gagne lentement du terrain... »*

La Chapelle, la ville préférée de Charlemagne, le palais, la cathédrale avec son chœur et son immense lustre, le trône de marbre du fondateur de l'empire, la salle du couronnement dans le vieil hôtel de ville, les fontaines élyséennes. Peu de temps avant leur mariage, il avait visité la ville avec Lotti quand ils étaient allés passer le week-end à Eschweiler où il avait demandé sa main. Ses futurs beaux-parents étaient bien disposés envers lui, se demandant toutefois si Lotti, et ses dix-huit ans, n'était pas trop jeune pour se marier. Il leur exposa qu'une année auparavant, au décès de son père, il avait repris le magasin, pouvait donc se vanter d'économies substantielles et de revenus au-dessus de la moyenne. Ils furent convaincus. Et après que sa mère eut déménagé à Guben pour aider sa sœur célibataire à la ferme de ses grands-parents, il avait repris le grand appartement familial de la Sophien-strasse.

« Les tirs de harcèlement des V1 sur Londres se poursuivent... »

Ils ne dirent pas à ses parents que Lotti était enceinte et leurs cris d'allégresse firent passer la rapide venue de Fritzchen pour une naissance prématurée. Ce pieux mensonge ne fut jamais remis en question ; on restait ébahi, au contraire, de constater que le petit était aussi vite devenu un si fort gaillard au teint si rose, éclatant de santé, qu'il ait su marcher si tôt et apprenne si vite à parler. Et qu'il était fier de son fils, le dernier rejeton de la famille, et de Lotti, sa jeune femme si distinguée !

« Sous le couvert de brouillards artificiels, l'ennemi a tenté de traverser la Vistule à plusieurs endroits dans les environs de Varsovie... De même, au nord-ouest de la ville, les assauts répétés des bolcheviques ont été repoussés par nos tirs nourris... »

Lotti et Fritzchen, sur une plage de la Baltique, en promenade dans le Harz, à la Pentecôte chez sa mère à la ferme de Guben, Fritzchen au milieu des porcs et des vaches, Fritzchen à dos de cheval, hurlant de peur, Fritzchen dans le jardin de la colonie des jardins ouvriers à jouer avec son ballon de réclame pour Nivéa, qui était encore rangé sur la plus haute étagère de la cabane, triste et poussiéreux. Il était presque entièrement dégonflé et il avait du mal à se le représenter roulant dans l'herbe, bien rond, bleu et blanc, avec Fritzchen à qui il échappait toujours...

« La nuit dernière, des attaques terroristes ennemies ont été dirigées contre Mönchen-Gladbach et Budapest... »

Après que le garçon eut passé tous les caps difficiles de la petite enfance et eut été admis à l'école, Lotti s'occupa davantage de l'aménagement de l'appartement. Elle changea peu à peu les vieux meubles qui dataient presque tous de ses parents pour de précieux meubles de style qui lui donnèrent un éclat tout bourgeois. Il était fasciné par son goût, la sûreté de ses nouveaux achats. Tout était en harmonie, styles et couleurs. Chaque soir, quand il fermait la boutique et rentrait chez lui, il était heureux d'avoir épousé une femme qui s'occupait si bien de lui, se souciait de l'éducation du petit, lui aménageait un foyer bien soigné, tout en lui donnant l'impression qu'il pourrait encore faire mieux à l'avenir. Les choses allaient de l'avant...

« Pour compléter le rapport de la Wehrmacht, on annonce... »

Il tourna le bouton du récepteur. Lotti en bas de soie, Lotti sur le lit en robe de chambre, Lotti en robe du soir, le léger parfum de musc, Lotti à l'hôtel Adlon valsant au bal des commerçants nationaux-socialistes,

Lotti dans son long manteau de fourrure, sérieuse et en pleurs à l'enterrement de sa mère, applaudissant des deux mains quand Fritzchen présenta son nouvel uniforme des postulants à la Jeunesse hitlérienne... Lotti penchée en avant, retroussant sa robe des deux mains, jambes écartées, Lotti qui se rasait sous les aisselles, Lotti dans la baignoire, la mousse sur son corps, Lotti qui gémissait, arquait le bassin, se retrouvait assise sur lui, en sueur, le corset dérangé et les seins nus... Il sentit de nouveau des élancements dans l'entrejambe.

Pense à autre chose, pense à autre chose...

Il se prit la tête dans les mains, se les passa dans les cheveux. Lotti lui disant : « Fais-le, mais vas-y donc, on en a besoin... Pense à nous aussi, fais-le, accepte, comme ça, on pourra mettre de l'argent de côté... »

Il s'efforçait de rester calme, mais Lotti se tenait devant lui, plus véhémente encore, plus exigeante : « Espèce de poule mouillée, mais tout le monde le fait... »

Il se leva et alla à la fenêtre de l'abri de jardin. La nuit tombait déjà et dans la lumière du soir une gigantesque nuée de corbeaux volait en croassant en direction de la campagne proche.

« Si je me fais prendre, je perdrai tout, et qui s'occupera de vous ? » Voilà ce qu'il avait alors rétorqué à Lotti. Aujourd'hui, cette phrase ne lui arrachait plus qu'un haussement d'épaules. Lotti n'avait plus rien dit, et on n'avait plus jamais reparlé de tout cela...

Tout n'avait pas toujours été rose dans son mariage, leur vie commune n'était pas que paix et joie perpétuelles, il y avait eu des querelles, des malentendus, des disputes véhémentes, mais rien là que de normal, comme dans tous les ménages… De bons moments, et des mauvais.

Comme mises à feu par la main d'un magicien, quelques guirlandes de Noël luirent à l'horizon. Elles étaient si éloignées qu'il s'étonna à peine de ne pas avoir entendu les sirènes.

16

— Désirez-vous encore quelque chose, Herr Sturmbannführer ?

Kruschke, son nouveau chauffeur, avait soigneusement empilé le linge, accroché aux cintres son second uniforme et ses deux costumes civils, rangé les valises vides sur le dessus de l'armoire. Depuis que Kalterer avait précipitamment quitté le domicile conjugal en 1942, il vivait avec trois bagages. Il ne savait pas si leur appartement était toujours debout, mais s'il était arrivé quelque chose à Merit, on l'en aurait certainement informé.

— Merci, Kruschke, vous pouvez disposer de votre soirée.

Il se débarrassa de son manteau et posa sur la table de chevet, à côté de la bouteille de riesling promise et d'un verre, une bouteille de marc achetée au mess. Il y déposa aussi le dossier et un paquet de cigarettes. La chambre était petite et sobrement meublée. Un lit à la française, une table de chevet avec une lampe démodée, une petite table, une chaise et une armoire, un poêle en faïence. Effectivement, pas un logement digne de son grade. Les hôtels de Varsovie, Riga, Paris ou Biarritz avaient tous été luxueux. Cette chambre était un logement bon marché pour officiers subalternes de passage. Il y en avait d'ailleurs plein le hall enfumé, où l'on côtoyait aussi des civils, des journalistes de pays amis ou neutres.

Avec l'ongle du pouce il trancha le papier du paquet de cigarettes, s'alluma une R6, se versa un verre de vin, prit le dossier et se laissa tomber sur le lit à deux places.

Quand il ouvrit le classeur, plusieurs photos s'en échappèrent. Le lieu du crime sous différents angles : un homme dans une cuisine, sur une chaise, ligoté et tabassé. La joue droite contre le plateau de la table. Du sang partout, des traces de sang séché de la tempe gauche à la nuque, sur la table et sur le linoleum. Des vues de détails révélaient un visage roué de coups.

Il desserra sa cravate et fit glisser ses bretelles, essaya tant bien que mal de retirer ses lourdes bottes. Sa blessure se rappelait à son souvenir par des élancements douloureux. Il s'assit sur le bord du lit en jurant, cramponna des deux mains un talon puis l'autre et de rage balança les bottes contre l'armoire. Il se plongea ensuite dans les rapports du médecin légiste et des fonctionnaires de police.

Jour du crime : 8 octobre 1944. Lieu : Berlin, Höhmannstrasse. Beau quartier de Dahlem. La victime avait été tuée avec le plat d'un tisonnier. Ses tempes, ses yeux et ses joues étaient recouverts d'ecchymoses. Selon le rapport, l'homme avait d'abord été torturé, son visage n'était plus qu'une plaie sanguinolente. Le mort s'appelait Egon Karasek. La femme de ménage l'avait trouvé le jour même du meurtre. Tout l'appartement avait été retourné, toutes les pièces fouillées et saccagées. Pas d'empreintes, excepté celles de la victime. Les policiers n'avaient trouvé ni carte d'alimentation ni le moindre argent liquide.

Personne dans la villa n'avait entendu de cris dans l'appartement du rez-de-chaussée ni de bruit insolite. Excepté une vieille femme à moitié sourde, tous les habitants étaient absents à l'heure du crime. En descendant sa poubelle, la vieille dame avait entendu deux fortes voix d'hommes dans l'appartement de Karasek, et malgré sa surdité, elle était certaine qu'une d'entre elles appartenait au propriétaire de la maison. Toujours selon sa déposition, Karasek recevait souvent des hommes le matin, des relations d'affaires, comme il le lui avait dit une fois lors d'une brève rencontre dans la cage d'escalier. Elle n'en savait pas plus et il n'y avait pas d'autres témoignages dans le dossier.

Egon Karasek était né en 1890 à Berlin-Neukölln. Profession : négociant. Père décédé, petit commerçant ; mère décédée, femme au foyer. Vétéran de guerre, de 1916 à 1918 au 2e bataillon de ravitaillement de la 5e armée. 1913, mariage avec Henriette Beilstein ; veuf en 1930. 1915, naissance de son fils unique. Habitait depuis 1923 Sophienstrasse, Berlin-Mitte ; y a travaillé comme agent immobilier jusqu'en 1939. En 1943, l'immeuble avait été entièrement soufflé lors d'un bombardement et depuis Karasek logeait à Dahlem.

Kalterer se servit un deuxième verre de riesling.

Karasek était membre du parti depuis 1923, carte 3796. Il avait été un des premiers adhérents du Grand Berlin. En 1927, il avait organisé les premières réunions publiques de Goebbels, alors tout nouveau chef de région nazi de Berlin et du Brandenbourg. Karasek, qui avait plus d'un combat de rue à son actif comme chef de groupe SA, avait été récompensé par plusieurs décorations du parti. Son dernier grade avait été Hauptsturmführer de la SA mais, aussi longtemps qu'il avait été négociant en immeubles, il n'avait pas rempli sa charge. Depuis le commencement de la guerre, il assumait de hautes fonctions à l'approvisionnement en denrées comestibles de Berlin.

Les autres questions de la police criminelle étaient demeurées sans réponses. Les proches et alliés, tous des gens intègres, bons camarades de parti, le frère commerçant à Neukölln, le fils sur le front est, la sœur mariée à un entrepreneur de transports de Dessau. Personne ne savait rien. Pas de dettes, pas de drames de la jalousie, pas de vieil ennemi. De Karasek, on ne pouvait dire que du bien, il faisait toujours les choses correctement, aidait parfois des parents éloignés à se tirer de la mouise. Toujours gai et bien disposé aux fêtes de famille. Capable de largesses aussi. La seule chose notable était qu'on ne savait rien ni de sa vie privée ni de ses activités commerciales. Personne ne put rapporter la moindre chose intéressante sur ses amis ou ses relations d'affaires.

Sur la dernière feuille du dossier, le commissaire de police avait noté de sa plume ses remarques et ses recommandations pour la suite des investigations : il fallait absolument s'occuper de la vie professionnelle de Karasek. Mais manifestement tout cela était venu trop tard. Il lut sur la fiche d'accompagnement que la police criminelle avait abandonné toute recherche sur ordre de l'Office central pour la Sécurité du Reich et que le dossier avait été transféré à la Gestapo pour suite à donner.

Il laissa tomber le classeur sur la descente de lit fatiguée, s'allongea sur le dos et contempla le plafond. Une large fissure courait d'un coin de la chambre à la fenêtre.

L'enquête, trop brève, trop superficielle, avait à peine jeté un peu de lumière sur l'affaire. Rien n'indiquait un mobile politique. De toute façon, il fallait d'abord qu'il essaye de savoir si le meurtre de Karasek pouvait s'inscrire dans les activités ou les agissements d'éventuels comploteurs. Mais il ne voulait pas se satisfaire de cette hypothèse, même si Langenstras attendait manifestement de lui qu'il la démontre. Il ne savait toujours pas pourquoi on l'avait choisi lui précisément, pour intervenir dans cette affaire. La Gestapo avait assez de personnel qualifié pour la tirer au clair. Il était certain que Langenstras ne lui avait pas tout dit. À cette première lecture du dossier, il y avait des choses qui ne collaient pas. On pouvait vite se brûler les doigts avec un travail comme celui-ci. Il fallait donc être vigilant.

Il se versa le reste de la bouteille, vida le verre d'un trait et se lova sous la mince couverture du lit. Cette nuit berlinoise pleine de brouillard allait peut-être lui faire cadeau de quelques heures d'un sommeil sans rêves.

17

Le costume brun à veste croisée aux fines rayures noires était idéal pour cette demi-saison. Il l'avait acheté quand il était encore à Berlin.

Il entendit des pas devant la porte, puis on frappa.

— Entrez.

— Bonjour, Herr Sturmbannführer, vous avez bien dormi dans ce nouveau décor ?

— Vous voilà d'humeur bien badine, Bideaux.

Kalterer vérifia dans le miroir l'ordonnancement de ses cheveux bruns séparés par une raie et constata avec satisfaction qu'il n'avait encore aucun cheveu gris. Comme le disaient toujours les collègues de la préfecture de police qui avaient blanchi trop vite sous le harnois : ces temps difficiles n'ont rien d'une fontaine de Jouvence. Dans la glace, le reflet de Bideaux lui renvoyait un sourire grimaçant. Il se retourna.

— Quoi de neuf ?

— Kruschke attend en bas. Je vais vous montrer votre bureau. J'ai aussi sur moi vos nouveaux papiers d'identité et un sauf-conduit qui vous donne pleins pouvoirs et carte blanche.

Kalterer examina les documents. Sur la photo, il avait cinq ans de moins et était en civil. Elle provenait sans doute de son ancien dossier, celui qui remontait à cette histoire avec Naujocks, à l'époque où la SS avait mis ses fiches de renseignements à jour. Heinrich Himmler avait personnellement signé les pleins pouvoirs. Tous les bureaux de l'Office central pour la Sécurité du Reich, de la police criminelle, de la Gestapo, des services de la Sûreté devaient l'aider, inconditionnellement et sans réserve, et lui faciliter l'accès à tous les dossiers. Ils prenaient donc la chose au sérieux.

— À propos, qu'est devenu l'appartement de la villa de la rue Höhmann ? Il est encore sous scellés, ou il est libre ?

Bideaux lui lança un regard étonné, hésita un instant avant de répondre :

— C'est moi qui l'occupe maintenant. Il leva les bras. Mon immeuble a été rasé pendant un bombardement.

— Trois pièces, cuisine, salle de bains… pour vous tout seul ?

— Oui. Et alors ?

— Encore les relations, hein, Bideaux ? La direction de l'Office du logement aurait-elle été transférée Prinz-Albrecht-Strasse ?

— Soit, disons que nous avons une certaine influence…

Bideaux renoua avec sa grimace habituelle.

— Votre nomination s'est faite très rapidement, et on n'a pas bien eu le temps de faire quelque chose. En outre, durant ces trois dernières semaines, rien ne s'est libéré qui soit digne de votre grade.

— Occupez-vous de ça, Bideaux, occupez-vous de ça, ce serait très aimable de votre part.

— Avec plaisir, Sturmbannführer.

Kalterer coiffa son chapeau brun. Ainsi vêtu, Merit l'aurait trouvé triste. Elle aurait certainement préféré son second costume, celui en lin blanc, fait sur mesures à Paris.

— Vous ne prenez pas votre canne ? demanda Bideaux, alors que Kalterer refermait la porte de sa chambre derrière lui.

— Je vais essayer de m'en passer tout doucement.

Ils descendirent en silence l'étroit escalier. Il y avait déjà foule dans le foyer. Une odeur de fumée de cigarettes froide et de bière éventée bon marché vint à leur rencontre depuis la salle de séjour. On entendit quelques rires. Les premiers clients s'étaient retrouvés pour un petit déjeuner à la fourchette.

— Quelle ambiance ici. Ils font déjà la bombe ! apprécia Bideaux.

Il accueillit la plaisanterie d'un haussement d'épaules.

— C'est vous qui me l'avez choisie, cette cambuse.

La voiture était garée de l'autre côté de la August-strasse, près de la porte d'entrée de l'hôtel des Postes. Kruschke le salua et leur ouvrit la portière.

— Conduisez-nous à la Kochstrasse, Kruschke, ordonna Bideaux.

La voiture fit demi-tour et se dirigea vers la Ora-nienburger Strasse.

— Nous avons dû y transférer quelques bureaux. Mais c'est juste à côté de la maison mère.

Ils roulaient dans la Friedrichstrasse. L'impression de désespoir qu'il avait eue de la ville dans la lumière déclinante de la veille fut renforcée en ce matin d'octobre ensoleillé. Seuls venaient à leur rencontre quelques véhicules isolés, la plupart à gazogène à charbon de bois, ainsi que des attelages de chevaux de trait. Les passants marchaient d'un bon pas, quand ils n'étaient pas en train de faire la queue, muets, devant les rares magasins ouverts, afin d'échanger leurs tickets de ravitaillement contre des vivres, un peu de légumes peut-être, ou des pommes de terre. Ils formaient des files d'attente pour des articles de mercerie, des cigarettes, ou des spiritueux. Il avait entendu dire que les magasins de vêtements étaient fermés depuis longtemps, même aux titulaires d'une carte d'habillement. On ne donnait de coupons pour des textiles et du cuir qu'à ceux dont les bombardements avaient entièrement détruit logements et biens. Il aurait du mal à trouver quelques vêtements chauds pour l'hiver. Bideaux pourrait sans doute lui être utile. À moins qu'il ne se rende chez Merit.

— Nous y voilà, annonça Bideaux.

Ils mirent pied à terre devant une bâtisse discrète, à côté de laquelle se trouvait la maison d'édition de *Das Reich*. La porte n'était pas gardée. Seul un petit écriteau en bois blanc avertissait du nouvel usage de l'appartement du rez-de-chaussée et des caves : « Office central pour la Sécurité du Reich, Bureau 4, Gestion, Annexe 7 ».

— On expédie tout un tas de paperasses ici, expliqua Bideaux tandis qu'ils descendaient l'escalier. Il paraît que les caves sont à l'épreuve des bombes.

Kalterer jeta un coup d'œil involontaire à la voûte en béton.

— Du moins quand elles ne font pas mouche, ricana Bideaux, qui avait remarqué le regard sceptique de Kalterer.

Ils passèrent plusieurs caves sans portes. On entendait partout le cliquetis de machines à écrire. Une secrétaire les doubla, une pile de dossiers sur les bras. Au bout du long couloir, Bideaux ouvrit une porte en acier.

Il entra dans une cave blanchie à la chaux. Un petit soupirail grillagé donnait un peu de lumière dans cette pièce d'environ douze mètres carrés. Une ampoule sous-alimentée pendait nue du plafond et ajoutait un peu de clarté. Au centre se dressait un bureau noir avec une lampe à abat-jour vert. Le téléphone était de loin l'appareil le plus moderne de la pièce. Le cuir du fauteuil à bascule pivotant était éraflé et craquelé. Au mur, un méchant rayonnage supportait quelques classeurs. Un vieux tapis qui paraissait avoir été récupéré dans les décombres recouvrait le sol de béton brut.

— Assez désolant, direz-vous, fit Bideaux en haussant les épaules. Nous le savons. Mais impossible de trouver mieux en si peu de temps. Et impossible aussi, en si peu de temps, parmi ces messieurs haut placés, d'en trouver un seul qui accepte de déménager ici. Par ailleurs, Langenstras pense que cela ne ferait que semer la zizanie dans tout le service. Et, comme vous le savez déjà, il faut que nous nous serrions un peu les coudes.

Le sourire grimaçant, ce sourire vaguement arrogant, affleura de nouveau le visage de Bideaux. Ce type commençait à lui taper sur les nerfs. Vu la manière dont il parlait de ses supérieurs, il devait avoir des amis influents.

— Bon, présentez-moi donc à ma collaboratrice, dit Kalterer.

Bideaux sortit et revint peu de temps après accompagné d'une coquette femme d'une trentaine d'années environ. Elle portait une blouse blanche au haut col fermé d'une broche sur une jupe qui lui descendait sous les genoux. Ses cheveux blonds sévèrement coiffés en arrière étaient noués en un chignon. Quand Bideaux la lui présenta, elle le regarda bien en face de ses yeux bleus.

— Voici notre Frau Gerling, une collègue hautement appréciée.

Bideaux lui effleura l'épaule pour la conduire plus près de Kalterer qui s'était assis d'une fesse sur le coin du bureau.

— Sturmbannführer Kalterer, votre nouveau chef. Il vous expliquera ce que vous aurez à faire et vous exécuterez ses ordres à sa pleine et entière satisfaction.

Un sourire flottait sur ses lèvres.

— Bien, Bideaux, ce sera tout pour le moment, nous restons en contact.

Il se leva et d'un revers machinal de la main défripa sa veste.

— J'en suis persuadé, répliqua Bideaux en prenant congé.

Kalterer se tourna vers sa nouvelle collaboratrice.

— Le mieux serait que vous alliez vous chercher une chaise, nous avons beaucoup à faire.

Frau Gerling fit demi-tour sans un mot et longea le couloir chaulé. Il la suivit du regard. Elle ne portait pas de bas. Des goulots d'étranglement sans doute. Le pillage des magasins de Paris datait de quatre ans déjà. Il avait offert à Merit quelques belles choses, ce qui se faisait de mieux, tout en soie. Il n'avait malheureusement plus de bas dans ses bagages. La prise de Paris par les Alliés devait être la plus grande catastrophe de la guerre pour la haute société féminine allemande. Il faisait déjà trop froid pour se promener sans bas. Dans une, deux, trois semaines au plus, quelques jours froids en novembre, et elle viendrait travailler en bas de laine.

Elle disparut dans une des pièces et revint en portant maladroitement des deux mains une chaise de cuisine blanche au siège râpé. Il alla à sa rencontre et la débarrassa de sa charge. Elle marmonna un bref remerciement. Elle était pâle – comme si c'était elle qui sortait de l'hôpital. Elle avait le visage nordique, des sourcils clairs, de longs cils, un nez bien fait et la bouche en pointe. Une pâle Teutonne, presque une de ces statues à la beauté immaculée que les sculpteurs du Reich avaient reproduite en des centaines d'exemplaires. Elle avait l'air froid, distant.

— Asseyez-vous, je vous prie.

Elle s'installa et tira machinalement sur ses genoux sa jupe qui avait un peu glissé sur les cuisses.

Il ouvrit quelques tiroirs à la recherche de quoi écrire. Frau Gerling fit un signe muet de la main vers une étagère sur laquelle était rangée une boîte en bois avec tout le nécessaire. Il la poussa vers elle.

— Je finissais par croire que nous allions devoir travailler sans prendre de notes.

Il sourit.

Elle laissa aller son regard de l'étagère au bureau.

— Frau Gerling, depuis combien de temps travaillez-vous pour ce service ?

— Depuis trois ans, Herr Sturmbannführer, comme secrétaire.

— Et que faisiez-vous principalement ?

— Tout le travail de bureau quotidien, sténo, frappe et gestion de l'emploi du temps pour mon chef. Les bureaux ont été supprimés et on s'est passé de moi. Ensuite, je me suis occupée de la correspondance.

— Et de quel courrier s'agissait-il ?

— Je suis au regret de ne pouvoir vous informer, c'était top-secret.

Il bascula son dossier vers l'arrière et se tapota l'ongle du pouce gauche avec un stylo bon marché qu'il avait pêché dans la boîte. La secrétaire le regardait fixement, sans mot dire. Il s'éclaircit la voix.

— Comme vous le savez peut-être, j'ai ordre d'élucider une affaire criminelle. Pourquoi pensez-vous qu'on vous a confié ce travail ?

Elle haussa les épaules.

Elle n'était pas bien bavarde, cette beauté froide assise en face de lui.

— Bien.

Il se redressa et jeta le stylo sur le bureau.

— Au travail.

Comme elle n'avait pas de sous-main pour écrire, elle se pencha sur la table en le regardant avec attention.

— Premièrement, prenez-moi rendez-vous avec les services du procureur général. Je voudrais m'informer de l'état d'esprit régnant et du développement de la criminalité.

Elle approuva d'un signe de tête. Il se leva et contempla son visage concentré.

— Deuxièmement, j'ai besoin de tous les documents qui concernent les affaires d'attaques à main armée, les trois derniers mois compris. Troisièmement, j'aimerais une liste des criminels en fuite, des politiques comme des droit commun, ainsi que des travailleurs étrangers et des prisonniers de guerre évadés dont on a perdu la trace. Quatrièmement, et c'est le point le plus important, il me faut un relevé complet de tous les meurtres et assassinats de ces trois derniers mois. Vous avez tout noté ?

Il était debout derrière elle et contemplait le fin drapé du dos de sa blouse blanche.

— Appelez les services concernés et voyez ce que vous pourrez obtenir. Ce sera tout pour le moment.

Elle se leva sans broncher et voulut sortir.

— Ah ! ceci encore : comme nous sommes amenés à collaborer étroitement, j'aimerais que nous nous saluions de manière moins formelle, je veux dire que nous pourrions nous appeler par nos noms.

— Bien, Herr Kalterer.

Elle gardait ses distances.

— Votre mari est au front ?

— Il est tombé, près de Demjansk.

— Je suis désolé.

Il détourna le regard vers la poignée de la porte en acier qu'elle tenait en main.

— Je ne vous retiens pas plus longtemps. Ah ! s'il vous plaît, procurez-moi encore un annuaire téléphonique.

Elle acquiesça, gagna le couloir et lui rapporta une édition de 1943.

Un bureau innommable. Et une situation absurde. Les Alliés transformaient la ville en montagnes de gravats, leur supériorité éclatait dans les ruines fumantes, à chaque fenêtre calcinée, et lui, il était assis dans ce trou de cave qui prétendait être un bureau, censé travailler en respectant les règlements pour que quelques messieurs puissent dormir plus longtemps sur leurs deux oreilles – quand, par bonheur, il n'y avait pas d'alerte aérienne.

Il saisit le téléphone et reprit sa place derrière le bureau. Les joints du fauteuil ne lui pardonnèrent pas son balancement et un accoudoir grinça dangereusement. Il trouva le numéro qu'il cherchait. Il le composa et après quelques sifflements entendit la sonnerie espérée. La ligne existait encore. Elle était en vie.

18

La pluie avait cessé. Il resta néanmoins frileusement planté dans un coin de l'entrée spacieuse et sombre de l'immeuble. La planque était très bonne, meilleure que celle du porche, exposée aux courants d'air, et où il avait passé les dernières heures. Dans cette gigantesque ville qui s'effondrait sur elle-même, il n'était pas facile de retrouver quelqu'un, puis de guetter le moment propice pour l'aborder. Découvrir la nouvelle adresse de la Frick avait été aisé : respectueuse des consignes, elle l'avait inscrite à la craie sur les vestiges du mur de son immeuble rasé par les bombes. Et la nouvelle adresse de Karasek était effectivement dans l'annuaire.

Buchwald lui avait confié que Stankowski avait trouvé refuge quelque part place Adolf-Hitler. Les jours précédents, Haas avait fait tous les immeubles qui la bordaient, gravi d'innombrables volées de marches jusqu'à trouver enfin celui qu'il cherchait. Impossible toutefois de sonner tout simplement, dans l'espoir que Stankowski serait là, seul dans son appartement. Impossible aussi de faire pendant des jours le pied de grue sur la place. Il finirait par se faire remarquer, c'était trop dangereux. Pour noter les habitudes de Stankowski, il fallait prendre le temps d'observer la maison pendant plusieurs jours et à des heures différentes, excepté en cas de raid aérien. Il ne pourrait lui tendre un piège, comme il l'avait fait avec les autres, que s'il avait la certitude que son ancien voisin serait seul dans l'appartement.

Les bombardements lui maltraitaient les nerfs. Il ne se passait pas un jour sans qu'il dût pédaler comme un dératé pour sauver sa vie, sans qu'il ne demeurât de longues heures dans un abri ou tapi dans quelque cave obscure, pas un jour sans hurlements de sirène, sans incendies ni fumée émanant des poutres en combustion, sans la terrible puanteur de chairs humaines et animales calcinées, sans l'odeur de cadavres en décomposition dans les rues.

Il ne se sentait en sécurité que dans sa cabane. Aucune bombe n'était encore tombée dans les environs, pas même une bombe perdue. En réalité, il n'y avait aucune cible dans la colonie, aucun site industriel ni de près ni de loin, pas de gare, pas de voies ferrées. Pour se tranquilliser, il se mettait parfois à la place d'un pilote anglais qui survolerait les lieux, regarderait en bas et découvrirait des jardins potagers et d'agrément sans importance, pour lesquels il était donc inutile de gâcher une bombe. Il suivait les raids depuis sa baraque, mais la plupart du temps ils étaient concentrés sur les quartiers proches du centre.

Il ne craignait vraiment les bombardements que quand il se déplaçait à bicyclette. Il ne pouvait jamais savoir quand ni où ils allaient le surprendre, où il pourrait trouver un abri et, par-dessus tout, quelle mauvaise rencontre il pourrait y faire. D'un certain point de vue, il était hors-la-loi, un hors-la-loi voué à la mort. Dans le demi-jour du petit matin, lorsqu'il pompait dans son seau de l'eau à la fontaine pour se laver et se raser, il avait peur d'être découvert.

Il y avait à peine deux heures Stankowski avait quitté son appartement en compagnie de sa femme pour s'engouffrer dans la station de métro, et il n'avait pas réapparu. Il commençait lentement à avoir des fourmis dans la jambe droite. Il tapa discrètement des pieds jusqu'à ce que le sang circule de nouveau normalement. Il ne pourrait plus rester là longtemps à attendre sans bouger. Il lui fallait trouver un autre poste d'observation. Il y avait un va-et-vient incessant de véhicules et de passants sur la place, tout le monde semblait affairé, mais il craignait bien plus les nombreux uniformes différents qu'il distinguait dans la foule que les regards scrutateurs de passants pressés. Il avait brisé quelques rameaux d'un buisson encore fleuri et les avait enveloppés dans un morceau de papier journal ramassé sur le trottoir. Il voulait se donner l'air de celui qui attend quelqu'un, un bouquet à la main. Une femme qui poussait une voiture d'enfants pleine de briquettes de lignite lui adressa un sourire encourageant, comme si elle appréciait que dans le quotidien de la guerre un homme pensât encore à des fleurs pour sa bien-aimée.

Il fit quelques pas mais se rendit vite compte que s'il continuait dans cette direction, les énormes tas de ruines qui s'amoncelaient sur la place allaient lui masquer la porte d'entrée de l'immeuble de Stankowski. Il fit demi-tour à temps pour repérer le couple qui sortait de la station de métro de l'autre côté de la rue. Ils semblaient en conversation animée quand, devant l'entrée de l'immeuble, Stankowski débarrassa sa femme d'un sac à provisions bourré à craquer et pénétra dans le vestibule tandis qu'elle traversait la rue d'un pas décidé.

Elle se dirigeait tout droit sur lui. Il baissa la tête et se détourna. Alors qu'il prenait son élan pour se diriger le plus vite possible vers les monceaux de déblais, il fut brutalement tiré en arrière.

« Présentez-moi vos papiers d'aryen – m'avez tout l'air d'un de ces salopards de juif ! »

Une main large et lourde s'était abattue sur son épaule et il se retrouva violemment plaqué contre une poitrine vêtue de brun. Des bras puissants lui bloquèrent les avant-bras, puis on le repoussa tout aussi brusquement et il distingua le visage massif de son agresseur au moment même où la femme de Stankowski passait à quelques mètres derrière l'homme en uniforme. Les yeux baissés, elle ne semblait pas l'avoir remarqué.

« Allons, approche encore, montre-moi. » Il fut de nouveau fougueusement houspillé. « T'as vraiment une sale gueule, vieux. On ne te donne donc rien de bon à bouffer chez toi ? »

Atze Kulke. Atze, son vieux copain de Wilmersdorf ! Le moment était vraiment bien choisi. La dernière fois qu'il l'avait rencontré, ce devait être à une course d'automobiles sur l'Avus, en 1933 ou 34. Il était en compagnie de Lotti. Profondément outrée par ce type « mal embouché », elle s'était étonnée qu'il pût connaître de pareils oiseaux. Et pourtant, Atze était issu d'un milieu plus aisé que le sien : son père était propriétaire d'une grande entreprise de chaudronnerie. Fer-Kulke était connu dans tout le quartier pour sa générosité. Il conduisait une énorme Mercedes noire et était le seul habitant de la rue à être propriétaire de l'immeuble où il logeait. En outre, Atze, contrairement à lui et à ses frères, avait fréquenté les écoles et avait même passé son bac. Mais Arthur Kulke n'aurait pas été surnommé Atze s'il n'avait été qu'un banal fort en thème. Dès son plus jeune âge, Atze était un bagarreur ; il était de toutes les rixes et ne reculait devant aucun coup tordu.

On pouvait donc lui faire confiance, il ne trahirait personne, et surtout pas un vieux copain de jeu du quartier. Il n'y avait aucune crainte à avoir, même si Atze se dressait là, devant lui, sanglé dans son uniforme de SA tel Horst Wessel en personne. Il avait adhéré au parti très tôt, comme ça, par bravade, comme il s'en justifia à l'époque, juste pour faire râler son vieux conservateur de père. Atze Kulke était un original et le resterait certainement toute sa vie.

L'étreinte se relâchait peu à peu.

— Et comment se porte toute la petite famille ? Tout le monde va encore bien ?

Atze n'avait donc aucune idée de ce qui lui était arrivé.

— Tout va pour le mieux. Les copains vont bien, je vais bien, ma famille va bien, le magasin marche au mieux – je ne peux pas me plaindre.

— T'as pourtant pas bonne mine, vieux ! Et cette coupe de cheveux, on dirait que tu sors d'un camp !

Haas eut le souffle coupé.

— Euh, des poux. C'est Dietrich qui les a ramenés de Russie à sa dernière permission.

L'étreinte de fer le libéra enfin totalement.

— On ne devrait pas leur accorder de permission,

120

à nos soldats, ils devraient rester au front, pour combattre.

— Ah ! oui, comme toi ? Héros du front de l'arrière ?

Atze éclata de rire et lui tapa si violemment dans le dos qu'il en toussa.

— Tu l'as dit, vieux. Fer-Kulke est sur la liste des entreprises indispensables à l'effort de guerre et on produit jour et nuit pour la victoire finale. Nous nous sommes bougrement agrandis ces dernières années, tu sais, la boîte fourmille de ces bâtards d'étrangers, relégués ou volontaires, et de quelques Teutons rabougris, tous des travailleurs forcés, tu comprends, mais il y en a quand même quelques-uns de bien. Mon vieux s'est mis à la retraite, il ne voulait absolument pas faire d'affaires avec « mes » nazis, et maintenant, c'est moi qui fait tourner la boutique.

— Je vois bien.

Haas leva les yeux sur son vieux copain qui le dépassait d'une demi-tête. Il avait grossi, portait la casquette à visière brune avec jugulaire et, par-dessus l'uniforme, un manteau vert-de-gris caoutchouté.

— Tu m'amuses, vieux. Tu sais, il faut vraiment se battre pour survivre, économiquement parlant, j'entends. Tiens, là, je suis en déplacement d'affaires, parce qu'il faut que je me procure quelque chose de toute urgence – tu comprends ? –, que je bidouille quelque chose…

Atze se pencha vers lui et baissa la voix :

— Putain de goulots d'étranglement, il manque toujours quelque chose. Ou les lignes de communication sont interrompues, ou le matériel n'est pas livré à temps, soit que les trains ou les rails soient foutus ou encombrés, soit qu'on ne puisse pas produire parce que les usines ont été rasées par les bombardements. Écoute, vieux, entre nous, cette histoire de victoire finale risque de durer encore un peu, ne crois surtout pas tout ce que raconte Himmler ou le nabot, ou ce gros lard de commandant en chef de la Luftwaffe, mais…

À grands vrombissements de moteurs, une importante colonne de véhicules militaires déboucha sur la place et il eut du mal à entendre la suite.

— Comment ?

— Je disais que j'ai mon arme miracle personnelle.

Atze regarda autour de lui et fit signe d'approcher à un individu frêle d'apparence qui se tenait non loin de là et semblait l'attendre.

— Tiens, je te présente Serge, un travailleur étranger français. Un génie de l'organisation, je te dis, il te dégote tout ce que tu lui demandes, il connaît tout le monde dans cette ville.

Le Français approcha, souleva un semblant de béret basque et salua Haas d'un geste muet. Quand celui-ci en fit de même, le petit Français avait déjà reculé de trois pas.

— C'est bien légal, tout ça ? murmura Haas.

— Bah, rien à foutre. Je donne de l'argent au mangeur de grenouilles et il me procure ce dont j'ai besoin. Il est tout de même vital, non, que les chiffres de production soient conformes aux attentes – et mes picaillons aussi, bien sûr. Je me fous de savoir comment il fait et où il va dénicher tout ça. Tu te rappelles, celle qui avait les grosses loloches, Ische, comment elle s'appelait déjà ?

— Magda Sedermann.

— Oui, exactement, comme cette face de rat crevé du Reich…

— Non, celle-la, c'est Kristina Söderbaum, l'actrice.

— Aucune importance – la Magda aux gros nénés donc, tu te rappelles ce que je te disais toujours : « Si c'est pas toi qui la baises, ce sera un autre ! »

Atze hurla de rire à ce souvenir.

— Eh bien, aujourd'hui, sur le front du travail, c'est pareil. Je te le dis, moi, tous ces porcs sont corrompus jusqu'au trognon – cela dit, note bien, on n'a jamais gagné autant d'argent qu'aujourd'hui. Je pourrais t'en raconter de belles, que ta cervelle d'épicemar en pâlirait de jalousie.

— Prends bien garde à toi, Atze, sinon, un de ces quatre, c'est tes propres camarades de parti qui risquent de venir t'arrêter.

— Tu rigoles, vieux ! Pas moi.

Atze cligna de l'œil et le regarda en ricanant.

— Allez, vas-y, dis-moi qui je suis. Tu te rappelles, non ?

C'était le vieux jeu de leur enfance, qu'ils se resservaient à la moindre occasion.

— T'es l'Atze Kulke, le Siegfried de Wilmersdorf.

— Exaaactement ! Par le sang du dragon, trempé comme l'acier contre les coups du Reich et du Front rouge !

Les yeux d'Atze brillèrent de joie.

— Et toi, t'es le nain Alberich, le heaume de Wilmersdorf qui rend invisible.

Il lui claqua de nouveau la main dans le dos, si fort qu'il manqua perdre l'équilibre. On l'avait affublé de ce nom de guerre parce qu'il ne s'était pas montré à l'une des bagarres dans le quartier voisin. En fait, il s'était éclipsé parce que les autres étaient plus nombreux et qu'il n'avait pas envie de se récolter un nez en sang. Mais Atze avait dit que Siegfried savait pourquoi on ne l'avait pas vu : il s'appelait Alberich et avait combattu revêtu du heaume.

— Prends garde à toi, Atze, que tu ne rencontres pas ton Hagen une deuxième fois – pense à Staline Pardey…

Atze fit comme s'il n'avait pas entendu l'allusion. Il lui mit la main sur l'épaule et dit :

— Ah ! dis donc, vieux ! quelle époque insouciante. Toi et tes frères, le Georg Kowalski, Picke Helmstedt… Regarde autour de toi, la connerie est insondable, et ils nous détruisent notre ville, tout le pays.

— Oui, ils viennent presque toutes les nuits maintenant – de jour même.

— C'est pas aux tommies que je pensais…

Le visage d'Atze était redevenu sérieux. Il regarda Haas quelques instants, sans ajouter un mot. Quelques voitures klaxonnèrent en passant : son corps s'agita comme sous le coup d'une secousse électrique, mais quand il baissa le bras il avait de nouveau ce ricanement rusé au fond des yeux.

— Au fait, ton Staline Pardey, je l'ai embauché comme contremaître dans ma chaudronnerie.

Les bagarres entre Josef Pardey et Atze étaient légendaires. Josef, le fils d'un communiste bien connu et chef de section au Front rouge à la fin des années vingt, était le seul dans tout le quartier à être aussi casse-cou qu'Atze. Lui aussi avait été trempé dans le sang du dragon. Il ne se laissait jamais intimider et quand les nazis l'insultaient, il savait rendre les coups avec brutalité.

— Tu as embauché Pardey ? Mais, il était rouge comme pas deux !

— Il l'est encore aujourd'hui.

— Ben, tu vois bien.

— Oui, mais, excepté lui et moi, personne ne le sait.

Tout son visage s'illumina d'un large sourire.

— Et en plus, pas plus maintenant qu'alors il n'accepte que je lui dise quoi que ce soit. Des fois, je me dis qu'on va se remettre à se taper dessus – mais je me retiens, cette crapule de coco est mon meilleur ouvrier ; c'est aussi le seul que je laisse me tutoyer au boulot.

Haas entendit un râclement de gorge et vit le Français, qu'il avait déjà complétement oublié, tapoter impatiemment son poignet avec l'index en haussant les épaules.

— Oui, oui, Serge, je sais, faut qu'on y aille.

Atze lui broya de nouveau le bras.

— C'est épatant qu'on se soit revus tous les deux, vieux. Malheureusement, faut que je file. Salue les permissionnaires pour moi.

Il lui serra vigoureusement le bras, se dirigea vers le Français, mais fit brusquement demi-tour.

— Ah ! avant que j'oublie, vieux, et avant que t'aies plus que la peau sur les os… si tu as besoin de quelque chose, parles-en à Serge, il te le dégotera… quelque chose à bouffer, un truc chic pour ta femme, tu sais bien, tout ce genre de choses qu'on ne trouve quasiment plus.

Atze se tourna vers le Français.

— Tu vois ce mec, Serge, c'est un pote à moi – le heaume qui rend invisible de Wilmersdorf. Si un jour il vient te trouver, tu l'aideras. Comment s'appelle ce troquet où tu traînes toujours ?

— Olympia-Schenke.

Le Français parlait avec un fort accent.

— Voilà, vieux, maintenant tu sais tout – et quand tu auras besoin d'un nouveau coiffeur...

19

— Vous arrivez du front, dit le fonctionnaire du bureau du procureur de la cour d'appel. Deux, trois ans, c'est un bail ! Bien des choses ont changé ici. Et pas seulement dehors, avec ces bombardements de plus en plus conséquents. Au sein même de notre communauté nationale. Le désordre s'est répandu partout. On a perdu toute notion de justice, tout bonnement. La communauté patriotique du peuple a adopté des mœurs de sauvage.

Le petit homme maigre baissa de nouveau les yeux sur ses dossiers. Il se gratta le crâne, dérangeant ses cheveux clairsemés.

— C'est comme je vous le dis, sauf votre respect, vous ne pouvez tout bonnement pas imaginer combien tout a changé ces dernières années.

Kalterer était assis en face de lui, de l'autre côté du bureau, et se tapotait le genou avec sa casquette à visière.

— Mais, comme je vous l'ai dit, vu l'état actuel de votre dossier, votre affaire pourrait concerner beaucoup de monde.

Le fonctionnaire se pencha en avant, si loin que son veston gris bâilla sur son sous-main.

— Entre nous, par les temps qui courent, tout le monde aimerait avoir une affaire politique à se mettre sous la dent. Mais vous pouvez me croire, la majorité des affaires criminelles avec coups ayant entraîné la mort sont tout bonnement de vils crimes crapuleux. Les gens volent tout ce qui n'est pas solidement attaché. Et quand on est pris sur le fait, on commence par crier, puis on donne des coups, et finalement on se saisit d'une arme contondante. Et il est alors tout à fait probable que l'un ou l'autre doive y rester. Quoique, d'après ce que vous m'en avez dit, votre affaire, il s'adossa de nouveau, ressemble fort à un crime crapuleux avec préméditation. Ce qui peut arriver aussi. La majorité des gens ne connaissent plus aucune limite. Ils volent tout ce qui leur tombe sous la main. Tout ce qui est rare : du linge, de la nourriture, des chaussures, du schnaps, des cigarettes, enfin tout, quoi… Vous savez, nous avons un vrai marché noir à Berlin, comme après la guerre de 14, tout bonnement. On y vend de tout, de la viande, de la graisse, du café, toutes sortes de denrées rares, quoi. Et dans des proportions ! Je peux vous l'assurer, d'ici on ne voit que la pointe de l'iceberg. Même la peine de mort n'a plus aucun effet dissuasif de nos jours. Tenez, par exemple, nous sommes justement en train d'installer deux tribunaux supplémentaires rien que pour les flagrants délits.

Si le marché noir touchait des marchandises aussi vitales pour la population, il était effectivement certain qu'on n'avait plus beaucoup confiance en l'État et le gouvernement. Le IIIᵉ Reich n'était pas seulement en crise sur les fronts, il s'effritait aussi peu à peu à l'intérieur. *Ein Volk, ein Reich, ein Führer*, « un peuple, un empire, un guide » – la sainte trinité s'acheminait lentement vers sa fin. Le système avait trop tiré sur la corde et on en était arrivé au point de rupture.

— Ces derniers temps, il y a tellement de vulgaires criminels ! Des hordes de jeunes voleurs pillent des magasins d'alimentation, des cabanes de jardin, des abris antiaériens et des appartements privés. Vous savez que pendant les raids, il est interdit de fermer les appartements à clé. À cause des risques d'incendie.

L'homme haussa les épaules.

— Évidemment, ajouta-t-il, c'est un gros inconvénient, ça attire les voleurs.

Kalterer ne s'était jamais posé la question. Il acquiesça.

— Et parmi ces jeunes, y en a-t-il qui soient politisés ?

— Mais pensez-vous ! Il leur arrive bien de se battre, même avec les Jeunesses hitlériennes, mais ce sont des asociaux, tout bonnement. Des bandes de voyous, sans arrière-pensées politiques. Quoique, à Cologne, ils aient tué un Gruppenführer local ; ils s'appelaient les « Pirates de l'Edelweiss ». Mais pour ce qui concerne votre affaire, j'excluerais cette hypothèse. Enfin, pour autant que de nos jours on puisse encore exclure quelque hypothèse que ce soit.

Le fonctionnaire réfléchit.

— Ça aurait aussi bien pu être un travailleur étranger.

— Comment ça, un travailleur étranger ? Ils ne sont pas tous sous contrôle administratif ? Ils ne sont donc pas parqués dans des casernes ?

Le fonctionnaire se pencha de nouveau en avant et pinça les lèvres, piqué.

— Essayez donc de contrôler environ dix millions d'étrangers en Allemagne ! D'ailleurs, soit dit en passant, est-ce que cela répond bien à la volonté du Führer, d'avoir autant d'étrangers dans le pays ?

Il secoua la tête avec véhémence.

— Écoutez, reprit-il, mon coiffeur est roumain. Dans toutes les brasseries où vous mettez les pieds, le serveur a un accent différent et le liftier du plus minable ascenseur est un métèque. Et je ne parle pas des légions d'étrangers employés dans l'industrie. Qu'on ne me raconte pas d'histoires, on ne peut tout bonnement pas surveiller tout ça. On n'arrive même pas à contrôler efficacement les prisonniers de guerre, c'est vous dire… N'importe quelle sentinelle ferme les yeux pour une Camel de la Croix-Rouge. Passons aux gares. On y bazarde le contenu des colis de cette même Croix-Rouge. Margarine, sardines, chocolat, chicorée, toutes denrées recherchées qui, vu leur importante valeur d'échange, vont se négocier âprement ensuite. Et nos bons camarades de la communauté du peuple allemand y font la queue, il faut voir ! Les gares sont devenues de véritables plaques tournantes du recel, et les postes aussi, à cause des colis. On y fait de sacrés profits. Et ces cliques d'étrangers sont très bien placées dans ce commerce. Je vous le dis : un jour, il faudra prendre des mesures énergiques contre ce fléau. Mais ils se sentent bien chez nous, à traîner toute la journée chez Aschinger ou à la Münzklause. Et le pire, c'est que des femmes allemandes leur font des avances, et tout ça pendant que leurs maris sont au front ; et quelquefois, elles font même cadeau de leur vertu en échange de quelques cigarettes. C'est sordide, non ? Et je vous le dis, à l'Alexanderplatz, on se croirait tout bonnement chez les trafiquants à Jérusalem. Un Allemand correct n'ose même plus y mettre les pieds. Nos permissionnaires ne trouvent plus de place au cinéma parce que les étrangers y prennent leurs aises. Tenez, prenez donc le tramway la nuit, on n'y entend plus que du sabir. Nos compatriotes camarades du peuple qui sont restés corrects commencent à peine à se plaindre un peu de cette situation, tous nos services le constatent. Mais, je l'ai dit, c'est une minorité, les autres se sont résignés et se tiennent cois. Dans les rues, c'est la racaille qui tient le haut du pavé.

L'homme s'adossa et se passa le pouce sur le menton.

— *« Patrie, salue mes étoiles, elles brillent tout autant au loin. »* Vous vous rappelez cette chansonnette ?

— *« ... ce qu'elles disent, je me plais à l'entendre comme un tendre appel de ma bien-aimée. »* Naturellement, qui ne la connaît pas ! Une vraie bluette, mais bien belle. On l'a souvent chantée au front, en pensant à la mère patrie.

— Et vous savez comment on la chante, aujourd'hui, dans les rues de Berlin ?

Il haussa les épaules.

Le fonctionnaire déclama, tout en martelant la cadence avec le bout d'un crayon :

— *« Patrie, tes ruines, le soleil luit au premier, dans la cave il y a des assiettes cassées, et tonton cherche son costume du dimanche. »* Qu'est-ce que vous dites de ça ? dit-il en fixant Kalterer.

— Que j'arrive au bon moment : deux mains de plus pour nettoyer les écuries d'Augias.

L'homme le regarda un moment, puis se leva.

— À la bonne heure, Herr Sturmbannführer. Eh bien, prenez donc les dossiers et mettez-vous tout bonnement au travail.

20

— Voici les dossiers des meurtres de ces trois derniers mois que vous avez demandés. Un courrier vient tout juste de les apporter.

Frau Gerling déposa une grosse pile de classeurs rouges sur le bureau noir. Le coin droit du sous-main brunâtre faisait un pli : en compulsant ses dossiers, Kalterer l'écornait toujours machinalement avec l'avant-bras. Il leva les yeux.

— Frau Gerling, me permettez-vous de vous demander votre prénom ?

— Inge, répondit-elle, impavide, et elle sortit par la porte en acier.

Il avait sur son bureau les classeurs de vingt affaires et surtout une synthèse des meurtres insolites non élucidés, tels que décès sous les bombes, morts retrouvés chez eux, étranglés ou assommés par des poutres, quelques biens rassemblés autour d'eux à la hâte. On lui avait aussi remis des cas de morts non identifiés, de morts ayant manifestement vécu avec des faux papiers et dont on ne retrouvait pas la véritable identité. Un grand nombre de personnes rôdaient donc dans Berlin sous une fausse identité.

« Hans, qu'est-ce qui se passe avec les Juifs ? »

Il essayait vainement de chasser de son esprit la voix de Merit pour se concentrer sur son travail. Excepté cette extraordinaire augmentation de décès par ingestion d'alcool méthylique, il ne remarqua rien de particulier dans le compte rendu. Il faisait du surplace. Il ne lui restait donc plus qu'à lire l'intégralité des dossiers pour découvrir un éventuel dénominateur commun, un indice qui le ferait progresser dans son enquête.

Il réussit rapidement à éliminer sept affaires. Des drames de la jalousie, un soldat en permission qui tue sa femme, plusieurs crimes crapuleux, vraisemblablement déjà élucidés, les coupables en prison. De plus, tous avaient été commis avant le meurtre de Karasek. Restaient quatre cas non éclaircis. Il en écarta deux : le *modus operandi* ne correspondait pas.

Il y avait cependant un meurtre intéressant : celui d'une femme ligotée, bâillonnée puis assassinée lors d'un bombardement. Il y avait là des similitudes. Il continua à feuilleter les rapports d'enquête et tomba sur l'état civil de la morte. La femme Angelika Frick avait été rouée de coups avant son décès, le coupable lui avait volé son argent et ses cartes d'alimentation. Il mit le dossier de côté.

La dernière affaire de la pile remontait à juin 1944, avant l'attentat contre le Führer. Un haut fonctionnaire de l'Office central de l'Économie et de la Gestion, un certain Eberhard Frei, avait été assassiné avec un 7,65 dans la salle de séjour de sa villa du lac de Griebnitz. Les photographies du Service d'identification donnaient l'impression que la victime vivait dans un logement richement aménagé et meublé. Elle était allongée face contre un tapis. Il paria pour un vrai persan, réquisitionné à Salonique ou à Tunis. S'il avait pu jeter un œil à la villa, il aurait sans doute repéré beaucoup d'objets de valeur venus de la moitié de l'Europe. Frei avait été tué de deux coups de revolver tirés à bout portant. Le meurtrier avait assourdi le bruit des coups de feu avec un coussin : le persan était jonché de duvet. La victime avait été assise de force sur le divan, puis entravée. Selon le médecin légiste, les importantes meurtrissures et les hématomes aux poignets indiquaient qu'elle avait été menottée. D'après son rapport d'expertise, Frei avait été basculé du divan et libéré de ses menottes après les coups de feu mortels. Le mort avait aussi des ecchymoses à la tête, à la poitrine et au ventre. Rien cependant n'indiquait un crime crapuleux, la villa n'avait pas été fouillée et apparemment rien n'avait disparu. Curieuse affaire. L'homme avait été proprement liquidé, sans doute après un interrogatoire, ce qui semblait effectivement indiquer un acte de vengeance, de surcroît à l'encontre d'un membre du parti, ainsi qu'il ressortait clairement d'autres pièces du dossier.

Comme Karasek, la victime avait donc été saucissonnée et tabassée. Mais la manière dont elle avait été attachée était totalement différente, tout comme le meurtre lui-même. C'est du moins ce qui résultait du dossier. Aucune recherche n'avait été diligentée pour retrouver l'assassin : on n'accordait manifestement pas autant d'intérêt à la mort de ce haut fonctionnaire qu'à celle de Karasek. Une bien ténébreuse affaire, vraiment.

Il écrasa le mégot de sa cigarette dans le cendrier qui débordait et se brûla l'index. Il suça en toute hâte l'endroit où se formait déjà une cloque.

Il ressortit le dossier Karasek de la pile de son bureau et se plongea une fois encore dans les rapports d'enquête. Un détail le fit sursauter et il reprit le classeur Frick. En moins de trois minutes, il avait trouvé ce qu'il cherchait.

Sophienstrasse 8.

Aussi bien Frick que Karasek y avaient habité, avant que l'immeuble ne soit soufflé par une bombe. Hasard ? Ou était-ce le lien qu'il cherchait ?

Il ouvrit la lourde porte à la volée.

— Frau Gerling !

L'écho de sa voix résonna comme dans un hall d'usine vide.

Quand la secrétaire entra, il avait retrouvé son calme et était de nouveau assis derrière son bureau.

— Frau Gerling, procurez-moi je vous prie, aussi vite que possible, une liste nominative de tous les locataires du 8 de la Sophienstrasse, disons entre 1930 et aujourd'hui.

Frau Gerling se tut un instant.

— Je n'y arriverai plus pour aujourd'hui, finit-elle par dire. Tous les registres ne sont pas là, et il n'y a déjà plus personne dans les autres bureaux.

— Bien, mais si vous ne pouvez pas régler ça ce soir, faites-le à la première heure demain matin.

Elle fit demi-tour sans mot dire, mais Kalterer avait remarqué que les traits de son visage s'étaient durcis. Il était apparemment allé trop loin, avait parlé trop sèchement, la tirant ainsi de sa prudente réserve. Il fallait donc arranger ça, être aimable, tout sucre tout miel.

— Frau Gerling, je vous prie de m'excuser. Ne prenez pas mal ma dernière remarque, je ne m'exprime pas toujours comme je le devrais.

Elle haussa les épaules.

— Je ne suis pas si douillette que ça.

— Tant mieux, tant mieux.

Il lui sourit franchement :

— J'aurais aimé vous inviter à dîner ce soir. Disons, pour fêter notre collaboration. Accepterez-vous ?

Elle le regarda, sembla réfléchir. Il remarqua qu'elle portait des chaussettes blanches dans de solides chaussures.

— Je pensais à l'Esplanade. Elle existe toujours, non ? Ou préféreriez-vous un autre jour ?

Elle secoua la tête.

— Non, non, j'accepte volontiers votre invitation. Je me demandais seulement… j'aurais aimé me changer avant. D'un autre côté, il faudrait y aller maintenant, si nous voulons qu'on nous serve encore quelque chose de convenable… Oh ! et puis, peu importe, il faut faire la fête sans trop se poser de questions. Vous avez certainement vos tickets sur vous. Sans tickets, on ne trouve plus grand-chose.

Il n'aurait jamais pensé qu'elle puisse parler autant et si vite, et qu'une sortie au restaurant à Berlin en 1944 soit si compliquée. Il y avait à peine trois mois qu'à Lyon, ou à Besançon, il avait pu manger toutes sortes de plats, sans tickets de rationnement, peu importait avec qui et à quelle heure du soir.

— Tentons notre chance, alors.

Il l'aida à enfiler son manteau. Elle lui adressa un sourire qui l'irrita. Ce mouvement de la tête quand il arrangea son col, ces yeux bleu-clair rieurs, qu'il avait d'ailleurs l'occasion de contempler de si près pour la première fois, cette fossette au menton et ces petites rides qui donnaient tant de chaleur à ce sourire : Inge Gerling n'était pas cette statue impassible, Inge Gerling était une femme pleine de vie, une belle femme.

21

Allongé sur le dos, il soufflait la fumée de sa cigarette vers le plafond. On entendait un cliquetis de vaisselle qui parvenait de la cuisine. Il reconnut le chuintement d'une plaque électrique sur laquelle Inge Gerling venait de poser une bouilloire au fond humide.

Ils étaient tout de suite passés aux choses sérieuses. On ne savait jamais ce qui pouvait arriver au prochain bombardement, avait-elle prétendu.

Deux corps qui ne se connaissaient pas, qui se cherchaient prudemment et qui très vite se cramponnèrent l'un à l'autre avec fougue, cherchant un bref moment d'oubli. Un événement intense, vécu à Berlin même, au front, car il n'y avait plus d'arrière. Il fallait jouir de chaque minute, vite, avant le retour de la réalité et de ses sirènes d'alarme, de ses déflagrations. Cruel quotidien, réalité désespérante, conscience de la vanité de toute fuite.

Ils étaient naturellement arrivés trop tard à l'Esplanade. On ne leur proposa plus qu'un seul plat : des roulades de viande avec des pommes de terre. Et inutile de prétendre graisser la patte au serveur, ni même de lui coller son sauf-conduit sous le nez.

— Désolé, Herr Sturmbannführer, je ne peux malheureusement rien pour vous, nous n'avons vraiment plus rien d'autre.

Kalterer sentit la peur dans la voix chevrotante de l'homme. Il remarqua en revanche que cette réponse suscitait un murmure de satisfaction non déguisée aux tables voisines. Il pensa un instant les faire arrêter tous. Une petite intimidation qui ferait son effet. Mais au bout du compte, que pouvaient-ils encore respecter, tous ces gens, quand une bombe pouvait les ensevelir à tout instant ? La sirène d'alerte antiaérienne ne se fit pas longtemps attendre. Ils se réfugièrent dans la cave, armés d'une bouteille de mousseux. Quand les escadrilles eurent disparu, leur repas était froid. Elle l'avait invité à venir chez elle, ils étaient partis sur-le-champ. En route, Kruschke s'était encore procuré du mousseux et les avait déposés à Schöneberg.

Elle vivait seule dans un deux pièces. Ses deux enfants avaient été évacués en Silésie par le Service de placement des enfants à la campagne.

— Tu préfères ton café noir ou sucré ? cria-t-elle depuis la cuisine.

— De préférence avec quelques gouttes de cognac, si tu en as.

Elle déposa le plateau sur la table de chevet. L'odeur de café frais lui chatouilla les narines. Elle versa de l'alcool dans sa tasse.

— Comment fais-tu pour avoir du café en grains, quand j'échoue face à un serveur de restaurant ? demanda-t-il en plaisantant.

— Ration spéciale, répondit-elle avec sérieux.

Il n'avait pas l'intention d'approfondir. Il avait été absent trop longtemps.

— Tu devrais reprendre tes enfants à Berlin ou les envoyer dans une région plus à l'ouest.

Elle le regarda, incrédule.

— Je veux dire que notre contre-offensive partira vraisemblablement de la Silésie, et que ça risque d'être très violent. Ce n'est pas l'endroit rêvé pour des enfants. Il faut que rien ne change, là-bas, pour que les Russes ne se doutent pas de nos préparatifs. C'est pour ça qu'on ne peut pas faire rentrer tous les enfants. Ça serait trop voyant. L'ennemi écoute. Mais à toi, je peux te confier ça, tu es des nôtres.

Il ne fallait pas qu'il devienne imprudent. En réalité, il ne savait pas grand-chose sur Inge Gerling.

— Tu as peut-être raison.

Elle s'allongea à côté de lui et l'embrassa sur le front, tout en se pinçant une mèche de cheveux derrière l'oreille d'un geste exercé de la main. Elle promena lentement sa langue chaude jusqu'à son cou, y suçant les lèvres d'une cicatrice comme pour y pénétrer.

— Qu'est-ce que tu as là ?

— Blessure de guerre.

— Un éclat d'obus ?

Il tourna la tête.

— Blessure de guerre. Qu'est-ce que tu veux de plus ?

Il remarqua tout de suite que sa réponse avait été trop brutale. Elle le regarda un moment, irritée, puis demanda comme si de rien n'était :

— Que veux-tu manger ? Tu dois avoir une faim de loup.

Elle lui pinça la peau du ventre, se leva d'un bond, enfila une combinaison et disparut dans la cuisine.

— Ce que tu as, lui cria-t-il, je mange de tout, de préférence des rations spéciales.

Elle aimait manifestement ce genre d'humour. Elle se démenait de nouveau dans la cuisine. Il entendait des tiroirs s'ouvrir et se fermer énergiquement, une poêle que l'on déposait sur la plaque, des bruits de vaisselle, puis sa voix claire :

— Il me reste encore quelques conserves de goulasch ; tu veux que je nous les réchauffe ?

Des conserves, encore des conserves. Gleiwitz, Franz Honiok, des corps chloroformés, lourds, un plancher qui craque, comme un bruit de sacs qu'on laisse tomber sur le sol, Merit. Sa voix, ses boucles douces au toucher. Si elle ne l'avait pas flanqué à la porte, il ne serait pas là. Il n'avait pourtant pas choisi de vivre à cette époque.

Inge Gerling passa en souriant la tête par l'entrebâillement de la porte.

— Tu viens, ou tu veux dîner au lit ?

Il se leva, enfila un pantalon et fit claquer ses bretelles sur sa flanelle.

Curieux, tout avait commencé en civil et tout se terminerait en civil. Il s'assit à la table de cuisine et contempla son assiette où fumaient la viande ct les macaronis. Inge Gerling avait revêtu une robe de chambre bleue.

Il y avait de la place pour quatre à table. Si le mari d'Inge n'était pas mort à la guerre et s'ils vivaient toujours ensemble, le troisième enfant serait sans doute pour bientôt, et l'heureuse famille devrait se décider pour une table plus grande, ronde ou rectangulaire, avec rallonges. Avec Merit, ça n'avait pas marché. Ils n'avaient pas eu d'enfants. Les rares permissions, et puis, très vite, cette fin brutale.

— Tu es bien silencieux. Tu regrettes d'être là ?

— Non, je pense à cette affaire.

Il s'efforça de faire bonne figure.

Elle versa du mousseux.

— Du goulasch avec du mousseux, ça ne m'est encore jamais arrivé, dit-elle en riant.

— Oui, la guerre rend inventif.

Il vida son verre d'un trait et le lui tendit. Elle le remplit.

— Tu restes ici cette nuit ?

Il hésita.

— Non, pas aujourd'hui, j'ai quelques bricoles à régler demain depuis l'hôtel, sinon je vais encore oublier. Il est déjà tard. Il vaut mieux que j'y aille.

Contrairement à ce qu'il avait cru, elle ne se plaignit pas. Elle le regarda s'habiller et l'accompagna à la porte. Il l'embrassa sur la bouche. Elle lui passa les bras autour du cou et se serra contre lui.

— À bientôt.

Il se libéra doucement de son étreinte et lui prit les mains.

— Et on ne se verra pas uniquement pendant la journée, au bureau.

Il descendit l'escalier. Quand, arrivé au palier suivant, il se retourna, elle avait déjà refermé sa porte.

22

Il l'avait suivie jusqu'à cette petite église de Charlottenburg. Elle était donc encore debout. Avant la guerre déjà, le dimanche, Merit y avait été organiste. Il pénétra dans la pénombre de l'édifice cinq minutes après elle, prit place derrière un pilier pour qu'elle ne le découvre pas si par hasard elle jetait un œil dans la nef. Mais il n'y avait rien à craindre : quand Merit jouait, elle ne pensait qu'à son jeu.

Il s'était garé devant chez elle vers dix heures, sans but précis. Au même moment, elle franchissait sa porte. Elle n'avait pas fait attention à lui, n'avait pas remarqué cette grosse cylindrée, ne s'était pas retournée en marchant vers le métro. Elle ne l'avait pas repéré non plus sur le quai. Il n'avait pas eu beaucoup de mal à la suivre. Quand elle avait une idée en tête, elle ne prêtait pas attention aux autres, ne se laissait pas aller à bavarder avec des voisins, ne se laissait jamais détourner de sa route, allait droit au but, méticuleuse. Il l'aimait pour ces qualités, mais c'est aussi à cause d'elles qu'elle s'était détournée de lui. Il avait été étonné qu'elle sache quelque chose au sujet des

Juifs. Ce n'était pas son genre de prêter foi à des on-dit, de croire aux rumeurs.

Elle jouait *Ô tête sanglante et couverte de blessures*. Avec lenteur et solennité. Puis elle passa sans transition à une pièce de Bach, se trompa, reprit plusieurs fois un passage difficile.

Ce damné cureton avait dû lui mettre ça dans le crâne. Il était peut-être au courant de ce qui se passait à l'Est, il avait certainement des contacts avec des réseaux terroristes. Il faudrait liquider tout ça, mais dans ce cas il n'aurait plus aucune chance avec Merit. Il voulait quitter la maison du Seigneur avant elle, mais demeurait assis, écoutant les puissants accords qu'elle tirait de l'orgue. Quand la lourde porte de l'église se referma enfin derrière lui, sa colère envers le curé était tombée aussi vite qu'apparue.

Il se dirigea vers la Kantstrasse pour reprendre sa voiture. Tôt le matin, avant même de se rendre devant chez Merit, il était allé Sophienstrasse sans Kruschke. La rue n'était pas loin de son hôtel. Seuls deux immeubles avaient été entièrement rasés et il put ainsi facilement identifier celui qu'il cherchait. Excepté un tas de gravats, des tuiles cassées, des poutres fendues et un reste de mur calciné qui montait en partie jusqu'à la corniche du premier étage, il ne restait plus grand chose du numéro 8. Sur la partie de mur restée debout, on pouvait lire, écrites à la craie blanche, les informations habituelles destinées aux parents des victimes.

La Sophienstrasse était une des vieilles rues de Berlin. La plupart des immeubles de trois à quatre étages avaient été construits au milieu du XIXe siècle avec beaucoup de torchis et de bois et étaient donc très inflammables. Les habitants avaient eu de la chance de s'en être sortis sans plus de dégâts.

Derrière le monceau de ruines et ce qu'il restait de la façade soufflée par l'explosion, on devinait encore des bâtiments au fond de l'arrière-cour. Des entrepôts et des ateliers éventrés, les restes d'une cantine. De grands pans de murs pendaient à des tiges de fer à béton tordues, comme des rideaux à des chicots de façades.

Une vieille femme qui ramassait des morceaux de bois parmi les décombres leva la tête quand elle l'entendit marcher sur les éboulis.

— Vous avez perdu un parent ici ? questionna-t-elle.

— Non, je voulais rendre visite à un vieil ami, Egon, Egon Karasek.

— Ah ! Herr Karasek ! Il n'est pas mort, mais Dieu sait où il habite maintenant. Quel malheur ! Quel malheur !

— Oui, quel malheur. (Il hocha la tête.) Mais l'essentiel, c'est de s'en tirer sain et sauf.

La femme approuva avec empressement.

— Oui, mais Karasek a été touché plus durement. Tout ça lui appartenait. Le pauvre, il a tout perdu. L'appartement, la maison ; et regardez-moi ce qu'il reste des ateliers. Inutilisable. Décidément, il a tout perdu.

— Comment ça ? Les bâtiments de la cour lui appartenaient aussi ?

Elle frotta l'index contre le pouce comme pour compter une liasse de billets de banque.

— À votre avis, il encaissait combien par mois ? Assez, de toute façon, parce qu'il y a tout un niveau qu'il ne louait pas. Il s'en servait uniquement pour entreposer des vieux meubles. Il avait les moyens, Karasek.

— Il avait un dépôt ?

— Oui. On peut difficilement s'en rendre compte maintenant, avec tous ces décombres devant.

Elle saisit son panier à commissions rempli de morceaux de bois et se dirigea vers la rue.

— Quel malheur, oui, quel malheur que tout ça ! grommela-t-elle encore en secouant la tête.

Il s'aventura prudemment sur le tas d'éboulis, espérant qu'il ne s'effondrerait pas sous lui en le précipitant dans les caves. À peine avait-il fait quelques pas que les pierres commencèrent à rouler sous ses pieds. Il eut tout juste le temps de se rattraper à une poutre et reprit son escalade.

La façade du bâtiment arrière était encore debout jusqu'au premier étage. Seule la porte avait été soufflée de ses gonds. Il pénétra dans une première salle, puis une deuxième, où les ramasseurs de bois n'avaient apparemment pas osé pénétrer à cause des risques d'effondrement. Le sol était jonché de ressorts de fauteuils capitonnés brûlés, de pieds de chaises roussis, de tables de travail en métal tordu, de portes d'armoires de salle à manger arrachées, d'éclats de verre. Aux restes calcinés, on devinait qu'il s'était sans doute agi de meubles de style de valeur.

Kalterer se tapota les mains pour en chasser la poussière et se dirigea vers le local suivant. Ici aussi, il piétinait du verre qui crissait sous ses semelles, du verre de vieilles bouteilles cassées qui gisaient entre des bouchons de paille, de la sciure et des morceaux de caisses d'emballage en bois. Il trébucha sur l'une d'entre elles. Il s'en dégageait encore une pénétrante odeur d'alcool, et plus loin il découvrit des tessons de bouteilles de cognac avec des restes d'étiquettes en français. Deux autres caisses avaient contenu la même chose. De la marchandise de contrebande, très chère, mais rendue inutilisable. Karasek, l'agent immobilier, se livrait au trafic sur une grande échelle.

Les autres pièces étaient vides. Il fut soulagé quand il découvrit un passage qui le mena dans la Gipsstrasse : il n'aurait pas voulu exposer son beau costume une seconde fois.

Après cette visite, il s'était rendu au cadastre pour avoir une idée précise de la propriété. Dans un vieux bureau qui sentait le renfermé, un fonctionnaire ennuyé voulut d'abord le refouler. Il lui exhiba ses papiers, y ajouta une bonne engueulade, et l'homme se mit à trotter. Tout s'était merveilleusement déroulé ensuite, et les renseignements obtenus confirmaient les dires de la vieille. Egon Karasek était bien l'unique propriétaire de l'immeuble du 8 de la Sophienstrasse, y compris les quatre cents mètres carrés de bâtiments de l'arrière-cour.

Il était immédiatement rentré à l'hôtel, avait appelé Inge Gerling pour lui demander de se procurer les baux et les documents concernant les biens immobiliers de la succession de Karasek qui devaient se trouver chez le procureur. Certain de ne pouvoir les consulter avant le lendemain, il s'était ensuite rendu Kantstrasse pour épier Merit.

Il avait ensuite regagné l'hôtel pour manger un morceau. Au comptoir de la salle à manger, il commanda une canette de bière et un verre et prit place à une table libre. Un enseigne de la Luftwaffe jouait une chanson triste au piano. On lui fit comprendre qu'il fallait enchaîner sur quelque chose de plus entraînant. Il attaqua une polka.

Merit avait toujours préféré les mélodies plus mélancoliques. Ce soir de novembre 1942, alors qu'il arrivait à leur appartement pour quelques jours de permission spéciale sans avoir pu s'annoncer, il avait entendu à travers la porte l'air triste qu'elle jouait dans la salle de séjour. Il se rappela la surprise sur son visage, le baiser furtif sur la joue, et la question plutôt distraite :

— Tu as déjà mangé quelque chose ?

Suivie de la sèche information :

— Excuse-moi, il faut encore que je fasse quelques exercices.

Il s'était étonné, puis l'avait longtemps écoutée jouer, assis dans un des deux fauteuils qu'ils avaient choisis ensemble après leur mariage. Il avait fini par se lever pour lui passer les bras autour du cou. Elle avait bondi du tabouret, s'était immédiatement détachée de lui et l'avait regardé fixement dans les yeux.

Et la dispute commença.

— Qu'est-ce que tu fais à l'Est, Hans ?

— Tu le sais bien, je fais mon devoir, c'est la guerre.

Merit perdait rarement son calme. Elle continua à poser tranquillement ses questions :

— Et en quoi consiste-t-il, ton devoir ?

— J'assure l'ordre à l'arrière de nos troupes. Il y a souvent des attentats contre nos bases, des bandes armées prennent d'assaut les trains de renforts et de ravitaillement ou commettent d'ignobles assassinats sur nos hommes dans les cinémas ou les théâtres…

149

— Ou au bordel.

— Oui, au bordel aussi.

Il était en colère, mais soulagé. Il pensait encore pouvoir maîtriser cet échange.

— C'est à cela que tu veux en venir ? Tu es jalouse ? Tu sais très bien que je t'aime.

— Il n'est pas question de ça.

— Alors qu'est-ce que tu veux, Merit ? Pourquoi m'accueilles-tu comme si j'étais un étranger ?

Il s'était dit que le moment était venu de passer à l'offensive, de lui ôter de son assurance pour que la soirée ne soit pas entièrement gâchée.

— Tu t'es déjà posé la question de savoir pourquoi ils font ça ? avait-elle repris calmement.

— Qui ça, « ils » ?

— Qui ? Les partisans, mon Dieu !

Un bref éclat de colère qui l'effraya, car d'ordinaire Merit ne perdait jamais son sang-froid.

— Je fais mon travail, Merit. Que nous importent les partisans ! Pendant ces quelques heures que nous allons passer ensemble, ne nous querellons pas à propos de mon travail.

Il sentait que sa voix tremblait. Il s'était rapproché d'elle, mais elle l'avait évité.

— Pourquoi font-ils cela, Hans ?

— Eh bien, ils nous combattent parce que nous leur faisons la guerre, mais ils ne se battent pas honorablement, ils ne respectent pas les conventions de La Haye.

— Ils se battent contre les règles ? Allons donc, Hans, ce n'est pas un jeu. Qu'est-ce qu'on est allé faire là-bas ? Qu'est-ce que vous y faites ?

— Nous défendons l'Europe contre le bolchevisme. Nous défendons nos femmes et nos enfants. Notre patrie.

150

Des phrases convenues auxquelles il se raccrocha.

— Et pour ça, il a fallu marcher sur Moscou ?

— Merit, ne parle pas de choses que tu ne comprends pas. Tu n'as aucune idée de la politique ni de la stratégie militaire.

— Peut-être, mais je n'ai pas besoin que tu me défendes à Stalingrad ou ailleurs, sur vos arrières, en aidant à tuer des femmes, des enfants et des vieillards.

— Qui t'a mis ça dans le crâne ?

Elle avait dû entendre ça dans cette maudite église.

— Personne ne m'a bourré le crâne !

Merit s'emporta. Il ne l'avait jamais vue dans cet état.

— On entend même parler jusqu'ici de ce qui se passe là-bas, à l'Est.

— Tout ça, c'est des rumeurs, de la propagande ennemie.

Il avait la bouche empâtée, avait du mal à articuler.

— Tu n'y crois pas toi-même.

Merit ne semblait pas remarquer combien cette dispute le remuait.

— Je l'ai entendu, entendu de mes propres oreilles. Pendant une de ses permissions, un jeune soldat de notre paroisse a parlé de ce qu'il a vécu au front, d'incendies volontaires de maisons, de meurtres quotidiens, y compris de femmes et d'enfants.

— D'accord, il y a des exceptions, et c'est navrant. Des soldats que la guerre rend brutaux et qui dépassent la mesure, mais il y a les autres aussi, ceux à qui toute injustice fait de la peine.

— Tu veux dire par là que le meurtre d'enfants se justifie ?

Elle le fixait de ses yeux brun foncé.

Il essaya une fois encore de clarifier son point de vue, de changer de conversation.

— Non, bien sûr que non. Mais tu l'as dit toi-même, ce n'est pas un jeu, c'est la guerre, et les règles sont différentes, plus brutales, c'est nous ou eux.

Il perdit son sang-froid, éleva la voix :

— On ne fait pas d'omelette sans casser d'œufs ! Quand des gamins nous tirent dessus, il faut bien qu'on leur rende la monnaie. Crois-tu qu'une mère allemande nous pardonnerait de ne pas punir ceux qui ont ses fils sur la conscience ? Quel que soit l'âge des tireurs ?

Pourquoi Merit, pourquoi elle, pourquoi fallait-il qu'elle lui pose ces questions ? Elle n'avait jamais eu de mal à le faire sortir de ses gonds. Et quand il était en colère, il se perdait toujours dans ses arguments.

— Et dans nos bases arrière, ils n'ont aucune excuse. Ils peuvent être aux aguets après chaque virage, derrière chaque buisson, chaque haie, déguisés en paysan en train de moissonner ou en infirmière dans un hôpital de campagne, n'importe qui peut être un franc-tireur ou un bandit. Ils nous combattent par tous les moyens, et nous leur répondons plus durement encore, jusqu'à la fin, bon Dieu !

— Tu ne parles pas sérieusement. Vous ne pouvez tout de même pas faire la guerre à tout un pays et prétendre en même temps que ceux qui se défendent ont tort.

Elle était assise sur le tabouret du piano, il était resté debout devant elle.

— Ce n'est pas moi qui ai décidé cette guerre, Merit. Je ne fais pas de politique. Je suis policier et soldat. Je dois faire mon devoir, je dois cela au peuple allemand. J'ai prêté serment. Je combats pour ma patrie.

Il fit disparaître ses mains tremblantes dans ses poches d'uniforme.

— Pour ma patrie, ajouta-t-il, à cet instant presque convaincu de ce qu'il disait.

Merit se taisait, caressait de la main les touches du piano sans frapper une note. Elle murmura enfin :

— Pourquoi n'es-tu pas resté dans la police, à Berlin ?

— En 39, j'ai saisi ma chance pour avancer dans ma carrière. Je savais que j'en étais capable. Je ne pouvais pas savoir comment les choses allaient tourner. Toi non plus, et d'ailleurs ça ne t'a pas déplu que je rapporte plus d'argent à la maison. J'ai aussi fait ça pour toi.

Elle ne le regardait pas, les yeux sur les touches du piano.

— Je n'ai pas réfléchi, à l'époque, je ne pensais qu'à ma musique… Mais maintenant, je n'en peux plus.

Il avait arpenté la salle de séjour, du dressoir à la fenêtre. Merit demeurait assise sur le tabouret, immobile. Après une éternité, elle avait fini par lever les yeux sur lui.

— Hans, je ne peux pas continuer ainsi. Avec toi. Tu viens, tu veux jouer les mariages heureux pour quelques jours, tu repars et je ne sais pas ce que tu fais vraiment. Je ne peux m'empêcher de penser que tu participes à ces choses horribles qui se passent à l'Est.

Il aurait dû se taire. Peut-être lui aurait-elle pardonné une fois encore. Peut-être tout serait-il redevenu comme avant. Une demande de mutation peut-être, et elle aurait été satisfaite. Mais il n'avait pu s'empêcher de crier.

— C'est ton cureton préféré qui t'as dicté ça, hein, celui pour qui tu joues bien gentiment de l'orgue tous les dimanches. Tu n'as aucune idée de ce qui se passe sur le front. Je n'ai rien à me reprocher. Rien dont je ne puisse me justifier, rien qui ne m'ait été clairement ordonné. Rien, tu m'entends !

Cet éclat avait été sa perte, il avait perdu son mariage, leur vie commune, et Merit.

Elle s'était levée d'un bond, lui avait demandé en le toisant bras croisés :

— Et qu'est-ce qui se passe avec les Juifs ? Est-ce qu'il te suffit de prétexter un ordre pour justifier cela, Hans ?

Il n'avait pas répondu, juste essayé de réprimer le tremblement de ses mains, tandis que Merit poursuivait à voix basse.

— Ils raflent les Juifs. Tous les Juifs doivent quitter Berlin. Presque chaque semaine, des convois entiers partent pour l'Est. Dans notre rue, deux familles ont été emmenées. Les Hausner du 144 avec leurs deux garçons, les autres, je ne les connaissais pas. Je l'ai vu de mes propres yeux, ceux qui ont embarqué les Hausner, c'étaient des gestapistes comme toi. Et ne me dis pas qu'ils sont partis de leur plein gré, Mme Hausner hurlait.

— Ça ne me regarde pas.

— Qu'est-ce qui ne te regarde pas, Hans ?

— Ce dont tu parles.

— Est-ce qu'on déporte vraiment les Juifs vers l'Est ? Ce qui se dit est-il exact ?

Elle l'avait regardé de ses yeux bruns.

— Je ne m'occupe pas de ça, Merit, je n'ai rien à voir avec ça...

Il secouait doucement la tête.

— Vous les tuez tous. L'an passé déjà, des milliers de Juifs ont été assassinés près de Kiev. Et maintenant, c'est au tour des Juifs de Berlin.

À présent encore, il revoyait la mine effrayée de Merit, ses lèvres pincées, les larmes qui coulaient lentement sur ses joues maigres, les gestes de colère avec lesquels elle éloignait les mèches rebelles de son front. Il n'avait su que répondre.

— Et toi ? Toi, tu dis que ça ne te regarde pas, que tu n'es pas concerné, que tu ne t'en es pas occupé. Tu portes des œillères ou tu es aveugle ?

— Merit, je...

Il essaya de nouveau de la toucher, mais elle le repoussa violemment.

— Si tu ne fais pas partie personnellement des tueurs, tu leur ouvres la voie et tu les couvres. Il n'y a pas d'excuses. Tu l'as dit toi-même. Tu es un rouage d'une seule et même machine. Vous favorisez ces crimes.

Elle courut à la cuisine en pleurant et se moucha. Quand elle revint, elle tenait en main un torchon à vaisselle avec lequel elle voulut sécher ses yeux rougis, mais elle ne cessa pas de pleurer. Il voulut dire quelque chose, mais elle l'interrompit aussitôt.

— On ne peut pas continuer comme ça. Je ne te supporte plus, Hans. Je veux que tu disparaisses, quitte cet appartement et va au mess rejoindre tes amis.

Et ça avait été la fin. Il avait fait demi-tour sur les talons, avait repris sa valise restée dans l'entrée et quitté l'appartement sans un mot, en faisant sonner son pas.

Le bar de l'hôtel était complet à présent, en ébullition. On hurlait des chansons de soldats à quatre temps cognées sur le piano. Des voix avinées et enrouées accompagnaient les mélodies en braillant.

Il paya la seconde canette de bière directement au bar et commanda une bouteille de marc. Il ne supportait plus ces soirées entre camarades, au cours desquelles on trinquait pour se donner du courage. Il n'y avait aucune excuse, Merit avait bien raison. Ils étaient tous complices, embringués dans cette guerre. Il y avait ceux qui s'étaient laissé entraîner, puis les carriéristes, les idiots enfin. Tous avaient des taches de boue sur la veste blanche de leur uniforme de parade. La beuverie et cette espèce d'autoglorification ne pouvaient pas masquer les crimes. L'heure de vérité approchait, même si cette bande d'ivrognes forts en gueule ne voulaient pas encore l'accepter.

Il monta dans sa chambre, déboucha la bouteille et avala le contenu d'un verre dans l'obscurité, debout à la fenêtre. Sans ce couvre-feu, il aurait sans doute pu distinguer la coupole de la synagogue de la Orianenburger Strasse. La nuit où les synagogues avaient été incendiées, elle avait été à peine endommagée.

Il était retourné encore une fois chez Merit quelque temps plus tard, mais il la dégoûtait trop. Elle ne le laissa entrer que le temps de rassembler quelques affaires. Il ne lui avait plus jamais parlé, n'avait plus jamais entendu parler d'elle. Mais quoi qu'il fît, il ne pouvait la chasser de ses pensées. Elle était toujours avec lui, un reproche vivant, quotidien. « Que fais-tu à l'Est ? Il n'y a aucune excuse. » Elle avait raison.

Mais il avait continué de faire son travail. Jour après jour, les tâches étaient devenues de plus en plus écœurantes, et ce qu'il voyait de plus en plus horrible. Une lutte sans fin. Sans refuge douillet à l'horizon : il avait perdu Merit, son grand soutien.

Il ne voyait plus d'issue.

23

Il avait retourné tout l'appartement. Il finit par trouver ce qu'il cherchait dans la chambre à coucher : de l'argent liquide et des cartes d'alimentation. Il enjamba les tiroirs renversés, les sous-vêtements et le linge de maison éparpillés çà et là, où l'on distinguait encore les plis du repassage, piétina les draps blancs de ses bottes sales, donna un coup de pied dans une pile de serviettes qui allèrent s'écraser de l'autre côté du lit.

D'où pouvaient-ils bien tenir toutes ces belles choses – les nappes finement damassées, les dentelles de Bruges, les lourds Gobelins et ce mobilier précieux réparti dans tout l'appartement ? Après avoir été ruinés par le bombardement, ils étaient donc en si peu de temps installés comme Lotti et lui après des années d'économies draconiennes. Pourtant, ils ne devaient certainement pas rouler sur l'or : le magasin – son magasin – avait été détruit lui aussi, et il était certain que l'étal qu'ils tenaient au marché ne devait pas rapporter gros, surtout maintenant – il avait été épicier assez longtemps pour le savoir. Quelque chose ne collait pas dans tout cela.

Il ramassa une taie d'oreiller, la fit glisser entre ses doigts jusqu'à ce qu'il sente le chiffre brodé aux initiales artistiquement entrelacées : RF. Ce n'étaient pas celles de la maîtresse de maison. Il fouilla encore parmi le linge, trouva un mouchoir liseré de dentelle. Rachel Friedländer. Le monogramme avait été brodé avec un minuscule fil bleu foncé.

Il lâcha le mouchoir et se tourna vers le lit conjugal. Il jeta les coussins d'apparat aux plis fins, souleva la courtepointe piquée au motif floral et se mit à la recherche d'autres caches sous les édredons, les coussins et les draps. Il ne trouva rien ; rien non plus derrière le cadre doré du tableau d'une scène bucolique accroché au-dessus du lit. C'était tout – il n'y avait plus rien d'intéressant ici.

Il enjamba une pile de chaussettes pour homme et se dirigeait vers la porte quand il aperçut une enveloppe encore partiellement collée au fond d'une boîte à chaussures qu'il avait dénichée dans l'armoire, à moitié emballée dans un papier à fleurs. Il s'assit sur le lit, la détacha et la décacheta du pouce.

Une demi-douzaine de photos s'en échappèrent. Elles avaient dû être prises dans l'atelier d'un camp de concentration : les femmes portaient toutes la tenue rayée de déportée – quand elles avaient quelque chose sur elles… Il eut soudain un goût amer dans la bouche, ressentit de violentes crispations d'estomac. Il avait sous les yeux des dos courbés, des visages défigurés par la peur, des rangées de corps de femmes dénudées, honteuses, qui tentaient vainement de dissimuler leurs poitrines, des gardiens SS ricanants qui se faisaient sucer, regardaient l'objectif avec des poses théâtrales exagérées. Sur plusieurs photos, on reconnaissait au premier plan des bottes à haute tige encadrant une détenue à quatre pattes sur le sol qui fixait un chien-loup, les yeux écarquillés de peur.

Il étouffait. Le camp, les vexations et les tortures – il eut la nausée… Il sentit le choc sourd des coups de bâton, la chair qui éclatait, les coups de pied dans le bas-ventre… On l'avait souvent ligoté sur le chevalet, ou forcé à regarder les supplices. Pour ses camarades et lui, seule comptait leur propre survie. Mais il se rendait compte à présent de ce qui se déroulait en face, dans le camp des femmes, de ce qu'il leur arrivait quand elles tombaient entre les pattes de ces salauds. À présent, il l'avait sous les yeux, noir sur blanc : des gros plans de sexes féminins entre des cuisses amaigries, maintenues écartées de force. Des SS, les meilleurs d'entre les meilleurs, l'élite de l'Allemagne – la lie de toutes les lies, têtes de mort à l'égal des insignes de leurs casquettes à visière. Des hommes entre eux, qui s'amusaient à jouer avec un appareil photographique. Une réunion d'hommes aux visages rougeauds, à moitié ivres, gonflés d'excitation voyeuriste, qui se passaient ces images lors de soirées entre camarades, avec des rires bruyants, des propos obscènes et répugnants.

Il glissa les photos dans une poche de son manteau et essaya de se représenter le maître de maison se faufilant à l'insu de sa femme vers l'armoire à linge pour en extirper l'enveloppe et s'exciter en contemplant clandestinement ces images.

Il saisit un vase dans le vestibule et de rage le fracassa contre le cadre brodé d'une sentence nazie : *Sois fidèle et honnête*. Verre et vase volèrent en éclats. Il entendit alors un faible gémissement qui provenait de la cuisine. Le fidèle et honnête maître de maison revenait manifestement à lui et, cette fois, il n'avait certainement pas rêvé d'orgies débridées où l'on abusait de détenues sans défense. Cette fois, c'est lui qui était ficelé, allongé sur le sol dans d'atroces douleurs, sans défense, la gueule en sang, le corps tout entier écrasé à coups de talons, meurtri. Haas ouvrit la porte d'un coup de pied ; elle alla heurter le réfrigérateur placé derrière.

— Alors, Bodo, qu'est-ce que tu penses de cette nouvelle expérience ? Elle te plaît ?

24

Dehors, il grêlait. À travers la fenêtre ouverte de la cave, il entendait les grêlons crépiter sur les pavés. Les papiers de la succession d'Egon Karasek s'empilaient sur son bureau et sur l'étagère. Comme elle le lui avait affirmé, Inge s'était procuré non seulement les baux, mais toutes les paperasses qui lui étaient tombées sous la main. Il se concentra sur tout ce qui avait trait aux locations. Destination Sophienstrasse, la piste la plus chaude. Le reste, tout ce qui concernait les affaires de Karasek, pouvait attendre.

Karasek, le propriétaire. Lui appartenaient cinq maisons avec leurs terrains, dont celles de la Höhmannstrasse et de la Sophienstrasse. Karasek, l'enfant béni des dieux. Au milieu des années trente, il avait acheté toutes ces propriétés bien au-dessous de leur prix de vente sur le marché. Kalterer n'avait jamais aimé les négociants en immeubles : l'un plus visqueux que l'autre. Karasek, le visionnaire. Au cours des deux dernières années, il avait acquis pour une bouchée de pain des terrains recouverts de décombres. Karasek, un homme au nez fin et aux couilles en or.

Karasek, la victime d'un crime. Car tout finissait par avoir une fin.

« Sophienstrasse 8 », portait fort à propos un gros classeur jaune. Un immeuble de deux étages, avec un magasin, une mansarde et six appartements, un au rez-de-chaussée, deux au premier et trois au second. En décembre 1938, il l'avait acheté à un certain Herschel Rosenkrantz qui logeait au premier. La famille Rosenkrantz avait ensuite déménagé. Karasek avait aménagé un bureau dans leur appartement voisin du sien.

Les noms de tous les autres locataires ayant vécu dans l'immeuble depuis sa construction au XIXe siècle figuraient sur une liste. Il recopia ceux des dix dernières années et appela Inge.

— J'aimerais que tu me trouves les certificats de bonne vie et mœurs de ces gens-là, le cas échéant leur casier judiciaire. Je veux tout savoir sur eux, s'ils ont été condamnés, leur comportement politique, d'autres faits particuliers. S'ils te cherchaient noise, là-bas, à la préfecture de police, préviens-moi, je m'en occuperai. Kruschke va t'y conduire. Ce soir, si le cœur t'en dit, tu pourras me dire où en sont tes recherches.

— Entendu.

— Bien. Quand tu en auras terminé là-bas, ou au cas où tu n'avancerais pas, tu peux m'appeler, je viendrais te chercher. Et renvoie-moi Kruschke.

25

Il approcha une chaise et contempla Stankowski, allongé sur le dos à ses pieds, bras tendus au-dessus de la tête. Il lui avait ligoté les mains à une patte de la cuisinière, et serré au point qu'elles étaient toutes bleuies. Le sang de la lèvre supérieure fendue qui lui barbouillait aussi le menton avait déjà séché, l'œil gauche tuméfié et à moitié fermé avait pris une teinte jaunâtre. Il enfonça dans les côtes du vieux une édition du *Völkischer Beobachter*[1], qu'il avait trouvée en entrant sur la table de la cuisine puis pliée en huit et roulée en matraque.

— Allez, Bodo, réveille-toi. J'ai à te parler.

Stankowski cessa de gémir, tourna la tête et lui présenta un visage sanguinolent tordu de douleur.

— Qu'est-ce… qu'est-ce qui se passe ?… Qu'est-ce que tu as fait ?

Une bulle rosâtre gonfla entre ses lèvres tuméfiées.

— J'ai… j'ai mal partout…

---

1. Le *Völkischer Beobachter* (« L'Observateur du peuple ») était l'organe officiel du Parti national-socialiste des travailleurs allemands de 1920 à 1945.

Haas frappa sur la nappe à carreaux avec son journal roulé. Il voulait aborder au plus vite le but de sa visite.

— Explique-moi ça, Bodo : pourquoi ma famille est morte pendant le raid aérien, alors que vous, vous avez tous survécu ?

Stankowski tira sur ses liens. En essayant de prendre appui sur le sol lisse avec ses jambes repliées, il dérapa et retomba sur le dos. Il se remit à geindre.

— Allez, réponds !

— Parce qu'ils n'étaient pas en bas.

La tête de Stankowski était rouge, des gouttelettes de sueur s'amassaient dans les profondes rides de son front.

— Ça veut dire quoi : ils n'étaient pas en bas ? Sois plus clair.

— Pas dans la cave… en bas… dans l'abri.

— Ils étaient où, alors ?

— Encore dans l'escalier…

— Méfie-toi, Bodo, dit-il en le frappant au visage d'un coup sec de son journal. On n'est pas dans la marine, ici, les messages radio ne m'intéressent pas, je veux des phrases complètes. Il y a pourtant toujours un premier signal d'alarme ; ils avaient donc tout leur temps pour descendre à la cave. Et tu dis qu'ils n'y étaient pas. Où a-t-on retrouvé les corps ?

— Mais, j'en sais rien… Ils étaient ensevelis… Tout l'immeuble était en ruine…

— Oui, mais pas l'abri.

Il le frappa de nouveau de sa matraque improvisée. Stankowski eut un mouvement de recul machinal de la tête.

— Non… il ne lui est rien arrivé, à l'abri… Aux autres caves non plus, d'ailleurs.

— Ils ont donc été touchés avant d'avoir atteint l'abri antiaérien, dans la cage d'escalier, pendant qu'ils descendaient. C'est bien ça ?

Stankowski hésita, la respiration saccadée.

— D'un sens, oui... mais ils étaient déjà descendus... une première fois...

Il fut surpris. Personne ne lui avait encore confié ça.

— Ce qui signifie ? Attends : ils étaient en bas, et ils ne sont pas allés se réfugier dans l'abri où ils auraient été en sécurité ; ils seraient remontés ? Explique-moi ça.

— Parce que... en fait, la valise de ta femme était dans la cave, ce qui veut dire... Heu... elle était posée devant la porte de l'abri.

— Tu as encore vu Lotti et Fritz pendant l'alerte – je veux dire en bas ?

Stankowski secoua la tête avec véhémence.

— Non, non...

— À ton avis, Bodo, pourquoi ils n'étaient pas dans l'abri ?

Il entendait la respiration courte et sifflante de Stankowki et eut l'impression qu'il s'efforçait de vouloir se rebiffer.

— Ils étaient en retard, tout simplement. Je ne sais pas pourquoi. Ils ont dû arriver en bas quand la porte était déjà fermée. Tu connais les consignes.

— Mais vous avez dû vous apercevoir qu'ils n'étaient pas là... Vous les avez certainement attendus, nom de Dieu !

— Mon Dieu, comment veux-tu qu'on sache si même ils étaient dans la maison. Celui qui n'était pas dans l'abri à temps, pour nous, il n'était pas chez lui.

En fait, il est impossible qu'ils n'aient pas entendu la sirène. La mère Everding par exemple, elle était pas dans l'abri non plus, eh bien, je l'ai revue dans la rue, après le bombardement, et en parfaite santé.

Haas demeura un instant silencieux. L'histoire lui semblait trop plausible pour être vraie. Stankowski mentait, à l'évidence. La situation était bloquée, mais il ne pouvait pas non plus rester là des heures, assis dans la cuisine de cet homme qu'il avait roué de coups. Et il lui restait d'autres questions à poser.

— Finalement, il y avait qui, dans cet abri ?

— Ben… Stankowski détourna prudemment la tête. Moi, ma femme, Angelika, la mère Fiegl, Karasek – et aussi une de ses relations d'affaires, mais que je ne le connais pas.

— Et la valise, qu'est devenue la valise ?

— C'est la mère Fiegl qui l'a emmenée.

— Et où habite-t-elle, maintenant, celle-là ?

— Quelque part dans la Reichenbergerstrasse, je crois.

Il se leva, arpenta quelque temps la cuisine sans cesser de tapoter la paume de sa main gauche avec le *Völkischer Beobachter* roulé. Du coin de l'œil, il voyait Stankowski qui essayait de bouger ses mains liées en une vaine tentative de desserrer ses entraves. Une valise, c'est tout ce qu'il restait de sa famille, une valise avec sans doute le strict nécessaire, des habits chauds vraisemblablement, quelques objets de valeur, des papiers personnels, quelques souvenirs que Lotti voulait sauver à tout prix pour le cas où la maison serait touchée. La mère Fiegl avait sans doute troqué tout cela depuis longtemps au marché noir. Bien. De toute façon, il avait aussi un compte à régler avec elle.

Il reprit place. Une légère odeur de fécule flottait dans la cuisine. Il regarda en silence son ancien voisin. Stankowski avait repris de l'assurance. Malgré sa position inconfortable et son œil enflé, les traits de son visage s'étaient détendus, seul son œil ouvert louchait vers lui avec inquiétude.

— C'est toi qui m'as dénoncé ?

Stankowski eut un haut-le-cœur.

— Non, pas moi… non, non, je ne t'ai pas donné. Faut que tu me croies.

La question avait touché au but. L'œil ouvert chercha la fenêtre. C'en était fait de son calme.

— Si tu dis vrai, explique-moi donc comment tu as eu mon magasin ?

Stankowski mit un certain temps à répondre.

— C'est Karasek… c'est lui qui voulait que j'aie le magasin.

— Déjà avant mon arrestation, ou après seulement ?

Le vieux eut un léger tremblement.

— Quelques semaines après – qu'est-ce que tu vas chercher ?

— Ne me raconte pas de salades, Stankowski. Je crois que tu m'as balancé parce que tu voulais le magasin. C'est exact ou j'ai raison ?

Il frappa Stankowski d'un coup de journal en pleine face.

— Allez, réponds !

Stankowski détourna la tête et tira sur ses liens pour tenter de s'éloigner de Haas.

— Arrête, s'il te plaît, je ne t'ai pas dénoncé… Faut que tu me croies. Pour cette histoire de magasin, Karasek est venu me voir un jour de février 43 et m'a dit que c'était plus que dommage qu'il reste fermé. Personne ne savait s'ils te relâcheraient un jour. Et il m'a demandé si je voulais le reprendre. Mon magasin de spiritueux avait été rasé et il fallait que je retrouve du travail. Pour moi, c'était normal qu'il me demande. Avec mon expérience. J'ai réfléchi un peu, et puis j'ai accepté sa proposition.

— Et ses conditions, tu les as acceptées aussi ?

— Je ne sais pas de quoi tu parles.

Stankowski essayait de le regarder en face mais à cause de cet œil enflé, son air innocent manquait absolument de conviction.

— Bodo, ne me prends pas pour un crétin fini. Karasek m'a proposé plusieurs fois – contre une juteuse commission, naturellement – de revendre au détail sa carambouille, sous le manteau bien sûr. J'ai toujours refusé de participer à ses affaires louches. Mais te connaissant, tu as certainement trouvé à t'arranger avec lui.

Stankowski hésita, remua ses mains entravées et regarda par la fenêtre.

— Allez, réponds-moi !

Il commençait à en avoir plus qu'assez. Il se leva et de toutes ses forces lui balança un violent coup de pied dans les côtes.

Stankowski poussa un cri de douleur, puis se mit à geindre et finit par avouer d'une voix pleurnicharde :

— Oui, oui, c'est vrai. J'ai… Il a fallu que j'accepte ses conditions. Sinon, il n'aurait pas fait pression sur Lotti… Je veux dire… sur ta femme, pour qu'elle… qu'elle cède le bail.

— Et alors ? Qu'est-ce que ma femme a répondu ?

— Mais je n'en sais rien, moi.

La voix de Stankowski devint presque désinvolte :

— Je n'y étais pas, moi ! Karasek lui a résilié le bail sur-le-champ et lui a proposé une petite somme en dédommagement. Pour autant que je sache, ta femme a accepté. De toute façon, elle n'aurait pas pu continuer à s'occuper seule du magasin, tu le sais bien. Il fallait bien qu'on trouve une solution, ne serait-ce que pour la clientèle.

Haas ricana :

— C'est bien tout de même, que tu te sois soucié de mes clients, Bodo !

Il lui tourna le dos, reprit place sur la chaise de cuisine. Il ne quittait pas des yeux sa matraque qu'il caressait du bout des doigts.

— Et cette histoire de changement de bail, c'est après mon arrestation qu'elle vous est venue ?

Il se retourna brusquement. Les lèvres sanguinolentes de Stankowski tremblaient.

— La vérité, Bodo, ou tu veux que j'achève de te réduire la gueule en bouillie ?

— Oui, mon Dieu ! j'avoue. Karasek m'en avait déjà parlé l'été d'avant, il m'avait déjà demandé si je serais d'accord pour reprendre le magasin, au cas où il réussirait à te donner congé. Mais il était clair que, légalement, ça n'irait pas et…

— … et c'est pour ça que vous m'avez dénoncé.

— Non, pas moi, je te le jure.

— Alors, c'était bien Karasek ?

— Peut-être… Mais ça pourrait tout autant être la Frick, parce que c'est bien elle, tout de même, qui a tout fait pour chasser ta femme de votre appartement. Elle arrêtait pas d'insister auprès de Karasek, elle lui a même fait des avances…

— C'était pas la Frick. Elle m'a affirmé que ça ne pouvait être que toi, à cause du magasin.

— Cette pauvre cloche !

Stankowski se tourna sur le côté, les cordelettes se tendirent, lui entaillant davantage les poignets. Il gémit, puis bougonna :

— C'est bien à elle de prétendre ça, elle qui avait déjà dénoncé Lauterbach parce qu'elle guignait son grand appartement ! Pas de chance : dès qu'il a été libre, Karasek l'a loué à sa vieille amie Fiegl.

Stankowski s'interrompit et leva les yeux vers lui.

— Peut-être que c'est la mère Fiegl qui t'a dénoncé.

— Et ça lui aurait rapporté quoi, à ton avis ?

Stankowski grimaça.

— Vraiment, c'est pas possible que tu sois aussi naïf ! Tu fais exprès, ma parole… Pas besoin de raison spéciale pour ça. Il suffit d'accomplir son devoir patriotique de membre de la communauté populaire – ça donne bonne conscience…

Stankowski avait raison, naturellement. S'il en était ainsi, tous ses voisins avaient plus ou moins profité de sa dénonciation. Il jeta le journal roulé sur le sol, se leva. Dos à l'homme entravé, il fouilla dans tous les tiroirs du buffet, jusqu'à ce qu'il eût trouvé ce qu'il cherchait. Il cacha l'objet sous un pan de son manteau.

— Bien, Bodo, finissons-en.

Il tira l'enveloppe de sa poche et, s'agenouillant à califourchon sur la poitrine du vieux, lui souleva la tête en lui passant la main sous la nuque. Il lui mit les photos sous le nez.

— Elles sont à toi ?

Stankowski blêmit.

— Alors, elles t'appartiennent, oui ou non ?

Le vieux essaya de détourner la tête, mais il lui prit le menton, l'obligeant à regarder les clichés.

— Mon Dieu… oui… finit-il par articuler péniblement. De temps en temps, on peut regarder ce genre de choses. Je veux dire, nous, les hommes on peut faire ça…

— … et se taper une petite branlette…

— Mais qu'est-ce que tu me veux encore ?

Stankowski essaya de se libérer de l'emprise de sa main.

— Tu sais ça comme moi. Il n'y a pas de mal à ça, et puis, c'est pas des Allemandes…

— Pardon ?

Il lâcha subitement la nuque de Stankowski dont la tête donna violemment contre le sol. Il cria puis se mit à hurler :

— Écoute, c'est que des putes du camp de concentration ! Tu comprends pas ? Des putes juives polonaises !

La colère de Haas s'était changée en une boule qui lui remontait lentement le long des entrailles, se nourrissait peu à peu de l'aigreur de son estomac, gagnait son front pour lui battre furieusement aux tempes. Il plongea la main sous son manteau, entendit encore la voix de Stankowski, mais elle semblait venir de très loin :

— … c'est du moins ce qu'on m'a raconté…

Il brandit l'attendrisseur à viande au manche en bois.

Stankowski écarquilla les yeux.

— Qu… qu'est-ce… ?

Il se laissa glisser, s'assit sur le ventre du vieux, y pesa de tout son poids, distribua les photos sur sa poitrine, froissa l'enveloppe et la jeta dans un coin.

— Attends, Bodo, tu vas comprendre.

26

La sonnerie du téléphone le tira de ses pensées. Pour la première fois depuis longtemps, il était allé au cinéma. Avec Inge. Puis dans un palais de la danse un peu mal famé que Kruschke lui avait chaudement recommandé. Un lieu où s'ébattaient des filles faciles et des sous-officiers. Ils étaient restés malgré tout, avaient bu beaucoup et dansé un peu, jusqu'à ce que sa blessure se rappelle à lui. Finalement, passé minuit, Kruschke les avait conduits à l'appartement d'Inge. Encore sur le palier, il lui avait troussé la robe tandis qu'elle lui desserrait la ceinture. Ils étaient tombés l'un sur l'autre dans la chambre à coucher.

Quand il décrocha, la voix d'Inge semblait très émue.

— J'appelle de la préfecture de police. On vient de découvrir un nouveau crime. La victime s'appelle Stankowski, Bodo Stankowski. Le nom et la date de naissance correspondent à ceux d'un homme de ta liste de locataires.

— Il a eu lieu où ?

Il nota l'adresse.

— Tu n'en sais pas plus ?

— Non. J'ai entendu ça par hasard, parce que l'agent de l'Identification avec qui je travaille en ce moment a reçu un coup de fil d'un policier qui faisait les premières constatations. Il a dressé l'oreille, lui aussi, quand il a entendu ce nom. Il l'avait contrôlé pour moi hier.

— Très bien, continue. Si tu penses que les choses pourraient avancer plus vite, j'appelle le chef de bureau.

— Non, non, ça va, ils font de leur mieux.

Kalterer appela Kruschke, et moins de trois minutes plus tard celui-ci freinait devant la porte d'entrée.

— Où allons-nous, Herr Sturmbannführer ?

— Adolf-Hitler-Platz, et au trot, s'il vous plaît !

— Halte, vous n'avez pas le droit de passer. Circulez.

Un agent de police lui barrait la route. Il sortit son laissez-passer. L'homme rectifia la position et salua.

— Je vous prie de m'excuser, Herr Sturmbannführer.

Il pénétra dans un petit deux pièces. Des hommes en uniforme traînaient dans l'entrée et le Service d'identification était au travail dans les lieux dévastés. Un membre de la Criminelle relativement âgé et une femme éplorée étaient assis sur le divan de la salle à manger.

Un jeune fonctionnaire prit à partie les policiers du vestibule :

— Dégagez. Attendez dehors, vous allez m'effacer mes empreintes.

Sans prendre garde à lui, Kalterer entra dans la cuisine. Contrairement au reste de l'appartement, elle avait l'air presque rangée. Seuls étaient ouverts les tiroirs du buffet, le contenu de certains d'entre eux répandu sur le sol. Le corps était allongé sur le dos, bras tendus au-dessus de la tête, attachés à une patte de la cuisinière, jambes recroquevillées, vêtements déchirés, visage tuméfié et bleu. Et du sang, beaucoup de sang. Un *Völkischer Beobachter* était planté tout droit dans la bouche distendue et barbouillée de sang caillé. Lorsque Kalterer s'approcha, le légiste retirait prudemment le journal et examinait la gorge. Il se releva et se mit à remplir un formulaire.

Kalterer se présenta.

— Vous pouvez déjà me dire quelque chose, docteur ?

Tout en prenant ses notes, le médecin récita sa litanie sans sourciller :

— Cadavre d'homme. Taille : 1,65 m ; poids : 60 kilos environ ; âge : la cinquantaine ; vraisemblablement assommé avec un objet contondant : grosse plaie ouverte sur le crâne. (Il releva la tête.) Mais qui n'a pas entraîné la mort, pas plus que les meurtrissures au visage, sans doute provoquées par des coups de poing. Cause du décès : asphyxie, probablement. Il désigna le cadavre. Profondément enfoncé dans la gorge, en partie avalé, une espèce de bâillon d'étoffe. (Il revint à son formulaire.) La mort remonte de quatorze à vingt-quatre heures. Vous en saurez plus dans trois jours, après l'autopsie.

— Merci beaucoup, docteur.

Il lui sourit, mais le légiste haussa les épaules et poursuivit son travail.

— Et vous, vous êtes qui, si je puis me permettre ?

Le jeune fonctionnaire de police s'était approché et le regardait.

— Sturmbannführer Kalterer, Office central pour la Sécurité du Reich.

Il colla son laissez-passer sous le nez du jeune homme.

— Et vous, vous êtes qui, si je puis me permettre ?

Il chuchota la réponse :

— Karl Scholl, officier de police criminelle adjoint.

— Vraiment ? Et moi qui vous prenais pour le petit porteur du *Völkischer Beobachter*...

L'adjoint rougit.

— Mon chef, le commissaire Bechthold, est en train d'interroger l'épouse de la victime. Voulez-vous que je l'appelle ?

— Ça ne presse pas. Faites-moi d'abord votre rapport. Vous avez déjà rassemblé des informations sur la victime ?

Avec un empressement servile, Scholl brandit un calepin brun.

— La victime s'appelle Bodo Stankowski. Marié depuis 1921 avec Frau Hertha. Commerçant. L'immeuble où habitait la famille a été rasé lors d'un bombardement il y a environ six mois et elle a été affectée ici. Par la suite, une partie a déménagé à la campagne.

— Ensuite ?

La mine impatiente, il fixait l'adjoint du commissaire Bechthold.

Celui-ci feuilleta dans son carnet.

— Eh bien, après avoir subi ce bombardement, Stankowski a tenu un étal au marché de l'Alexander-platz.

— Emplacements certainement très convoités, l'interrompit Kalterer.

— Je crois bien ! répliqua Scholl.

— Poursuivez.

— Nous en sommes là. Aucun soupçon encore. Le cadavre a été découvert par sa femme, heu… vers les dix heures. Elle a passé le week-end et le lundi chez sa sœur, à Falkenrehde, près de Potsdam, à faire des provisions de bouche illicites. Son sac à dos plein de denrées diverses est encore dans l'entrée. Pour autant que nous ayons déjà pu interroger les voisins, aucun d'entre eux n'a vu ni entendu quoi que ce soit. Un immeuble comme celui-ci est presque exclusivement habité par des gens qui travaillent, avec des locataires jeunes, des femmes avec des maris au front, des ouvriers qualifiés, tous indispensables à l'économie de guerre. Le refrain habituel : tous sont occupés à l'extérieur, et pour toute la journée.

Scholl désigna le cadavre.

— Excepté celui-ci et sa femme.

Il jeta encore un œil sur ses notes et conclut :

— C'est tout ce que nous avons pour le moment.

Le vestibule s'animait. La voix grave du commissaire donnait des ordres aux agents en uniforme :

— Cette femme est choquée. Emmenez-la chez son frère, elle vous donnera l'adresse.

Par l'entrebâillement de la porte de la cuisine Kalterer observa le policier qui donnait congé à la femme en sanglots, puis il entra dans la cuisine.

— Qu'est-ce que c'est que ça ? demanda Bechthold dès qu'il vit Kalterer.

Il portait un costume croisé trois-pièces fatigué aux fines rayures bleu foncé, son crâne chauve brillant était bordé d'une étroite couronne de cheveux gris. Kalterer lui présenta son laissez-passer.

Le commissaire jeta un bref coup d'œil sur le document et le lui rendit tout en levant le nez, le sourcil interrogateur.

— Commissaire Bechthold. Qu'est-ce qui peut bien intéresser la Gestapo à cette affaire ?

— Il faudrait que je vous parle.

Kalterer regarda autour de lui.

— Entre quatre yeux, de préférence.

— S'il vous plaît, dit le commissaire et il lui indiqua le chemin d'un geste de la main.

En traversant l'entrée, il rudoya ses collaborateurs :

— Et vous, vous continuez à interroger les voisins.

Dans la salle à manger, Kalterer lui montra son sauf-conduit. Il le lut avec application.

— Eh bien ? lui dit-il, sans le quitter des yeux en le lui rendant.

— C'est nous qui nous occupons de cette affaire ! Vous n'êtes plus sur le coup.

Kalterer remarqua deux verres de schnaps sur la table basse du divan. La bouteille à moitié pleine était posée sur un napperon de dentelle blanc, à côté le bouchon en partie encore cacheté de cire rouge.

— Oui, il y a de fortes chances que la victime ait connu son assassin, dit Bechthold en se rapprochant de la table.

Kalterer opina. Un des verres était encore presque plein à ras bord. On discernait des ronds humides à côté de l'autre, vide. Il se tourna vers le commissaire.

— Bien, Herr Bechthold, faites-moi donc votre rapport, dites-moi tout ce que vous avez trouvé. Pour ce qui est des empreintes, du crime lui-même et de la victime, le médecin légiste et votre assistant m'ont déjà informé. Mais j'aimerais bien entendre la version du chef.

Bechthold s'assit sur le divan qui grinça sous son poids.

— Le maître de maison a laissé entrer l'assassin. Ils ont bu un verre ensemble, puis la victime s'est rendue dans la cuisine ; le meurtrier l'a suivie, l'a jetée à terre, frappée, attachée à la cuisinière, bâillonnée, sans cesser de la rouer de coups violents. Il a ensuite fouillé l'appartement de fond en comble. Frau Stankowski m'a confirmé que tout l'argent liquide et toutes les cartes d'alimentation ont disparu. Mais son témoignage ne nous a pas appris grand-chose. D'après elle, son mari n'avait pas d'ennemis. Le couple vivait très retiré.

Il haussa les épaules.

— Stankowski était membre du parti ? demanda Kalterer en prenant place dans un fauteuil aux accoudoirs recouverts de napperons de protection jaunes ornés de grandes fleurs brodées.

Bechthold opina.

— Mais il n'y occupait aucune fonction. Il n'était même pas à la défense passive antiaérienne. Je pense que le criminel pourrait être un client du marché ou un copain de bistrot. Frau Stankowski a dit que son mari sortait souvent le soir et sentait le schnaps en rentrant. Mais il ne lui a jamais dit quel bistrot il fréquentait. En tout cas pas celui du coin, on a déjà vérifié.

Le commissaire fit une pause.

— Au final, je dirais crime crapuleux, peut-être avec préméditation, blessures ayant entraîné la mort ;

mais le résultat est le même : le coupable n'échappera pas à la hache.

— C'est tout ? demanda Kalterer.

Faisant fi de toute précaution en matière d'investigation, il saisit le bouchon et reboucha la bouteille d'eau-de-vie d'un geste vif.

Bechthold le regardait, impassible.

— Oui, enfin, selon nos premières constatations. Mais vous ne vous attendiez certainement pas à ce que je vous livre déjà des conclusions définitives.

— C'est bien pour les établir que je suis là. Faites-moi un rapport écrit, avec tous les détails.

— Bien, je m'y mets.

Le commissaire se leva, mais resta sur place quand il vit que Kalterer continuait à fixer la bouteille d'eau-de-vie.

— Vous connaissez l'annexe de la Kochstrasse ?

Bechthold opina.

— Bien entendu. Mais vous ne voulez toujours pas me dire ce qui intéresse la Gestapo dans cette affaire ?

Kalterer se leva à son tour.

— Exactement, Herr Bechthold.

Il se dirigea vers la porte d'entrée, se tourna vers le commissaire resté près de celle de la cuisine. Un petit flic matois proche de la retraite que certainement plus rien ne troublait, mais qui ouvrait pourtant toutes grandes les oreilles en entendant le mot Gestapo...

— Ceci encore : je vous prie de me donner l'adresse actuelle de Frau Stankowski.

27

Un petit homme entrebâilla la porte et passa le nez dehors avec méfiance.

— Oui, qu'est-ce que c'est ?

Kalterer lui exhiba son laissez-passer. L'homme le consulta longuement.

— Allons, ouvrez-moi, il faut que je parle à votre sœur.

La porte s'entrouvrit encore un peu, de sorte qu'il réussit tout juste à se faufiler dans le passage. L'homme se tenait devant lui dans le vestibule, pas rasé, en flanelle et pantalon à bretelles rayées rouge et blanc, le fixant avec de grands yeux étonnés. Il avait peur, c'était clair, mais il s'efforçait de le cacher, s'agrippant nerveusement à la poignée de la porte.

— Herr Braunsfeld, où est votre sœur ? J'aurais quelques questions à lui poser.

— Dans la salle à manger, avec ma femme.

Une main s'agita, indiquant la direction à suivre.

Il reconnut immédiatement Hertha Stankowski. Elle était assise à côté de sa belle-sœur sur un divan Jugenstil brun. Quoique le siège fléchît sérieusement sous le poids des deux femmes, Hertha Stankowski avait besoin d'un tabouret pour laisser reposer ses pieds, tant ses jambes étaient courtes. De petits yeux verts se levèrent vers lui dans un visage ridé, raviné par les pleurs. Quand elle se moucha bruyamment, son chignon se défit, libérant des cheveux gris.

— Frau Stankowski, je m'appelle Kalterer, Gestapo. Mes sincères condoléances.

Hertha Stankowski remercia d'un bref mouvement de tête et essuya ses larmes.

— J'aurais encore quelques questions à vous poser.

Il fit signe à Frau Braunsfeld de sortir.

L'air désespéré, la femme de Stankowski suivit des yeux sa belle-sœur, puis se tourna vers lui.

— Quelles questions ? J'ai déjà tout dit au commissaire.

— Restent encore quelques détails, que j'aimerais que vous me donniez personnellement.

Sans y avoir été invité, il s'assit dans le fauteuil qui lui faisait face. Elle fut secouée par une crise de larmes.

— Pourquoi, mais pourquoi donc ? Comment peut-on faire une chose pareille... sanglota-t-elle en enfouissant son visage dans un grand mouchoir d'homme à carreaux.

Il lui laissa le temps de reprendre ses esprits. Une femme vieille, seule, qui avait perdu tout ce qui lui était cher. Durant le trajet en voiture, il avait lu ce qu'Inge avait pu rassembler sur Stankowski à la préfecture de police. Bodo Stankowski, membre sans grade du parti, un petit employé de magasin qui avait réussi à devenir boutiquier, qui plus est propriétaire de son fonds de commerce. Les trois fils de ce petit bout de femme étaient tombés pour le Führer, et à présent on lui avait encore pris son mari.

Il s'éclaircit la gorge.

— Je suis vraiment désolé Frau Stankowski, de vous poser autant de questions. Mais il faut que nous trouvions le meurtrier pour le condamner à la peine qu'il mérite, vous comprenez – c'est bien ce que nous voulons tous, n'est-ce pas ? Il faut que nous travaillions vite, tant que la piste est encore fraîche.

Hertha Stankowski approuva en silence.

— Bien. Vous avez donc déclaré au commissaire Bechthold que votre mari n'avait pas d'ennemis, que vous ne connaissez personne qui aurait pu lui vouloir du mal.

— Mon mari a toujours été bon avec tout le monde, il a toujours aidé tout le monde et tout le monde l'aimait bien. Personne ne lui voulait de mal, il ne s'est jamais disputé avec personne.

Elle recommença à pleurer.

— Voulez-vous que j'aille vous chercher un verre d'eau ?

Elle secoua la tête.

Il se demanda s'il pouvait fumer, mais ne vit pas de cendrier.

— Puisque votre mari n'avait pas d'ennemis, parlez-moi de ses amis.

Elle réfléchit un moment.

— Ses amis ? Vous voulez dire... de vrais amis ? La plupart du temps, on n'était que tous les deux, c'était un brave homme. Bon, depuis que nous habitions Adolf-Hitler-Platz, il allait bien boire un verre de temps en temps. Mais jamais il n'a bu notre argent. Quelques marks par mois pour quelques verres de bière avec un schnaps. Rien de plus.

Il estima brièvement ce qu'il dépensait dans les mess. On n'allait pas bien loin avec quelques marks, surtout aujourd'hui, à Berlin, dans des bistrots où il fallait payer beaucoup de choses au prix du marché noir.

— Serait-il possible que votre mari ait rencontré des amis en privé, pour boire un verre ?

— Non, je ne crois pas, il me l'aurait dit s'il était allé chez des amis.

— Et ces amis, justement ?

— En fait, il n'avait qu'Egon. Egon Karasek.

Elle le regarda, effarée, secouée de nouveaux sanglots.

— Et il est mort, lui aussi.

Il opina.

— Oui, c'est exact. Qu'y avait-il donc de commun entre votre mari et Egon Karasek ? Ils jouaient aux cartes ensemble, ils allaient à la pêche, ils faisaient des affaires ?

— Ben, qu'est-ce qu'ils font, les hommes, quand ils sont ensemble ? Il ne m'en a jamais parlé. Pour autant que je sache, ils ne faisaient pas d'affaires tous les deux, à part discuter des taxes et des impôts. Egon disait toujours : « Nous, les petits commerçants, faut qu'on se serre les coudes. » C'était un brave gars. Il nous a aidés aussi à obtenir l'étal, au marché.

— Ça n'a pas dû être facile. Comment s'y est-il pris ?

— Je ne sais pas. Je ne me suis jamais occupée de ça.

Elle lui sembla sincère. Elle ne savait pas grand-chose. Remplir un simple formulaire devait déjà lui paraître insurmontable.

— Et vous donniez un coup de main à votre mari, pour ses affaires ?

— Vous savez, je suis couturière, je sais couper, coudre, je sais très bien faire tout ce qui concerne ce métier. Et ça nous a toujours fait une rentrée supplémentaire.

Elle se moucha de nouveau.

— J'ai aussi travaillé dans le magasin de boissons de Bodo, mais quand il a été détruit je n'ai pas pu continuer. « Mon lapin, qu'il a dit, je vais nous arranger ça. » C'est là qu'il a loué le magasin d'alimentation, et moi, je ne me suis plus occupée que du ménage et de la cuisine.

— Vous parlez du magasin de la Sophienstrasse, où habitait aussi Herr Karasek ?

— Oui, mais lui aussi a été détruit pendant un bombardement. On a jamais eu beaucoup de chance, Bodo et moi...

Elle fut tellement secouée de sanglots que Frau Braunsfeld ouvrit la porte. Kalterer la chassa du regard, puis se leva pour voir si elle n'épiait pas derrière la porte. Mais le coup d'œil qu'il lui avait lancé l'avait fait battre en retraite jusque dans la cuisine, aux côtés de son mari assis sur la caisse à charbon, à se tordre nerveusement les mains.

Il demanda un verre d'eau à la femme. Il la suivit des yeux jusqu'au robinet de l'évier en grès, puis jeta un œil par la fenêtre sur la vaste place avec un terre-plein au centre et, tout autour, des traces de pneus de camions. Tout était bien trop grand, trop imposant pour ces quelques véhicules. Il regarda Braunsfeld. Il était nerveux, plus nerveux que tous les autres, les poltrons habituels.

— Au fait, Herr Braunsfeld, qu'est-ce que vous faites dans la vie, pour avoir le temps de rester comme ça, à la maison, à traîner ?

— Je travaille aux chemins de fer, je suis de nuit.

(Il désigna la salle à manger.) Depuis qu'elle est là, fini de dormir pendant la journée.

— Ah bon ! marmonna-t-il en prenant le verre d'eau que Frau Stankowski accepta avec reconnaissance. Frau Stankowski, dans cet immeuble de la Sophienstrasse, vous vous entendiez bien, entre voisins ? Il y avait des tensions, des susceptibilités ?

Elle le regarda avec étonnement.

— Non, non, absolument pas. On s'entendait tous très bien, on faisait beaucoup de choses ensemble, on faisait la fête ensemble, chez l'un ou l'autre…

— Tous, vraiment tous ?

— Oui, quasiment tous, à part Everding, la coco. Son mari est dans un camp depuis longtemps. Il est communiste. En fait, personne ne l'aimait, cette espèce d'impertinente : c'est qu'elle a bec et ongles !

— Et Everding, quelqu'un d'entre vous l'a dénoncé, ou il s'est enfermé tout seul dans ce camp ?

— Je ne sais pas, répliqua-t-elle.

Elle n'avait apparemment pas saisi son ironie.

— Ils sont venus le chercher, tout simplement, il y a huit ans, je crois. Mais il était communiste !

Difficile de prétendre que Frau Stankowski débordait d'informations capitales.

— Une dernière question : qui participait à vos fêtes ?

Elle réfléchit un instant, récita les noms qu'il connaissait déjà de sa liste de locataires. Elle ajouta :

— Et puis, il y avait souvent le fiancé de Frick, un jeune homme bien sympathique, très calme.

— Vous vous rappelez son nom ?

— Non, mais il y avait un « u » dedans, je crois. Elle secoua la tête.

— Bien, Frau Stankowski, ce sera tout pour l'instant. Vous m'avez été d'une grande aide.

Il se leva.

— Si j'avais encore besoin de vous, je vous le ferais savoir. Vous allez bien rester ici, les prochains temps ?

Elle répondit par de nouveaux sanglots, hoqueta, se ressaisit. Il se tenait devant elle, indécis, finit par prendre congé. Elle ne réagit pas à son salut. À peine était-il entré dans le sombre vestibule que Frau Braunsfeld se précipitait dans la salle à manger.

Braunsfeld le rejoignit. Il s'essuyait la paume des mains à sa flanelle usée et se mit tout de suite à lui parler à voix basse, tout en jetant des regards inquiets vers la salle à manger.

— Je ne l'ai fait qu'une seule fois, un service… entre parents. Je ne pensais pas à mal. Ils ont dit que ça leur appartenait, mais que c'était arrivé à la mauvaise gare. Les formalités, qu'ils ont dit, ils voulaient simplement éviter toutes ces formalités embêtantes.

— Mais de quoi parlez-vous, mon vieux ?

Il en avait assez de cette famille et voulait s'en aller au plus vite, rejoindre le bar de l'hôtel ou quelque autre lieu, penser à cette affaire au calme, devant un schnaps.

— Les formalités, elles durent toujours si longtemps. Les marchandises auraient le temps de pourrir, a dit Egon, Egon Karasek…

Il dressa l'oreille.

— Si vous avez quelque chose à me dire, dites-le moi, mais lentement, et dans l'ordre, comme si je prenais des notes.

Il contemplait le petit homme qui voulait manifestement soulager sa conscience. Des gouttelettes de sueur perlaient à sa lèvre supérieure, et pourtant seule la cuisinière était allumée et il n'avait pas particulièrement chaud dans son manteau.

— Bon. Il y a quatre mois… Bon… je travaille à la gare de marchandises du canal de Teltow, comme chef d'équipe, je m'occupe des manœuvres de triage. Il y a quatre mois, j'ai vu rappliquer Bodo qui m'a dit qu'au Karasek, on lui avait détourné un wagon de marchandises, des denrées alimentaires périssables ou des choses comme ça, sur Tempelhof, à cause d'un raid aérien, et que les agents de là-bas faisaient des difficultés et n'acceptaient de lui rendre tout ça qu'après qu'il aurait rempli une montagne de paperasses. Et alors elles auraient été pourrites. Bon. Et Bodo est venu me voir et m'a demandé si je ne pourrais pas ouvrir la grille pour qu'ils puissent aller décharger les marchandises de Karasek.

— Et vous l'avez fait ?

— Oui, mais il m'a montré une espèce de document du Service d'approvisionnement de la ville, avec tampons et tout. « Tout ça est parfaitement en règle », a dit Karasek et…

— Et ?

— Et je me suis dit : Faut que tu les aides, tout compte fait, il s'agit de l'approvisionnement en nourriture de la ville.

— Mon Dieu, mais quel altruisme ! Vous n'aviez en tête que le bien-être de la communauté patriotique nationale, c'est bien ça ? Et vous n'avez pas eu peur de vos supérieurs ?

— C'est seulement plus tard que je me suis rendu compte qu'aujourd'hui, tout ça pouvait être très dangereux.

— Et vous avez fait ça uniquement pour l'approvisionnement de la ville ? Mais vous êtes un vrai héros, mon vieux !

Braunsfeld baissa les yeux, confus.

— Il… heu… pour la peine, Karasek m'a donné une cartouche de Juno et deux bouteilles de cognac français.

Karasek était un trafiquant. C'était évident. Et Stankowski était plongé jusqu'au cou dans ses affaires tordues. Des relations d'affaires.

— C'est de la corruption, Herr Braunsfeld. Et du pillage. C'est puni par la peine de mort.

Braunsfeld recula d'un pas et recommença à se pétrir ses mains moites.

— Maintenant, je le sais : c'était pas bien. Mais ça s'est passé si vite ! Et puis il avait les papiers.

Il regardait Kalterer, les yeux écarquillés, et murmura :

— C'est que plus tard que je me suis rendu compte que tout ça n'était pas correct.

Il maltraitait à présent une veste en tricot brune qui pendait à une patère et en arrachait des floches de laine.

— Vous vous en rendez compte maintenant, parce que tous ceux que vous connaissez et qui étaient dans le coup sont morts, assassinés. Tous, sauf vous. Et c'est là que l'amour de la patrie vous revient au grand galop, n'est-ce pas ? dit Kalterer à voix couverte pour que les deux femmes ne puissent pas entendre le tour que prenait leur conversation.

— Mais je n'ai fait qu'ouvrir la grille !

— C'est trop facile ! Pas vu pas pris. Pris, pendu ! comme on dit.

L'homme était à bout. Il se cramponnait des deux mains à sa flanelle. Kalterer s'efforça de prendre un ton cordial.

— Soit, vous m'avez informé. Même si c'est bien tard. Dites-moi encore ce que vous avez vu ce jour-là, et je vous oublie. Mais attention, je veux tous les détails.

— Je devais être à la grille de côté à minuit. Et j'y étais. Un camion s'est avancé, avec Karasek, Bodo et deux autres que je ne connaissais pas, mais qui avaient l'air de simples ouvriers. Le wagon était stationné tout près. Ils ont brisé les scellés et nous avons chargé le camion.

Il fit une pause.

— Il y avait encore une limousine noire, garée devant la grille. Le conducteur en est descendu. Karasek s'est entretenu avec lui. J'ai demandé à Bodo qui c'était, mais il ne le connaissait pas.

— De quoi avait-il l'air ?

— Il faisait sombre. Il avait éteint les lumières de camouflage de la voiture. Il fumait. J'ai distingué une casquette à visière. Il était en uniforme.

— Quel uniforme ? Quelle arme ?

— Je n'en sais rien, avec la meilleure volonté du monde. Je crois que c'était un officier. Mais je ne peux pas l'affirmer.

— Bien. Mais ce camion, entre-temps, il est parti, non ?

— Oui, oui, bien sûr, il est parti ; la limousine aussi. J'ai refermé la grille et je suis parti travailler.

— Et où a-t-on emmené la marchandise ? Chez Karasek ? Dans son entrepôt ?

— Il me semble bien. Il avait beaucoup de place, m'a dit une fois Bodo.

— Et votre beau-frère vendait tout ça au noir pour le compte de Karasek ?

Braunsfeld haussa les épaules.

— Possible, en y réfléchissant bien. Quand il tenait encore son magasin de boissons, il avait toujours du bon schnaps. Ensuite, à l'épicerie, il avait des conserves et quelquefois même de la viande, tout ça sans cartes d'alimentation, pour des clients particuliers. Et il n'était pas chiche avec la famille.

— Je m'en doute. Bien. Quelque chose à ajouter ?

— Non. Il secoua la tête. Je ne l'ai fait…

— … qu'une seule fois, termina Kalterer. Je comprends.

Il ouvrit la porte palière, se retourna soudain et fit face au petit homme.

— Et ce cognac, vous en avez encore ?

Il hésita.

— Une bouteille…

— Confisquée.

28

Il eut la chance de trouver une place libre au Kindl.

— Une pression et un plat du jour, annonça-t-il au serveur qui s'était approché, serviette blanche sur le bras comme en tant de paix, et qui essuya la table d'un geste routinier.

Il alluma une cigarette. Trois personnes, qui habitaient le même immeuble avant que les tommies les dispersent, avaient été assassinés de la même manière. Tout cela ne semblait pas le fait du hasard. Les victimes avaient été maltraitées avec brutalité. Une bestialité sauvage et fruste. De quoi vous calmer les ardeurs. Une histoire privée, certainement, mais peut-être aussi avec des mobiles politiques. *« Il est communiste. »* Karasek et Stankowski connaissaient certainement leur meurtrier. Ils l'avaient laisser entrer. Cela dit, pour la Frick, morte au grenier, les choses n'étaient pas aussi évidentes.

— Bon appétit, dit le garçon, en posant devant lui la modeste assiette blanche et la bière sans mousse. Si vous désirez encore un demi, commandez-le dès maintenant, parce qu'il y a beaucoup de monde. Ils arrivent tous en même temps, parce qu'ils veulent tous être rentrés pour l'heure des tommies, comme s'ils avaient peur de rater quelque chose.

— Rien n'est plus beau que de mourir à la maison.

Il leva son verre et le serveur repartit vers le comptoir en grimaçant.

La bière bon marché était insipide et éventée. Le goût du plat de lentilles, en revanche, lui parut familier, quoique les morceaux de petit salé y fussent rares. Comme au front, selon la recette des cuistots de l'armée. Du cap Nord à Messine. Un seul et unique rata. Il repoussa son assiette vide, termina son demi et alluma une cigarette. Le garçon fit son apparition avec la deuxième bière et la posa sans un mot sur la table. Il en commanda de suite une troisième, cette fois avec un schnaps.

Il y avait aussi les affaires louches des deux morts. On ne pouvait exclure que ces brutalités aient constitué le dernier acte d'une mauvaise comédie criminelle. Avec la Frick dans le rôle de l'ancienne camarade de l'immeuble. Un repaire de trafiquants ? Excepté les dossiers de Karasek, il n'avait pas encore assez de preuves pour conclure en ce sens. Il allait confier le travail à Inge.

— Excusez-moi, ces places sont-elles libres ?

Il leva les yeux. Bideaux ricanait dans sa direction, le bras à la taille d'une élégante brune dont le regard ennuyé errait dans la brasserie.

Il opina et se leva.

— Je partais.

— Mais ma fiancée et moi ne voulons pas vous chasser ! Permettez-moi de faire les présentations : Fräulein von Dennewitz, Sturmbannführer Kalterer.

Il esquissa une révérence.

— Eh bien, toutes mes félicitations.

Bideaux débarrassa sa fiancée de son manteau. Ils s'assirent. Kalterer but son schnaps cul sec. Bideaux fit signe au garçon. La demoiselle titillait l'étoffe de son généreux décolleté.

— Je ne vous recommande pas la bière.

Ils contemplèrent quelques instants tous les trois le verre encore plein. La couleur du breuvage ressemblait à celle du jus de pomme allongé d'eau. Seule la mince trace de mousse sur le bord du verre rappelait la bière. La demoiselle le gratifia d'un sourire fugace.

— Votre enquête avance, Sturmbannführer ? demanda Bideaux en levant les yeux du demi de bière.

Bideaux n'était pas là par hasard. Kalterer s'occupait de cette affaire depuis à peine quelques jours, et déjà ils ne lui faisaient plus confiance ! S'il en était ainsi, ils n'avaient qu'à s'occuper de leur merdier tout seuls. Il ne se laisserait en aucun cas tirer les vers du nez par un petit Hauptsturmführer.

— Vous m'avez déjà déniché l'appartement auquel j'ai droit, Bideaux ?

— Je suis désolé, rétorqua celui-ci en faisant la moue, mais je crains qu'on ne trouve plus rien. Les temps ne sont pas très propices pour chercher un appartement.

Ils se turent.

— Il faut que j'y aille.

Kalterer se leva, s'inclina devant Bideaux et la jeune femme. Il paya au comptoir, donna un pourboire disproportionné au serveur et sortit de la brasserie.

Kruschke l'attendait devant la porte.

— Je descendrai à la gare de Friedrichstrasse. Je veux encore faire quelques pas. Vous pourrez disposer.

— Bien, Herr Sturmbannführer !

Il descendit au coin du Schiffbauerdamm. Il était huit heures et il faisait quasiment nuit noire. À la faible lueur de la lune, on devinait la silhouette de la gare qui se reflétait dans les eaux noires de la Spree.

Il marcha en direction du théâtre fermé du Schiffbauerdamm. Il l'avait fréquenté avant la guerre avec Merit. Plus rien n'indiquait une activité théâtrale. Pas de réclame, pas de photos de plateau. Même le grand panneau réservé au *Stürmer* était vide. Restait le leitmotiv du journal qui paradait encore en tête de chaque placard : « Les Juifs sont notre malheur. » Merit lui avait toujours jeté un regard courroucé en passant devant. Il réalisait à présent qu'il n'avait manifestement jamais compris ce qui la tourmentait. Elle n'arrêtait pas de lui poser des questions et il n'avait pas toutes les réponses. Curieux, somme toute, pour un spécialiste du crime.

Il remonta la Friedrichstrasse presque déserte. La plupart des cafés étaient déjà fermés. De temps en temps, un passant le doublait en allongeant le pas. Il leva le nez vers les façades des immeubles. Seules de petites déchirures dans les rideaux de camouflage qui obstruaient les fenêtres révélaient que les rues désolées de ce quartier étaient encore habitées par des êtres humains.

L'alerte le surprit au coin de la Orianenburger Strasse. Il piqua un cent mètres jusqu'à son hôtel, descendit avec la foule des clients l'escalier étroit du sous-sol humide. Un passage menait dans la cave voisine où les piliers avaient été médiocrement renforcés. On y trouvait du sable, un seau à incendie, une pelle, une lampe à acétylène. Il y avait encore une place libre

196

sur un banc étroit, à côté des bonnes, des sous-officiers, des serveuses. Il entendit le vrombissement monotone qui fit vibrer l'air. On retint son souffle. Pas un bruit dans la cave. Dans la pâle lumière bleue, on n'entendait que le frottement de paumes moites contre des jambes de pantalons. Silence entrecoupé de respirations oppressées. Le tac-tac-tac de la DCA. Visages pâles et tendus. Corps pressés les uns contre les autres. Craquements lointains. Exhalaisons humaines. Puis la voix rauque du gardien de l'immeuble :

« C'est pour le nord-ouest. Pas de danger. »

Rires libérateurs, blagues amères.

L'alerte fut levée trois quarts d'heure plus tard. Il se retira dans sa chambre. Les yeux lui brûlaient. Il but un verre du cognac qu'il avait pris à Braunsfeld. L'alcool le réchauffa agréablement. Il se coucha sur le lit et contempla le plafond. À côté de la longue fente, il y avait désormais d'innombrables petites fissures provoquées par les bombes. Elles s'agrandissaient de jour en jour, s'élargissaient au point que le plâtre était tombé en plusieurs endroits. Le plafond se transforma en carte d'état-major du paysage marécageux des forêts du secteur centre. Il reconnaissait les nombreuses petites rivières et les innombrables étangs, les chemins à peine praticables, l'emplacement des villages entourés au crayon ainsi que les caches supposées. Il entendit la sonnerie du téléphone, la voix du Truppführer.

« *Village incendié, traitement spécial de 630 bandits et de 15 Juifs.* »

Il entendait les rapports.

« *Contact avec l'ennemi, 4 bandits morts. Village incendié.* »

« *287 spécialement traités… 8 Juifs… 7 tsiganes… 4 bandits…* »

« *Village nettoyé, avons empêché infiltration des forces ennemies.* »

« *Objectif du jour atteint. Pertes ennemies : 14 bandits, 268 suspects…* »

Il entendait les instructions, les voix, le Gruppen-führer, les cris, la gamine. Il s'entendait crier des ordres dans le téléphone, il se voyait courbé sur les cartes, à relancer les unités. Il s'entendait dire : « *Heil Hitler, Gruppenführer ! Opération terminée avec succès. Total des pertes ennemies, bandits, spécialement traités, etc. : 715 morts. Propres pertes : 4 morts.* »

Autre baraque, autre saison, nouvelle table couverte de cartes. La sonnerie, le téléphone, les chiffres : « *Le front… le front… avancer la ligne de déploiement… deux campements ennemis, les boucler, les passer au crible… 287 spécialement traités, 8 Juifs, 7 tsiganes, 4 bandits… infiltrer les forces ennemies, les isoler, les repousser, incendier, traiter spécialement, isoler, regrouper… 59… 219… 83…* »

Son propre cri le réveilla. Il se redressa en frissonnant, remplit à ras bord de cognac le verre à eau posé sur sa table de chevet. Il but.

29

La communication fut instantanément établie.

— Bechthold ! grésilla une voix rauque.

— Kalterer à l'appareil. Heil Hitler, commissaire Bechthold.

— Heil Hitler, Herr Sturmbannführer. Vous m'appelez au sujet des conclusions de l'affaire Stankowski ? Elles sont déjà parties et devraient être sur votre bureau cet après-midi, demain matin au plus tard. Il y a quelquefois des problèmes avec les courriers.

— Je sais, je sais, même les Prussiens ne tirent pas toujours aussi vite qu'ils le devraient, répliqua-t-il en riant. Mais ce n'est pas pour ça que j'appelle.

— Que puis-je pour vous, alors ?

— Mon cher Bechthold, je suis en train de farfouiller dans des dossiers de meurtres non élucidés et je tombe sur l'affaire Frick. Je vois que c'est vous qui avez mené l'enquête.

— Eh bien ? répondit la voix, un ton en dessous.

— Voyez-vous, il y a là, je crois, quelques points communs avec l'affaire Stankowski.

Il se tut un instant, mais Bechthold ne dit rien.

— Ce bâillon, par exemple. Sans compter que les

deux victimes ont été battues, dévalisées. Vous les avez observées. Vous le savez bien : quand on s'est rendu sur les lieux du crime, les choses sont plus claires que quand on garde le nez dans les dossiers. Avez-vous d'autres informations ? Qu'en pensez-vous ?

— Frau Frick a été battue à mort. Stankowski, pour autant que je sache, a été étouffé. En outre…

La voix se tut. Kalterer entendit des bruits de déglutition.

— En outre, l'affaire Frick est sur le point d'être classée : il y a huit jours que nous tenons le coupable.

— Et pourquoi ça ne figure pas au dossier ?

— Vous avez sans doute une copie du rapport préliminaire. L'affaire est sur le bureau du procureur et c'est lui qui a l'original complet, le seul à jour. Comme l'affaire n'est pas encore bouclée, il n'y a pas de tampon sur votre exemplaire. Mais vous devriez au moins avoir une annexe concernant l'assassin.

— Ah bon ! eh bien, je vais essayer de mettre la main dessus.

Il feuilleta le dossier de telle manière que Bechthold puisse l'entendre.

— Et qui est ce meurtrier ?

— Vous voulez dire, qui nous avons arrêté ? Mais pourquoi l'affaire vous intéresse-t-elle tant ?

— C'est extrêmement important, vous comprenez ?

Qu'est-ce qu'il lui prenait, à celui-là ? Vraiment, il était impossible qu'ils se mettent brusquement à se rebiffer tous contre leurs supérieurs !

— Je vous écoute, commissaire. Quel serait le mobile du meurtrier ?

— Il s'agit d'une espèce de drame de la jalousie.

— Le coupable a avoué ?

— Il ne m'a rien avoué, mais le réseau de présomptions est si parlant…

— Et vous allez aussi me dévoiler le nom de cet individu, ou vous vous le gardez au chaud ?

— Non, bien sûr que non, répliqua immédiatement Bechthold. Il s'agit d'un certain Georg Buchwald, l'ex-fiancé de la femme Frick. Lieu de résidence actuel : une cellule de la préfecture de police.

Le monde est petit ! C'était manifestement le nom de ce fiancé que la femme de Stankowski n'était pas parvenue à se rappeler.

— Et ses coordonnées, date et lieu de naissance, etc. ?

— Un moment, le temps de vérifier.

Il entendit Bechthold reposer le combiné. Il fallait lui tirer les vers du nez, à celui-là, il ne lâchait les informations qu'au compte-gouttes. En temps normal, un vieux policier comme lui aurait été à la retraite depuis longtemps.

— Vous m'entendez, Herr Sturmbannführer ? Buchwald, Georg, né le 12 mars 1906, à Hameln. Pas de casier.

— Merci bien, Bechthold, vous m'avez beaucoup aidé.

Il claqua le combiné sur sa fourche. Quelque chose ne collait pas dans tout ça. Peut-être que le vieux Bechthold avait peur de s'être trompé pour le meurtre de Frick. Mais pour Stankowski, il lui avait retiré l'affaire trop vite pour qu'il ait eu le temps de se livrer à des comparaisons. Cette histoire de fiancé assassin ne correspondait absolument pas au reste. S'il s'agissait effectivement d'un drame de la jalousie, il était inutile de chercher à faire des recoupements. Il fallait donc absolument qu'il voie ce Buchwald.

Il contempla une fois encore les photos de la morte, posa celles du cadavre de Karasek à côté. La manière dont les coups avaient été portés était identique. On reconnaissait le même type de blessures sur le corps de Stankowski, principalement celles à la tête. Certes, un ou deux détails ne correspondaient pas dans la manière de bâillonner. Le visage martyrisé d'Angelika Frick ne ressemblait presque plus à rien à cause de la bouche brutalement ouverte, comme arrachée, de la mâchoire décrochée. Le meurtrier lui avait cassé les dents, puis il avait enfoncé dans la gorge un épais morceau de coutil. Même chose pour Stankowski, mais le bâillon était enfoncé plus profondément encore, couronné par le *Völkischer Beobachter* roulé en matraque. Pour Karasek, le bâillon avait simplement été serré sur la bouche et noué dans la nuque. C'était la seule différence pour toutes ces ressemblances. Ce qui laissait deviner un unique coupable. Il était en outre quasiment impensable qu'en un laps de temps si court, plusieurs résidents d'un même immeuble aient été assassinés par des meurtriers différents et, qui plus est pour des mobiles différents.

Inge Gerling, lourdement chargée, entra dans la pièce et fit glisser une haute pile de dossiers sur le bureau.

— Voilà tout ce qui concerne les habitants de la Sophienstrasse. Vraiment tout. Et un courrier vient tout juste de livrer les deux chemises du dessus : les conclusions provisoires des investigations concernant le meurtre de Stankowski.

Il releva la tête et lui sourit.

— Merci, Inge. J'ai du travail pour un bon moment avec tout ça. Mais il faudrait absolument vérifier aussi les dossiers des affaires de Karasek. Tu serais gentille de t'en occuper.

— Si tu m'en crois capable...

— Bien sûr. Examine les pièces, relève les noms de tous ses partenaires et de tous ceux mentionnés dans les lettres. Note de quelles affaires il s'agissait effectivement, cas par cas, et vois s'il y aurait des factures non acquittées.

Elle crayonnait ses instructions sur son calepin. Il se surprit à regarder les rondeurs de ses hanches qui se dessinaient à travers sa jupe noire. Elle leva la tête et le regarda en clignant les paupières.

— Ce sera tout ?

— Je lis encore les rapports de police, et j'arrête. Après, je serai libre.

Elle sourit et sortit.

Il ouvrit le dossier Stankowski. Rien d'utilisable ni de notable. Les procès-verbaux des interrogatoires n'apportaient rien, on n'avait relevé aucune empreinte inconnue, aucune trace intéressante, ni trouvé de nouveaux témoins. Dans ses conclusions, Bechthold s'en tenait à son idée de meurtre crapuleux. Le rapport d'autopsie confirmait les constatations du légiste : décès par asphyxie. La cause de la mort avait bien été le morceau d'étoffe enfoncé dans la gorge. La blessure sanglante à la tête se révéla être la conséquence d'un coup porté pour assommer momentanément la victime. Quelques incisives avaient été cassées, les lèvres arrachées, vraisemblablement quand l'assassin avait violemment fourré le bâillon dans la bouche. Pas d'hémorragies. Suivait le reste des examens. Température du corps au moment de sa découverte, état des organes, analyse sanguine et prélèvement du contenu de l'estomac : des roulades de choux à moitié digérées, de l'ersatz de café, des traces d'alcool, des restes de papier…

Il saisit son combiné et demanda la ligne du médecin légiste. Après un bref échange d'amabilités, il lui demanda ce que signifiait cette dernière constatation.

— C'est ce que je me suis demandé aussi, répliqua le médecin.

— Et ?

— C'est très simple, Herr Sturmbannführer. D'après les restes non assimilés, je dirais que cet homme a avalé quelques photos au petit déjeuner.

30

Pannecke, Kaufmann – Heusinger, Sibelius – Germanos, Prokow – Bideaux, Herkenrath.

Il jura à voix basse, sortit du couvert de l'entrée pour contempler la façade de la villa. Pas de doute – c'était bien la maison devant laquelle il avait attendu plusieurs jours de suite quelques mois en arrière. Mais le nom ne figurait plus en regard d'une des sonnettes. Cette crevure aurait-elle déménagé entre-temps ? Il revint sur le seuil de la porte d'entrée en hochant la tête, scruta de nouveau les plaques des sonnettes, typiques pour ce quartier huppé, et appuya sur le poussoir du bas.

Personne n'ouvrit. Il essaya une autre sonnette. En vain. Il écrasa plusieurs boutons jusqu'à ce qu'il entende enfin un nom, Sibelius, suivi du chuintement et du claquement du tire-suisse.

Il poussa la porte et gravit les marches jusqu'au deuxième étage. Le visage ridé et craintif d'une dame âgée l'attendait derrière le guichet ouvert de sa porte palière. Une musique bruyante, audible jusque dans la cage d'escalier, résonnait depuis l'appartement :

« ... *même si le dernier mât se brise, nous ne craindrons rien...* »

Il s'approcha de la porte.

— Excusez le dérangement, mais vous pourriez peut-être m'aider.

La femme cligna les yeux, tourna légèrement la tête. La voix criarde résonna dans toute la maison :

— Comment ?

Il émanait d'elle un curieux mélange de parfum de qualité, d'odeur de liqueur douce, auxquels se mêlait celle de la chaleur d'un casque de coiffeuse. Et pourtant ses cheveux gris étaient un peu en désordre. « *Ça ne peut pas troubler un marin...* »

Il renouvela sa demande.

La femme le regarda avec des yeux brillants.

— Je ne donne pas à l'Aide d'hiver ! Ni argent, ni couverture, ni manteau de fourrure, et pas non plus d'or pour de l'acier. Je n'ai rien, je ne donne rien, je ne veux rien.

Elle se retira et voulait déjà refermer le guichet. « *... Ne crains rien, ne crains rien, Rosemarie...* »

— Un moment, s'il vous plaît ! s'écria-t-il par le judas qui se refermait lentement. Un moment, chère madame – je veux juste vous poser une question.

Son visage réapparut dans l'ouverture.

— Vous ne faites pas la collecte pour l'Aide d'hiver ?

— Non. Je veux simplement savoir si un certain M. Karasek a habité ici.

— Oui, en bas, au rez-de-chaussée.

« *... On se laissera pas gâcher la vie...* »

— Mais il n'y habite plus, si ?

— Non, depuis un mois environ.

— Vous savez peut-être où je pourrais le joindre ?

— Oui. À Dahlem, au cimetière.

« ... *et si la terre entière tremble...* »

— Pardon ?

Il ne voulait pas croire à ce qu'il venait d'entendre sur fond de *Paloma*.

— Il est mort, jeune homme, tout ce qu'il y a de mort, raide mort ! Ce filou de Karasek a été battu à mort dans son appartement début octobre. Et personne dans la maison n'a versé une larme. C'est un jeune officier bien sympathique qui a repris l'appartement.

« ... *Et si la terre dévie de son axe...* »

Ses épaules s'affaissèrent et il dut s'appuyer au chambranle de la porte. La vieille femme recula d'un pas et le contempla. Accoté à la porte, il sentit la légère odeur de moisi du bois, serra le poing droit et articula péniblement :

— Alors... alors, je suis arrivé trop tard. (Il se reprit.) Merci quand même pour le renseignement, Frau Sibelius. Au revoir.

— Il n'y a pas de quoi.

Et sur ces mots, elle repoussa le guichet. « ... *Ne crains rien, ne crains rien, Rosemarie...* » Le refrain lui parvenait encore à travers la porte.

Haas était incapable de faire un pas. Il dut faire un réel effort pour quitter la villa.

Il déverrouilla l'antivol de sa bicyclette, cadenassée à la clôture du jardinet. Il y a des gens à qui on veut défoncer le crâne et il faut prendre sa place dans une file d'attente... Dommage qu'on ne puisse tuer qu'une seule fois un salopard comme Karasek. Peu importe :

un de moins sur sa liste. Et puis, se consola-t-il, il aurait pu tout aussi bien mourir sous des bombes.

Il poussa sa bicyclette jusqu'au bout de la Höhmannstrasse. Il la prit ensuite à l'épaule pour descendre l'escalier de pierre de la Königsallee. De l'autre côté de la rue, il discerna les premiers arbres de Grunewald dans la brume de ce jour d'automne frisquet.

31

— Sturmbannführer Kalterer à l'appareil, Office central pour la Sécurité du Reich. Brigadier-chef Schmidt ?

— À l'appareil.

— Heil Hitler, brigadier-chef. C'est vous qui êtes responsable de la détention ?

Schmidt lui marmonna un « oui » inarticulé.

— Le prévenu Buchwald, Georg, est bien chez vous, n'est-ce pas ?

Schmidt s'éclaircit la gorge et la réponse lui parvint plus distinctement :

— Oui, ce monsieur est effectivement notre hôte.

— Amusant ! J'aimerais lui rendre une petite visite. Ce serait encore possible aujourd'hui ?

— Une seconde, il faut que je vérifie quelque chose...

Les secondes passèrent. Il entendit un cliquetis de clés et le claquement d'une lourde porte en fer qu'on refermait. Il attendait depuis trente secondes déjà. Qu'est-ce que ce Schmidt pouvait bien vérifier si longtemps ? Un bref coup d'œil dans le registre, un rapide « Oui, Herr Sturmbannführer, vous pouvez venir », il y en avait tout au plus pour trois secondes. Manifestement, l'homme traînait des pieds. Un comportement inconcevable quelques années auparavant.

— Allô, Herr Sturmbannführer, vous m'entendez ? cria le brigadier à bout de souffle. Vous ne pourrez plus l'interroger aujourd'hui, votre Buchwald. Il n'a pas dormi de la nuit, et il était tellement fatigué qu'il est tombé pleine face dans l'escalier. M'étonnerait qu'il puisse encore ouvrir la bouche aujourd'hui.

— Et il pourra reparler quand ?

— Le médecin vient juste de passer. Il a demandé qu'on lui accorde une journée de repos.

— Bien. Je passerai demain matin. Et j'espère que votre attitude répondra un peu mieux au règlement. Compris ?

— Affirmatif, Herr Sturmbannführer.

Il reposa le combiné et tira à lui la pile des rapports de police concernant les résidents de la Sophienstrasse 8. Il y avait eu peu de mouvements dans l'immeuble. La plupart y habitaient depuis le milieu des années vingt. Et il y avait aussi les anciens propriétaires, le libraire Herschel Rosenkrantz et sa femme, qui avaient vendu en 1938 à feu Egon Karasek.

La défunte Angelika Frick, célibataire, institutrice, avait habité la petite mansarde jusqu'au printemps 1943. À cette date, elle avait été assignée comme tourneuse à la fabrique de munitions Ehlers et Kautzke. Membre du parti, membre du Front du Travail de la jeunesse, chef de groupe à la Ligue des Jeunes Filles allemandes, aryenne, aucun antécédent judiciaire.

Au second étage gauche habitaient depuis 1918 le négociant Bodo Stankowski, mort assassiné, sa femme Hertha et leurs trois fils, tous trois tombés à la guerre, le dernier en 1941. À dater du printemps 1943, Stankowski avait loué le magasin d'alimentation du rez-de-chaussée. Sa femme et lui étaient membres du parti, tous deux sans casier.

Au second étage, dans l'appartement du milieu, avait habité de 1928 à 1940 un certain Klaus-Dieter Lauterbach, propriétaire d'une teinturerie. Pas membre du parti, aryen ; en 1929 et 1931, violation de l'article 175 sur l'homosexualité ; en 1937, attestation de réforme pour le service armé ; dénoncé en 1938 pour sodomie homosexuelle, déportation au camp de concentration d'Orianenburg, où il décède d'un arrêt cardiaque en 1942.

Dans son appartement emménage en 1938 une veuve de fonctionnaire nommée Elfriede Fiegl, mère de deux enfants mariés, membre du parti, aryenne, pas d'antécédents judiciaires, habitant actuellement Reichenbergerstrasse 20.

Au second étage droite, logeaient depuis 1925 Rudolf Everding, lecteur à l'université, sa femme Gerda, née Schütte, et leur fils Oswald. Avant 1933, Everding avait été responsable d'une cellule d'entreprise – une maison d'édition – du parti communiste. Communiste actif. Membre de l'Association du Front des combattants rouges, a eu affaire entre 1928 et 1932 à la police de sécurité lors de manifestations de rue et de bagarres avec les SA. Arrêté par deux fois pour trouble porté à l'ordre public. Relâché. Everding avait été appréhendé chez lui dans la nuit même de l'incendie du Reichstag. Déporté au camp de concentration de Sachsenhausen, transféré un an plus tard à Börgermoor. Tentative d'évasion réussie, figure sur la liste des personnes recherchées. Pendant un certain temps, sa femme a été placée sous haute surveillance, mais sans succès : Rudolf Everding n'avait pas réapparu et on n'avait pas la moindre idée de l'endroit où il pouvait séjourner. Gerda Everding n'était pas non plus une page vide. Par deux fois, en juillet et septembre 1933, soupçonnée d'activités illégales, elle avait été arrêtée, puis libérée sous condition. Elle devait se présenter à la Gestapo tous les mois et habitait à présent dans le quartier ouvrier de Wedding.

Au rez-de-chaussée gauche, à côté du fonds de commerce, habitaient un certain Ruprecht Haas, son épouse et leur fils. Gérant du magasin jusqu'au printemps 1943. Arrêté en janvier 1943 pour haute trahison et déporté à Bautzen, transféré peu après à Buchenwald. Porté disparu l'été 1944, lors d'un raid de bombardement sur les camps de travail annexes, puis déclaré mort. Au printemps 1943, Frau Haas échangea son appartement contre la mansarde de Fraulein Frick. En mars 1944, Frau Haas et son fils sont tués lors du bombardement qui a détruit l'immeuble.

Il empila sur l'étagère les dossiers qu'il venait d'éplucher. Drôle de communauté censée faire joyeusement la fête, comme Frau Stankowski avait voulu le lui faire accroire. En y regardant de près, cet immeuble devait grouiller de conflits. Rien que le dossier Everding. Il connaissait l'arrogance des rouges avant 33 pour l'avoir souvent vécue à la préfecture de police. Quand on les interrogeait, ils jouaient les intouchables, avaient toujours le soutien des avocats du Secours rouge, croyaient toujours qu'il serait impossible de les confondre. Mais après 33, le vent avait tourné, principalement pour les rouge foncé. Après l'incendie du

Reichstag, plus personne ne put protéger des commandos SA des traîtres comme Everding.

En ce temps-là, il n'était encore qu'un petit fonctionnaire à la brigade des mœurs, mais il avait entendu des collègues se targuer de la rapidité avec laquelle on pouvait enfin mettre le holà aux agissements des délinquants, ce qui impressionnait beaucoup la majorité des fonctionnaires de police. Un court procès, sans ce blabla ennuyeux, sans les incessantes objections des avocats. Enfin l'Allemagne redevenait un pays sûr : on y combattait efficacement la criminalité, entendait-on alors dans les couloirs et à la cantine. Quelques-uns avaient bien parlé de droits du prévenu, de présomption d'innocence, mais le plus souvent à voix feutrée. Il n'avait pas pris part à ce genre de discussions.

Il tenait enfin un mobile de vengeance pour raisons politiques. Everding, un rouge indécrottable, avait échappé aux autorités et vivait vraisemblablement quelque part dans Berlin, probablement avec des faux papiers, travaillant dans la clandestinité aux ordres de Moscou et assassinant ses anciens voisins.

32

La forêt lui donna l'impression d'être retournée à l'état sauvage. Des feuilles en décomposition recouvraient le sol et plus personne ne semblait se donner la peine d'en débarrasser les chemins. Il y avait partout des branches ou des souches d'arbres récemment coupées. Pénurie de charbon. Les Berlinois fourbissaient leurs armes pour l'hiver qui s'annonçait et transformaient la forêt de Grunewald en bois de chauffage.

C'était éprouvant de circuler à bicyclette sur le feuillage épais et glissant tout en gardant l'équilibre, alors qu'il fallait appuyer de toutes ses forces sur les pédales.

Karasek, ce bonze du parti corrompu et bedonnant, sans scrupules, qu'il savait capable de toutes les saloperies, avait donc été assassiné. Il s'habituait lentement à cette idée. Quelqu'un avait fait son travail à sa place, mais – nom de Dieu ! – il aurait tellement aimé échanger quelques mots avec ce vieux trafiquant. Il avait encore quelques questions sans réponse. Il lui aurait arraché les mots de la gorge à grands coups de poing, à cette crapule, et cette saleté lui aurait certainement avoué qui l'avait donné. Il lui fallait donc fureter encore un peu plus dans ce nid de vipères, ce panier de crabes de la communauté patriotique nationale, pour que quelqu'un lui avoue enfin la vérité.

Il ne restait plus sur sa liste que la mère Fiegl. On disait d'elle à l'époque qu'elle ne lavait pas que le linge de Karasek et ne lui repassait pas que ses chemises et que, depuis la mort de sa femme, elle l'aidait aussi à d'autres bricoles. Quoi qu'il en soit, elle était la dernière sur sa liste. Le cas échéant, il pourrait aussi rendre visite à Frau Everding. Il était évident qu'elle n'avait certainement rien à voir dans tout cela, mais peut-être avait-elle eu vent de quelque chose.

Rien ne collait dans cette histoire de la mort de Lotti et Fritzchen, avec les circonstances de leur mort. Il avait clairement eu le sentiment que Stankowski ne lui avait pas tout avoué. Malgré les gifles, la Frick ne lui avait servi que des échappatoires. Jusqu'à ce qu'il cogne plus fort. Elle s'était alors emportée en phrases confuses : elle savait bien qui l'avait dénoncé, mais elle ne le lui dirait pas, dût-elle mourir, parce qu'un sac de merde apatride comme lui ne méritait pas d'apprendre la vérité ; puis elle s'était moquée de lui, et bien que le sang lui dégoulinât déjà du menton, elle l'avait insulté en hurlant qu'il mourrait aussi idiot qu'il avait vécu. Seul le coup de pelle à incendie sur sa face de chienne avait réussi à la réduire au silence. Stankowski, lui, n'avait plus rien dit vers la fin, il avait trop de mal à déglutir...

Il suivit la lisière de la forêt et pédala sur le chemin de randonnée pédestre qui longeait le petit lac de Hundekehle en direction de la longue ligne droite de l'Avus où, avant la guerre, il avait souvent assisté à des courses automobiles. Durant des après-midi entiers, il avait admiré les coureurs qui fonçaient à grands coups de sifflements de pneus, comme Hermann Lang, Manfred von Brauchitsch ou Bernd Rosemeyer, enveloppés de nuages de vapeur d'essence. Ils avaient été ses héros.

Cloué à un tronc d'arbre, un écriteau altéré par les intempéries proclamait : « L'air de la forêt ne supporte pas l'odeur des Juifs ! » Il détourna le regard. Ça sentait le brûlé dans la forêt, une odeur à laquelle se mélangeait le parfum du bois fraîchement coupé. Une brume charbonneuse s'étirait entre les arbres.

Le long du chemin, dissimulés dans des buissons et sous le feuillage des arbres, apparaissaient à intervalle régulier des bancs qui invitaient à la flânerie malgré l'air humide et frais. Il avait le temps, il ne voulait regagner sa cabane de jardin que l'après-midi, en profitant de la protection du changement d'équipe des ouvriers. Il descendit de bicyclette et s'assit sur un banc. Col du manteau relevé, mains profondément enfouies dans les poches, jambes étendues devant lui, il contempla la surface de l'eau sale et grise. Alors qu'elle était déjà enceinte de plusieurs mois, Lotti l'avait accompagné une fois à une course automobile sur l'Avus. Tout en essayant vainement de couvrir le rugissement des moteurs, il lui avait expliqué que là, c'était Hartmann avec sa Maserati, là Delius dans une Auto Union et là, qui filait comme un zèbre dans une Mercedes-Benz tonitruante, le légendaire Rudolf Caracciola.

Provenant de derrière une hauteur, il entendit soudain le grondement métallique de chenillettes qui circulaient sur l'Avus. Il avait toujours pensé, avant même le commencement de la guerre, que la construction des autoroutes du Reich et des voies rapides servirait en premier lieu aux mouvements des troupes mécanisées. Lotti n'avait jamais pu s'intéresser aux courses automobiles, c'était bien trop bruyant, avait-elle prétexté. Quand Fritz eut l'âge de fréquenter la grande école, il lui avait montré sa collection de vignettes de paquets de cigarettes. Ses coureurs préférés étaient soigneusement collés avec leurs véhicules dans les cases de ses albums spécialement prévues et déjà légendées. Le dimanche, ils passaient des heures le nez sur les images. Les compétitions avaient été supprimées au début de la guerre et il avait dû souvent promettre à Fritz qu'il retournerait avec lui sur l'Avus pour assister à une course. Quand cette putain de guerre serait enfin finie.

33

Après avoir roulé à fond depuis le centre, Kruschke pila devant un des plus minables immeubles de rapport de Wedding. Kalterer se contenta de hausser les épaules, descendit de voiture et pénétra dans le bâtiment.

Dans la seconde cour arrière, au troisième étage d'une aile très endommagée par le souffle des explosions de bombes, à côté de trois autres noms, il découvrit celui d'Everding, écrit à la main sur une vignette de papier cornée fixée à la porte bleu sale d'un des appartements.

Une vieille femme vêtue d'un tablier de cuisine rapiécé ouvrit.

— Oui, qu'est-ce que vous voulez ?

— Je voudrais parler à Frau Everding.

— Elle travaille, répliqua la femme qui posa son poignet sur la clenche de la porte et l'examina de la tête aux pieds.

— Et où travaille-t-elle ?

— Vous êtes bien curieux, vous, dites donc !

Un voix retentit à l'intérieur :

— Wilma, la porte ! Les courants d'air ! Faut absolument qu'on fixe les sacs à patates derrière la porte. Et puis, c'est qui ?

Wilma devait être la femme qui lui avait ouvert, car elle s'écria en retour :

— C'est un jeune homme qui veut faire du gringue à la vieille Everding.

Il entendit le râclement de chaises qu'on déplaçait. Deux femmes en simples tabliers de cuisine accompagnées de trois enfants s'encadrèrent dans l'entrée et le contemplèrent avec curiosité.

— Faire du gringue à Everding ? Feriez mieux de rester avec nous, ça fait longtemps qu'on sait faire ça aussi bien qu'elle.

Les trois femmes s'esclaffèrent.

Il s'efforça de garder son sang-froid.

— On est plus en danger avec vous qu'au front, mesdames !

Nouveaux éclats de rire.

— Vous, au front ? Avec un aussi joli costume ! dit une des femmes, l'air narquois.

— Où est-ce que je peux trouver Frau Everding ? insista-t-il.

— Dommage, répliqua la plus jeune des femmes qui se pressait sur le seuil de la porte, un bambin sur les bras, si vous voulez absolument voir Everding, vous la trouverez à la centrale des échanges, c'est là qu'elle travaille.

— La centrale des échanges ? Quelle centrale des échanges ?

— Celle qui est juste au coin, dans l'ancienne usine, c'est là qu'elle est.

Il se tourna vers l'escalier tandis que d'un geste

machinal elle recalait l'enfant dans une position plus confortable.

— Vous n'avez encore jamais vu une centrale des échanges ? Vous vivez où, vous ? Vous débarquez de la lune ? cria-t-elle après lui.

La porte claqua.

Il se retrouva sur le trottoir et son regard tomba sur des éboulis, des cratères et des monceaux de gravats. Il venait en effet de débarquer sur la lune.

Le renseignement était exact. Il pénétra dans un hall d'usine désaffectée, où l'on avait dressé divers tréteaux avec différentes marchandises de seconde main, surmontés de pancartes aux inscriptions manuscrites noires bien lisibles : « On accepte les marchandises à échanger entre 10 et 16 heures. Il est interdit d'échanger et de vendre directement. »

Il partit en reconnaissance parmi les travées, passant auprès de femmes et d'hommes âgés qui testaient les objets exposés, plaisantaient avec le personnel, louaient exagérément les articles qu'ils proposaient, prétendaient troquer des futilités contre des objets utiles. C'était manifestement une autre manière d'échanger des biens, une conséquence de la rareté des marchandises, une tentative officielle pour reprendre la main sur le marché noir par l'intermédiaire d'un système de troc. Mais vu les conditions défavorables que lui avait décrites le fonctionnaire du tribunal, cet essai était manifestement chimérique.

Il demanda à quelqu'un qui avait l'air d'un surveillant où il pourrait trouver Frau Everding. L'homme lui indiqua une femme efflanquée d'environ quarante-cinq ans, debout devant un étalage d'ustensiles de ménage hétéroclites.

— Frau Everding ?

La femme opina. Elle portait un tablier de travail gris et ses cheveux étaient dissimulés sous un foulard jaunâtre. Elle avait l'air épuisé, las, désespéré.

— Je m'appelle Kalterer, Office central pour la Sécurité du Reich.

Il déplia son laissez-passer. Elle l'examina brièvement, jeta un coup d'œil à droite et à gauche. Sa fatigue semblait avoir soudainement disparu. Il craignit un moment qu'elle ne veuille s'enfuir, mais elle se tourna vers lui et le fixa droit dans les yeux.

— Et alors, qu'est-ce que vous me voulez ?

— J'aimerais m'entretenir avec vous, mais pas ici.

Du menton, il désigna la foule.

— Eh bien, vous n'avez qu'à m'embarquer ! dit-elle en croisant les bras sur la poitrine.

Elle portait des mitaines de laine usées dont dépassaient des phalanges décharnées et gercées.

— Pour le moment, je me contenterais d'un endroit où nous pourrions parler tranquillement tous les deux.

Elle haussa les épaules et se dirigea vers une porte derrière laquelle était aménagée une minuscule cuisine aux murs chaulés réservée au petit déjeuner du personnel. Une petite table et quelques chaises en constituaient tout l'ameublement.

Il prit place. Elle resta debout et le regarda, maussade.

Il en eut assez.

— Asseyez-vous, nom de Dieu ! hurla-t-il, en lui désignant une chaise d'un index rageur.

Elle s'approcha lentement de la table, s'assit sur la chaise la plus éloignée, croisa les mains sur les genoux tout en conservant sa mine inexpressive. Celle-là, tant qu'elle n'aurait pas le moindre espoir que le vent tourne définitivement, tout ce qui pouvait lui arriver lui était égal, complétement égal.

Il mit la main à la poche de son manteau, en sortit une photo et dit :

— J'ai quelques questions à vous poser, Frau Everding. Connaissez-vous cet homme ?

Il avait choisi une photo avantageuse. Un Karasek souriant, l'air jovial, un gros cigare entre ses doigts boudinés, assis devant un verre de bière sur ce qui devait être une terrasse avec vue sur le Wannsee.

— Karasek, répondit-elle brièvement.

Ses yeux foncés foudroyaient l'image du regard.

— Le SS-Hauptsturmführer Egon Karasek, articula-t-elle lentement.

Cette femme détestait Karasek. Et elle ne haïssait pas seulement le système incarné par le camarade du parti, c'était une haine plus profonde, toute personnelle.

— Frau Everding, où étiez-vous au matin du 8 octobre, de huit heures à une heure de l'après-midi ?

— Pourquoi voulez-vous le savoir ? rétorqua-t-elle en s'adossant. Quelqu'un aurait-il une fois de plus illégalement tiré la chasse d'eau des chiottes sur une merde brune, et on voudrait que ce soit moi qui aie tenu la poignée ? C'est bien toujours la même histoire : vous ne ratez jamais une occasion de me rendre visite, vous me retournez tout mon logement et vous me posez des questions idiotes à propos de tracts ou de je ne sais quoi encore. Une fois pour toutes, traitez-moi comme mon mari, mon beau-frère et sa femme, ça vous évitera de vous mettre les pieds en sang à force de venir m'emmerder.

Elle n'avait toujours pas compris qu'elle avait intérêt à coopérer avec lui.

— Répondez à ma question, sinon nous devrons poursuivre cet entretien ailleurs, dans un endroit moins coquettement aménagé que celui-ci, répliqua-t-il.

— Vous croyez vraiment que vous allez m'impressionner ?

Il lui tendit une cigarette. Gagner sa confiance.

— La femme allemande ne fume pas, dit-elle en pinçant la R6 entre ses lèvres et en attendant qu'il lui offre du feu.

— Alors ? demanda-t-il en se levant pour lui frotter une allumette sous le nez.

— Ben, comme tous les matins, ici, au chagrin. Demandez à mon chef. J'ai été assidue à mon travail tous les jours. Ou demandez donc à vos collègues, ceux qui n'arrêtent pas de m'espionner. Ils pourront vous renseigner à la minute près.

Il fit tomber la cendre de sa cigarette sur la grille d'écoulement d'eau cimentée dans le sol de pierre.

— Egon Karasek a été assassiné ce jour-là.

Sa bouche se tordit en un ricanement ironique.

— Dommage que j'aie un alibi !

Elle s'esclaffa.

— Cet enfant de salaud est crevé ! Très bien. Il l'a mérité cent fois, avec tout le mal qu'il a fait. Ce serait une bonne raison de croire en Dieu, tiens : qu'il crame en enfer !

Elle secoua la cendre de sa cigarette en tapotant la main sur le bord de la table tout en le regardant bien en face.

— Bien, maintenant vous pouvez m'embarquer, pour diffamation ou injures graves envers un honnête national-socialiste, ou rébellion à la force armée, ou tout autre motif que vous voudrez bien inventer. Vous cn trouverez bien un, ça ne vous a jamais posé de problèmes, ça.

Il tira une profonde bouffée de sa R6 et lui souffla la fumée à quelques centimètres du visage. Il s'efforçait de rester calme.

— Pour le moment, je suis seulement chargé de retrouver le meurtrier de Karasek. Mais si vous persistez à vous conduire comme ça, Frau Everding, je reviendrai peut-être sur votre proposition.

— Ça va, ça va. Je ne sais pas qui l'a tué. Et même si je le savais, je ne vous le dirais pas.

— Qu'est-ce que vous aviez contre Karasek, que vous lui souhaitez tant de mal ?

Serrée sur sa chaise, elle soutenait son regard. Puis elle dit :

— Vous avez déjà oublié, Sturmbannführer ? En 1933, quand vous avez forcé la porte de nos maisons et de nos appartements, à nous les communistes, que sans mandat d'arrêt vous avez traîné nos hommes dans vos caves pour les torturer, vous avez déjà tout oublié ? Vous croyez peut-être que si vous ne vous souvenez plus de rien, ça signifie qu'on passe l'éponge ? À votre place, je ne m'y fierais pas : j'en connais qui ont une excellente mémoire…

Sa colère lui rappelait Merit et, sans la rembarrer, il la laissa poursuivre ses imprécations, parler ouvertement, oubliant qui elle avait en face d'elle.

— J'y pense toutes les nuits. Les pas dans l'escalier, les coups contre la porte. En tête de la troupe, notre brave voisin Karasek, pistolet au poing : « Salaud de rouge, il n'y a plus d'avocat pour t'assister maintenant, maintenant on vous tient, vous ferez ce qu'on vous dira ! »

Elle s'arrêta un instant pour reprendre haleine. Il ne l'interrompit pas, quoiqu'il eût suffisamment de motifs pour l'arrêter. Gagner sa confiance, la laisser parler. Peut-être tout cela l'aiderait-il à progresser.

— Ils l'ont emmené, et je ne l'ai plus jamais revu.

Elle sembla lutter un instant contre ses larmes, se passa la main sur son visage affaissé et le regarda de nouveau, tremblante de colère.

— Karasek, il était toujours parmi les premiers. Ils ont enfermé Rudolf dans une cellule, l'ont ligoté sur une chaise, avec des menottes. C'est un camarade qui me l'a raconté, il y était aussi. Karasek l'a tourmenté avec une matraque, il n'arrêtait pas de le frapper, sur la nuque, sur le front. Il lui a demandé de chanter une chanson.

Elle ne put retenir ses larmes, maxillaire tremblant.

— Peut-être qu'il aurait dû, peut-être qu'ils l'auraient relâché.

Elle serra les lèvres, s'essuya la joue gauche d'un geste furtif du dos de la main.

— Ensuite vous l'avez fourré dans un camp, parqué comme un animal ; mais il a été plus malin que vous, il s'est évadé. Et j'espère qu'il aura encore tué quelques fascistes.

Elle se leva et jeta son mégot dans la rigole d'écoulement.

— Est-ce que votre mari a tué Karasek, Frau Everding ?

Elle essuya ses yeux emplis de larmes avec le dessus de la main.

— Qu'est-ce que vous me voulez ?

225

— Je vous l'ai déjà dit : je cherche le meurtrier d'Egon Karasek, et je le trouverai. Tout le reste ne m'intéresse pas.

Elle le regardait sans un mot, puis se tourna vers le mur et fixa le sol.

— Vous savez, lui dit-elle le dos tourné, Karasek, je l'ai détesté, je l'ai follement haï, plus que je n'avais haï auparavant et que je ne hais maintenant. Mais j'ai toujours su qu'il était interchangeable.

Elle se tourna vers lui.

— Mon mari était contre le terrorisme individuel. Il voulait combattre le système, pas ceux que le système avait séduits ou qui s'étaient trompés. Il a toujours lutté avec ténacité contre votre règne, avec toutes les armes dont il disposait, y compris la violence. Mais Karasek, ce petit-bourgeois puant, n'avait aucune importance à ses yeux, et il l'aurait certainement oublié.

— Pourquoi dites-vous « n'avait » ? Pourquoi parlez-vous de votre mari au passé ?

— Parce que mon mari est mort, répondit-elle. Il est tombé en Espagne. Il faisait partie des Brigades internationales, il a défendu Madrid contre la Phalange. C'est un camarade qui me l'a écrit. Vos espions ne s'en sont même pas rendu compte. Il vous a joué un dernier tour. Je ne l'ai raconté à personne, parce que ça, c'était sa victoire sur vous. (Elle se leva, farfouilla sous son tablier, sortit une feuille de papier jaunie pliée en huit et la posa sur la table.) Ça n'a plus aucune importance, maintenant. Tout sera bientôt fini. Vous pouvez lire.

« *Chère camarade E.* "No pasarán." *Ils ne passeront pas. Ce sont les derniers mots de Rudolf, alors qu'il...* »

Le morceau de papier tout entier recouvert de pattes de mouche rapportait les circonstances de la mort d'Everding devant Madrid sous les tirs d'artillerie des troupes de Franco. L'histoire lui sembla très plausible. Un pathos creux, destiné à dissimuler les faits. Il avait écrit le même genre de lettre. D'après le modéle F de l'Office de Sécurité. « *En remplissant fidèlement son devoir... mort sur le coup... n'a pas souffert.* » Bien entendu, la lettre pouvait aussi être un leurre. En ce cas, cette femme aurait été une très bonne actrice. Non, on pouvait rayer Everding de la liste, même si l'hypothèse cadrait si bien avec le meurtre de Karasek et les attentes de Langenstras.

Il tendit la lettre à Frau Everding.

— Comme je vous l'ai dit, je ne suis pas chargé de débusquer des saboteurs, j'ai un meurtre à élucider. Mais je vous demanderai de cesser vos diatribes contre notre État.

Elle reprit la lettre. Ses mains tressaillaient dans ses mitaines.

— Si ce n'était pas votre mari, soupçonnez-vous quelqu'un ?

Elle haussa les épaules et se rassit.

— Comment Karasek s'est-il comporté vis-à-vis de vous après l'arrestation de votre mari ? Vous êtes restée sa voisine.

— J'avais un fils, et pas de travail. Je ne pouvais pas partir, et pourtant j'aurais bien aimé.

— Au fait, où est-il, votre fils ?

— Il est tombé. (Ses traits se durcirent.) Il est parti à la guerre du côté des nazis et il a combattu ceux dont notre cœur est si proche.

Soudain, il comprit : elle se sentait coupable pour

son fils. Elle n'avait pas réussi à l'élever selon ses principes. Les Jeunesses hitlériennes avaient été plus fortes. Son propre sang avait pris les armes contre le pays dont elle et son mari avaient toujours pensé qu'il était le rempart contre le capitalisme et contre la vision du monde à laquelle ils avaient pourtant consacré toutes leurs luttes. Ce fils devait savoir ce qui s'était réellement passé à l'Est, et elle voulait faire pénitence pour lui. C'est pour cette raison que tout lui était égal, même la perspective d'être pendue comme communiste à un croc de boucher.

— Y avait-il beaucoup de conflits dont vous auriez eu connaissance entre voisins de l'immeuble ?

— Je ne m'en suis jamais préoccupée, de ces camarades du peuple serviles et rampants, de ces joyeux fêtards…

— Qu'est-ce qu'il s'est passé ensuite, entre Karasek et vous ?

— Je lui ai tourné le dos, et puis, de toute façon, les autres ne m'adressaient jamais la parole. Au début, Karasek a continué à faire ses blagues idiotes ou à hurler dans les escaliers que j'aille au diable. L'immeuble ne lui appartenait pas encore à cette époque-là. Ensuite, il l'a acheté, enfin plus ou moins, aux Rosenkrantz et après, curieusement, il m'a fichu la paix. Quand il se pavanait dans son bureau, je crois qu'il se prenait pour un grand homme d'affaires. Il y avait beaucoup de va-et-vient et il portait toujours des costumes chers pour se couvrir la couenne. Il jouait aussi les attentionnés.

— Vous connaissiez ses visiteurs ? Qu'est-ce qu'il faisait, comme affaires ?

— Je ne sais pas. Je n'en ai jamais su grand-chose. J'avais mes propres problèmes.

Il n'y avait plus rien à en tirer.

— Bien, Frau Everding, je ne vais pas vous déranger plus longtemps.

Elle le regarda, l'air interrogateur.

— Je vérifie votre alibi, et vous êtes débarrassée de moi.

Il sortit sans la saluer.

Le surveillant et un coup d'œil sur la feuille de présence confirmèrent ses dires. Elle avait regagné son coin et s'entretenait avec une femme qui tenait en main un fer à repasser.

Dehors, il s'était mis à pleuvoir. Il regagna sa voiture. Il neigeait sûrement maintenant en Russie. Probablement même déjà en Ukraine. Peut-être aussi en Prusse-Orientale. Où pouvait bien se trouver le front de l'Est ? Où se trouvait l'Armée rouge ?

34

Kalterer étudiait les documents d'écrou lorsque, accompagné d'un brigadier, Georg Buchwald entra dans la cellule réservée aux visites. Ils demeurèrent à la porte et attendirent.

— Asseyez-vous, Herr Buchwald, dit-il en désignant la chaise qui lui faisait face de l'autre côté de la petite table.

Le porte-clés sortit.

Buchwald marchait avec peine, légèrement courbé en avant, l'air gauche dans ses souliers privés de lacets. Il se cramponnait des deux mains à son pantalon brun. Pas de ceinture ni de bretelles. L'homme avait l'air désespéré. Il s'assit avec précaution en grimaçant de douleur. Ses lèvres éclatées étaient couvertes de croûtes de sang séché. Il se passa une main dans ses rares cheveux pour les ramener en arrière. Kalterer remarqua plusieurs ecchymoses sur le front. L'œil droit était enflé et injecté de sang. Buchwald évitait son regard et semblait se concentrer sur le plateau noir de la table. Une victime typique, quelqu'un que tout le monde piétinait aussitôt que l'occasion s'en présentait.

Kalterer lui tendit un paquet de cigarettes. Il en tira une d'un geste lent et eut un mouvement de recul, effrayé quand Kalterer craqua une allumette devant son visage.

— Vous êtes Georg Buchwald ?

L'homme acquiesça prudemment.

— Typographe, domicilié à Kreuzberg, Muskauer Strasse, né à Hameln le 12 mars 1906 ?

Nouveau « oui » de la tête.

Kalterer se leva et se plaça derrière le pathétique petit tas de misère. Il tira une bouffée de sa cigarette et contempla l'accusé. Il avait aussi des meurtrissures dans la nuque et sur le cou. La chemise blanche sans col était tachée de sang. Buchwald voulut tourner la tête, mais il ne réussit qu'à gémir. Kalterer lui passa brusquement le pouce dans le dos.

Buchwald cria, en rentrant la tête dans les épaules et en levant les coudes.

— Excusez-moi, dit Kalterer en se rasseyant.

Il écrasa son mégot dans le couvercle d'une vieille boîte en tôle qui servait de cendrier et qui avait contenu des chocolats Schoka-Kola.

— Bon, racontez-moi ce qui vous est arrivé. Vous en avez une tête ! C'est effrayant.

— Je…

Buchwald s'interrompit et se passa la main dans le cou.

— Je suis tombé dans l'escalier, finit-il par articuler péniblement.

— Vous racontez n'importe quoi, Herr Buchwald.

L'homme le regarda fixement.

— Je ne comprends pas ce que vous voulez dire.

— Soit. Passons à la question suivante : pour quelles raisons avez-vous tué Angelika Frick ?

— Je ne l'ai pas tuée.

L'homme murmurait presque.

— *Je ne l'ai pas tuée*, l'imita Kalterer. Vous n'êtes pas capable d'affronter la vérité ? Il est vrai que je ne me suis pas présenté, quelle impolitesse ! Je suis le Sturmbannführer Kalterer, Office central pour la Sécurité du Reich, Gestapo.

Il vit Buchwald pâlir sous ses écorchures sanguinolentes.

— C'en est fini pour vous, mon vieux, avouez, avouez tout simplement, et on vous laissera tranquille.

— Mais puisque je vous dis que ce n'est pas moi !

Il y avait comme un air de défi dans ce murmure rauque.

La victime typique était plus coriace qu'il ne l'avait pensé. Kalterer était presque certain que cet homme disait la vérité. Même s'il ressemblait en ce moment au sous-homme bolchevique des actualités cinématographiques hebdomadaires, à sa manière Buchwald se battait contre la peine capitale. On ne naît pas victime, on le devient, selon les circonstances, suivant l'époque. Tout le monde pouvait devenir victime. Kalterer alluma une nouvelle cigarette et posa la photographie de Karasek sur la table.

— Connaissez-vous cet homme ?

— C'est Egon Karasek.

Il avait dit cela d'un ton calme, assuré.

— Il a été assassiné.

— Vous voulez me coller ça sur le dos aussi ?!

La voix de Buchwald tremblait de nouveau, chavira presque.

— Non. Au moment du meurtre, vous étiez à l'imprimerie. J'ai vérifié. Et puis, je ne suis pas votre nouvel officier d'interrogatoire, Buchwald, je m'occupe de l'affaire Karasek. Tout le reste m'est complètement indifférent. Mais si vous m'aidiez, ne serait-ce qu'un peu, je pourrais peut-être glisser un mot pour vous, pour vous éviter de rencontrer un nouvel escalier.

L'homme lui lança un bref regard, puis s'accouda à la table.

— Je n'ai jamais fait de mal à personne. Et certainement pas à Angelika. Même si de temps en temps elle aurait mérité une bonne paire de claques…

— Angelika Frick était votre fiancée, n'est-ce pas ?

Buchwald acquiesça.

— Oui, mais nous nous sommes séparés.

Il réfléchit.

— Pour être juste, on allait se séparer ; enfin, je ne voulais plus avoir affaire à elle, parce que… parce qu'elle ne voulait plus de moi, elle prétendait toujours valoir mieux.

Kalterer tira son carnet de la poche de son manteau et, du bout de la langue, humidifia la pointe de son crayon.

— À votre avis, Herr Buchwald, pourquoi êtes-vous ici ? Pour quelles raisons vous a-t-on arrêté ?

— Avant qu'elle soit assassinée, il y a eu cette dispute, une nuit. Je l'ai raccompagnée et j'ai voulu monter avec elle dans son appartement.

Il se passa la main sur l'avant-bras en grimaçant.

— Je voulais coucher avec elle, quoi. Mais elle n'a pas voulu. Alors je lui ai crié dessus. Et elle m'a répondu sur le même ton. Que je n'étais qu'un ersatz, une petite pointure, tout juste bon à fréquenter pour s'amuser un peu, quand il n'y avait rien d'intéressant à la radio. J'ai failli lui en claquer une. Je l'ai houspillée, l'ai plaquée contre la porte de l'immeuble. Mais je ne l'ai pas tuée.

Il reprit sa respiration.

— Les voisins ont dû entendre le bruit. Le commissaire dit qu'un témoin prétend m'avoir vu le soir du meurtre. Mais ce soir-là, j'étais seul à la maison, seulement personne ne me croit et je ne peux pas le prouver. Je n'ai pas mis les pieds chez elle ce soir-là. Je suis innocent. J'étais chez moi quand c'est arrivé.

— Soit ; revenons-en à l'affaire Karasek. Corrigez-moi si je me trompe. Avec votre Angelika, vous avez fréquenté les autres habitants de la Sophienstrasse 8 et fait la connaissance d'Egon Karasek ?

Buchwald approuva d'un signe de tête.

— Il y avait toujours une petite fête, chez l'un ou l'autre. Mais je n'y ai assisté que deux ou trois fois. Sinon, je les connais uniquement parce qu'Angelika bavardait avec eux dans les escaliers.

— Bien, ponctua Kalterer. Dites-moi : qu'est-ce qui se disait sur Karasek ? Quels genres d'affaires faisait-il, avait-il des amis, lui connaissez-vous des ennemis ? Soupçonnez-vous quelqu'un de l'avoir assassiné ?

— Je ne sais pas.

Les épaules de Buchwald se reprirent à trembler.

— Apparemment, ses affaires marchaient très bien, mais il n'en a jamais rien dit de précis. Je sais qu'il a acheté l'immeuble d'un Juif qui voulait émigrer. Et selon les rumeurs, il n'avait eu aucune raison de se plaindre du prix. Mais tout cela ne m'intéressait pas. Je suis typo, et dans l'immeuble on était plutôt marchand ou épicier. Tous des ambitieux, comme Angelika. Et aujourd'hui je m'étonne qu'elle m'ait emmené à ces fêtes.

Il s'interrompit pour fixer de nouveau le plateau de la table.

— Continuez. Et tenez-vous-en aux faits.

L'homme leva les yeux.

— Vous savez, malgré les progrès de notre communauté patriotique, tout ce qui est bourgeois m'est plutôt resté étranger. Mais peu importe, j'ai d'autres soucis maintenant. Au fond, ils ne m'intéressaient pas. En dehors des fêtes et des brèves rencontres sur les paliers, je n'avais aucun contact avec les voisins. Tout ça n'était que superficiel. Ça ne m'a jamais bien enthousiasmé. D'ailleurs, après le bombardement, je n'ai plus revu personne, à part Stankowski, que j'ai croisé une fois par hasard, dans la rue.

Il reprit une cigarette du paquet que lui tendait Kalterer et s'efforça de l'allumer lui-même.

— Où se passaient ces fêtes ?

— Dans l'immeuble, chez l'un ou l'autre. Une fois aussi, Haas avait invité dans son jardin ouvrier.

— Bodo Stankowski – il venait aussi aux fêtes ?

— Oui, il en était.

— Et qu'est-ce que vous savez à son sujet ?

— C'est certainement pas lui qui a tué Karasek ! Fallait voir comme il était toujours accroché à ses basques, guettant que quelques miettes tombent de la table du festin. Vous savez, il faisait partie de ces gens serviles, une sorte d'homme de peine, il faisait tout ce que Karasek lui demandait. Et il a fini par reprendre le magasin de Haas. Mais je n'en sais pas plus, cela faisait un certain temps que je ne voyais plus Angelika.

— Stankowski aussi a été assassiné.

Kalterer se tut un moment. D'un coup sec du poignet, il fit tomber la cendre de sa cigarette dans le couvercle de la boîte de Schoka-Kola.

— Trois personnes, qui toutes trois habitaient l'immeuble, ont été assassinées l'une après l'autre. Vous ne trouvez pas ça bizarre ? Qu'est-ce que vous en pensez ?

Buchwald fixa le couvercle, puis le plateau de la table. Soudain, il esquissa un geste pour se redresser.

— Vous voulez dire qu'il n'y aurait qu'un seul coupable ? Il n'y aurait donc plus de charges contre moi ?

— Doucement, doucement, tout n'est pas encore aussi clair. Mais tout est possible. Si vous êtes vraiment innocent et que vous m'aidez, on en tiendra compte.

On voyait à son comportement que Buchwald reprenait espoir. Il s'agitait sur sa chaise, trépignait presque, posa son index sur ses lèvres et réfléchit profondément, le coude dans la main.

— Karasek faisait ses affaires dans l'immobilier, c'est comme ça qu'il s'est enrichi et c'est peut-être à cause de ça qu'il s'est fait des ennemis…

Il s'interrompit, puis ajouta : mais je ne vois pas le rapport avec la mort d'Angelika et de Stankowski.

— Bien, reprenons autrement. Est-ce qu'au cours de ces fêtes, Karasek aurait parlé affaires ? Y a-t-il eu des disputes entre voisins ? Est-ce que vous auriez remarqué quelque chose ?

— Non, pas vraiment. La plupart du temps, les fêtes étaient assez décontractées, on parlait de choses et d'autres, mais des disputes, non… excepté cette horrible Saint-Sylvestre, quand Haas a appris la mort de son frère. Mais, pour autant que je sache, c'est seulement après son arrestation qu'il y a eu des problèmes...

— Haas a été condamné pour haute trahison ? C'est ça ?

— Oui, en fait, tout ça s'est passé cette nuit de la Saint-Syvestre de 1942. Haas a appris ce soir-là la mort de son quatrième frère. Il a complètement perdu les pédales et a insulté le Führer devant tout le monde, fallait voir comment ! C'en a été fini de la fête, naturellement, et quelques jours plus tard, ils sont venus le chercher.

— C'est donc que quelqu'un présent à la fête l'a dénoncé, non ?

— C'est très possible. Mais c'est curieux, ce que vous me demandez là ! Il y a quelques semaines, Haas m'a posé exactement les mêmes questions.

— Quoi ?!

Il avait presque crié. Buchwald eut un mouvement de recul et le regarda avec de grands yeux. Kalterer s'efforça de reprendre le contrôle de sa voix.

— Vous avez rencontré Ruprecht Haas ? Et quand ?

Il voyait la main de l'homme trembler en secouant la cendre de sa cigarette au-dessus du couvercle.

— Nous nous sommes brièvement rencontrés une fois et nous avons échangé quelques mots.

— Quand ?

— Peu de temps avant mon arrestation, à la mi-septembre environ, je crois.

— Vous en êtes certain ?

— Évidemment, je ne suis pas idiot.

— Et vous vous rappelez de quoi vous avez parlé ?

Buchwald sentait manifestement qu'il avait agrippé le brin de paille qui pourrait le sauver. Il ne comprenait pas exactement pourquoi, mais il devinait que ce qu'il allait dire pourrait lui être utile. Il réfléchit longuement.

Kalterer lui en laissa tout le temps. S'efforçant de garder son calme, il alluma une cigarette.

— Heu… qu'est-ce qu'il a bien pu raconter ? En réalité, il m'a seulement demandé ce qui était arrivé aux habitants de l'immeuble quand il a été détruit durant ce raid, et où ils vivaient maintenant. Pour être exact, il m'a demandé où s'étaient relogés Karasek et Stankowski.

— Et où ça ?

— Je ne connaissais pas l'adresse de Karasek. Celle de Stank…

— Je vous demande : où l'avez-vous rencontré, le coupa-t-il brutalement, où avez-vous rencontré Haas ?

— Dans la brasserie, celle où je vais après le travail, je suis une sorte d'habitué.

Il lui donna le nom de l'endroit que Kalterer griffonna dans son calepin.

— Mais il était certainement là par hasard. Je ne l'y avais jamais vu auparavant.

— Est-ce qu'il vous a dit où il logeait ? Savez-vous peut-être où on peut le trouver ?

— Non, aucune idée. Il n'a rien dit.

Porté disparu, puis déclaré mort. Et Ruprecht Haas qui se baladait dans Berlin, en pleine forme, et se renseignait sur les adresses de Karasek et de Stankowski !

— Quels sont ceux qui étaient présents, à cette fameuse fête de la Saint-Sylvestre ?

— Ben, Angelika et moi, Karasek, Stankowski et la mère Fiegl, et Haas et sa femme, naturellement.

— Et la femme de Stankowski ?

— Elle n'allait pas bien et était déjà couchée.

— Mettons les points sur les i : c'est votre fiancée qui a dénoncé Haas ?

— Non.

Buchwald secoua la tête avec force.

— Vous en êtes absolument certain ?

— Oui. J'étais présent quand la Gestapo nous a interrogés à cause de cette soirée de la Saint-Sylvestre.

— Haas le sait ?

— Oui, je le lui ai raconté. Un moment...

Il eut un haut-le-corps.

— Vous pensez que... Haas... aurait...

Il tenta d'écarquiller les yeux, et dans l'effort une fente minuscule s'entrouvrit entre les paupières enflées de son oeil droit. Il finissait enfin par comprendre que le brin de paille se changeait tout doucement en bouée de sauvetage.

— Et il a eu le culot de m'adresser la parole...

— Pas si vite, Herr Buchwald. Vous aussi vous assistiez à cette fête. Haas aurait donc pu vous soupçonner, vous aussi. Est-ce qu'il y a fait allusion dans cette brasserie ?

L'homme rentra la tête dans les épaules.

— Non. Mais je ne l'ai pas dénoncé, non plus. Et m'est avis qu'il m'a cru.

— Vous avez fait allusion à des problèmes qui seraient survenus dans l'immeuble après l'arrestation de Haas. Outre cette histoire de dénonciation, Haas aurait-il pu avoir d'autres mobiles ?

— Oui, bien sûr.

Buchwald retrouvait des couleurs. Il raconta vite, sans s'interrompre :

— La femme de Haas avait eu des difficultés financières après l'arrestation de son mari et elle avait dû céder son magasin à Stankowski. Ma fiancée avait profité de la situation pour essayer de s'emparer de son appartement. Grâce à Karasek, elle avait réussi à échanger les deux logements. Et seule la famille Haas est morte durant le bombardement. Il est en train de se venger pour tout ça, c'est lui aussi qui a tué Angelika. J'ai toujours dit que j'étais innocent.

— Nous verrons.

Kalterer sonna. Buchwald avait raison, Haas pouvait très bien être l'assassin et il avait un mobile solide : la vengeance. Se venger de la dénonciation, se venger de cette soirée de la Saint-Sylvestre, se venger de ceux qu'il rendait responsables de son sort et de ce qui était arrivé à sa famille.

35

— Attendez, je vais vous donner la main.

Il empoigna un côté de la commode, le souleva, les gravats glissèrent sous le poids.

— Une belle pièce, vraiment. Mais vous espérez pouvoir la restaurer... ?

La femme chercha l'équilibre sur le monceau de décombres, puis saisit l'autre côté du meuble.

— C'est une antiquité, un meuble ancien, de famille. Je n'ai pas le cœur à le laisser là, comme ça, dehors.

Ils s'enfoncèrent jusqu'aux chevilles en descendant de l'amoncellement de gravats couleur ciment. Toute la façade de l'immeuble avait été soufflée et on voyait dans les appartements mis à nu. Malgré les plafonds en partie crevés, beaucoup de meubles étaient encore à leur place, mais noirs de suie, quelques-uns fumant encore.

Ils déposèrent la commode au beau milieu de la Reichenbergerstrasse, à côté d'autres meubles, appareils ménagers et ustensiles de cuisine qui avaient pu être récupérés. La femme le remercia, puis s'agenouilla pour examiner les dommages de sa commode.

Il essuya ses mains pleines de poussière à son manteau, contempla la rue du haut en bas et hocha la tête.

— Presque une maison sur deux a été touchée...

L'odeur de brûlé planait encore lourdement dans l'air, l'eau utilisée pour lutter contre les incendies s'était accumulée en immenses flaques noirâtres et de nombreuses personnes fouillaient ce qui restait des immeubles déchiquetés, à la recherche de disparus ou de tout ce qui était encore utilisable. L'emplacement où l'on avait rassemblé les morts se trouvait à quelques mètres du carrefour proche, mais il ne réussit pas à savoir combien il y en avait déjà, tellement on s'empressait autour.

La femme se redressa.

— Oui, mais l'immeuble dans lequel votre amie habite maintenant est encore debout.

— Dieu merci.

Il le pensait sincèrement : il n'aurait plus manqué que la Fiegl eût été tuée dans un bombardement.

— Et vous avez dit que sa belle-sœur s'appelle comment déjà ?

— Büskens, répondit la femme, Hannelore Büskens. Elle habite là-bas, dans le deuxième immeuble, au deuxième étage. Une femme très sympathique, votre amie, toujours secourable ; donnez-lui le bonjour de ma part, de Trauteschätzchen, elle saura qui c'est. Dites-lui que pour nous, tout va bien, mais que nous allons rejoindre mon frère à Wernigerode. Vous n'oublierez pas ?

— Je ferai la commission, comptez sur moi.

Il la salua, rejoignit le lampadaire plié en deux où il avait laissé sa bicyclette, la prit sur l'épaule et se fraya un chemin dans la rue obstruée par les décombres.

Un pâté de maisons plus loin, la chaussée avait été déblayée. Il sauta en selle et se rendit dans la rue adjacente. Maintenant qu'il savait où la Fiegl habitait, il n'avait plus qu'à attendre qu'elle lui tombe entre les mains comme un fruit mûr.

Une demi-heure plus tard, les sirènes mugissaient de nouveau. C'était déjà le cinquième raid en quatre jours. Il n'y aurait bientôt plus une seule maison debout dans Berlin. Tout le monde se précipitait dans les rues. Il suivit la foule : les habitants du quartier savaient où aller. Il mit ses pas dans ceux d'un groupe qui marchait sans hésitation, valises à la main, vers l'abri le plus proche.

Il était étonné de la manière dont les gens semblaient accepter leur sort : direction abri à chaque mugissement de sirène, puis travaux de déblaiement, nouveaux hurlements de sirène, abri, déblaiement, sirène, abri, déblaiement… Personne n'avait l'air de protester, personne ne semblait se rebeller contre cette routine dévastatrice. Le Reich allemand lui paraissait un navire en train de couler : tout l'équipage louchait vers les chaloupes de sauvetage mais, à fond de cale, dans les soutes, on continuait à lancer des pleines pelletées de charbon dans la gueule des chaudières pour que l'hélice continue à brasser l'eau, alors qu'en réalité elle tournait depuis longtemps dans le vide.

La foule s'agglutinait devant l'abri. À peine eut-il attaché sa bicyclette qu'il fut happé dans l'immense construction en béton, pressé le long de couloirs, puis parqué dans une salle avec des centaines de personnes. Il avait du mal à respirer et dut jouer des coudes pour se faire une petite place.

Les premières bombes éclatèrent – des détonations lointaines encore, mais qui se rapprochèrent rapidement – explosèrent en touchant le bunker qui trembla, sembla vaciller. La lumière s'éteignit. La peur des occupants éclata en un unique cri. Plongé dans une obscurité complète, il sentit des mains s'agripper à son manteau, des corps se presser contre lui, lui coupant la respiration. Il tâtonna dans le noir pour chercher appui lui aussi, finit par s'accrocher aux corps qui se cramponnaient déjà à lui. De nouvelles déflagrations secouèrent l'abri, libérant d'autres hurlements de peur. On sentit soudain une odeur de sueur, d'urine et d'excréments ; l'air devenait irrespirable. Il était coincé dans une nuit noire, au milieu d'un enchevêtrement d'êtres humains invisibles, qui tanguaient de ci de là, des corps qui menaçaient de s'affaisser ou qui, cédant à la panique, se débattaient et respiraient avec difficulté, bouche ouverte comme des poissons échoués sur la grève.

L'alerte fut levée. Le hurlement des sirènes décroissait lentement, mais la lumière ne revenait pas. Les gens arrêtèrent peu à peu de tanguer, les mains lâchèrent ses vêtements, il entendit des respirations plus régulières, les sanglots d'un enfant aussi, qui se tut aux chuchotements apaisants de sa mère. Le silence dans une obscurité totale.

— Quand est-ce que toute cette merde va enfin finir ?

Une voix d'homme avait prononcé cette phrase dans le noir, une voix claire, à l'articulation bien nette. Sans le vouloir, il tourna la tête dans la direction d'où elle était venue.

— Quand ce gros lard de Goering pourra enfiler le futal de Goebbels !

C'était une autre voix, d'homme encore, encore plus intelligible, venue de la porte qui menait à la sortie. Il entendit une femme glousser, puis pouffer de rire, comme si elle avait mis la main devant la bouche, puis l'homme éclata de rire. Cela le fit sourire.

— Faites attention à ce que vous dites !

Cette troisième voix, coupante, impérieuse, n'était pas bien loin de lui.

Le rire se tut.

— 'Scusez… (C'était de nouveau la voix claire qui se manifestait.) Bien entendu, s'pas, je ne parle pas de Herrmann Goering, mais de celui que, depuis le premier raid aérien sur Berlin, on peut appeler Herrmann Meyer[1] !

Les rires fusèrent de nouveau dans l'obscurité, plus nombreux cette fois.

Mais la voix impérieuse retentit encore et le silence retomba.

— Ça suffit maintenant, camarades ! Nous sommes ici sur l'arrière-front et pas à une partie de quilles dans la salle arrière d'un bistrot. Le Führer attend de nous que nous remplissions notre devoir d'airain et que nous soutenions nos camarades au front, que nous ne nous laissions pas influencer par les discours défaitistes des lâches ennemis de notre communauté. Je préviens le plaisantin que si j'entends encore la moindre critique, je fais boucler l'abri et personne n'en sortira jusqu'à

---

1. Vantant les défenses antiaériennes de la Luftwaffe, Goering avait proclamé : « Si jamais un bombardier ennemi réussit à survoler la Ruhr, je ne m'appelle plus Hermann Goering, et vous pourrez m'appeler Meyer », c'est-à-dire Martin ou Dupont.

ce que je sache qui est responsable de cette propagande bolchevique.

— Mais bouclez-la donc vous-même !

La voix de femme avait surgi du fond de la salle.

— Qui vient de parler ?

La voix était devenue plus coupante encore.

— Qui a dit ça ? Personne ? Racaille, bande de lâches, ingrats… Il y a dix ans, vous étiez à la rue, sans pain et sans travail. Qui vous en a redonné ? Les socialos ? Les criminels de novembre 18 ? Les joailliers juifs et les usuriers ? Les faux-monnayeurs et les spéculateurs boursiers, peut-être ? Non, le Führer ! C'est lui qui s'est démené pour que vous retrouviez du travail ! C'est lui qui a remis l'économie en marche et qui a fait du Reich un grand Reich ! Et vous avez à nouveau gagné votre pain et pu vous acheter quelque chose. Et maintenant, maintenant que le Führer a besoin de vous, dans cette passe difficile avant la victoire finale, vous le laissez tomber. Mais où seriez-vous donc, tous autant que vous êtes, si vous n'aviez pas notre Führer ?

— Chez nous, à la maison !

C'était une fois encore la voix de l'homme près de la porte.

Les rires éclatèrent autour de lui. Il y mêla le sien dans l'obscurité. Il en entendit d'autres qui répétaient en riant « À la maison ! », et la voix impérieuse qui arrivait à peine à se faire entendre :

— Sales traîtres, bande de lâches !

Avec un bruit sec, la lumière revint brusquement dans l'abri. Les rires s'éteignirent aussitôt. Il cligna les paupières pour se réhabituer à la clarté. Il reconnut entre les cils celui qui avait crié, un SA en uniforme, dont la tête cramoisie dépassait la foule qui l'entourait et qui tentait vainement d'atteindre la porte avant tout le monde. Il se mit à pousser lui aussi ; il voulait sortir d'entre ces murs bétonnés, respirer un air moins vicié – conscient pourtant que, comme après chaque bombardement, il serait accueilli par des nuages de poussière et cette odeur de chair brûlée.

36

« *Au nom du peuple allemand. Dans l'affaire pénale concernant le commerçant Ruprecht Haas, résidant à Berlin, né le 13. 10. 1908 à Berlin-Neukölln, marié, un enfant...* »

Ruprecht Haas. Un compatriote tout à fait rangé, respectueux des lois, jusqu'au jour où l'on avait commencé à enregistrer dans un dossier les moindres détails de sa vie. Ce jour qui faisait de Haas une affaire pénale, ce jour où Haas avait trop parlé. La Gestapo avait réuni la plupart des documents, et c'est ainsi que les papiers personnels de Haas étaient étalés devant lui sur la table de la cuisine, de sa déclaration de résidence à ses bulletin de naissance et livret de famille, en passant par sa carte d'identité et ses papiers militaires.

Le jugement était agrafé en tête du dossier : « ... *actuellement en détention préventive pour rébellion envers les forces armées ; le tribunal de Berlin, 2ᵉ chambre, suite à la session du 8 février 1943, à laquelle étaient présents...* »

Il sauta le paragraphe. Nom du président du tribunal, du procureur, des assesseurs, etc. Il reprit sa lecture aux attendus du jugement : « *[...] que de droit :*

*l'accusé Ruprecht Haas a déclaré à Berlin, Sophien-
strasse 8, le 31 décembre 1942, pendant la fête de la
Saint-Sylvestre, après qu'il eut appris la mort en héros
de son frère, qu'"il serait enfin temps d'en finir, avant
que le Führer nous tue tous".*

*Ce disant, l'accusé a gravement porté atteinte à
notre élan national-socialiste pour une défense unie,
apportant ainsi une aide à notre ennemi, et ce en temps
de guerre. Il a ainsi perdu son honneur. Même si
l'accusé doit déplorer la perte de son quatrième frère
au cours de cette guerre, le tribunal ne saurait de ce
fait lui reconnaître des circonstances atténuantes,
attendu que la fréquentation par l'accusé d'ouvrages
interdits enlève tout caractère spontané à ses paroles
répréhensibles. Le coup qu'il a voulu porter aux capacités de défense allemande outrage aussi le prestige
de son frère mort pour la patrie. L'accusé est
condamné à dix ans de maison de correction et privé
pour cette durée de ses droits civiques et de son honneur. »*

Suivaient les procès-verbaux d'interrogatoire de
Karasek, Stankowski, Frick, Fiegl et Buchwald. Ils
avaient peu ou prou déclaré la même chose. Selon eux,
les fêtes de fin d'année étaient organisées à tour de
rôle par les résidents, et cette année-là ç'avait été celui
de la famille Haas. Tôt dans la soirée, un camarade de
régiment de son frère lui avait apporté la triste nouvelle. Haas était alors entré dans une rage folle. Il
s'était mis à hurler et c'est là qu'il avait prononcé ces
paroles indécentes. Tous les amis présents avaient
tenté de le calmer, mais il avait plusieurs fois renou-
velé ces malheureuses insultes. Tous avaient témoigné

qu'à cause de cet événement la fête avait été interrompue avant même la fin de l'année.

Il trouva dans le dossier une liste de livres interdits qu'on avait découverts sur une étagère appartenant à Haas. Stefan Zweig, Emil Ludwig, Lion Feuchtwanger, Mann, Kästner, Tucholsky, *Allemagne, un conte d'hiver*, de Heine. On ne pouvait donc s'attendre à des circonstances atténuantes : à cette époque déjà, l'issue de la guerre était bien douteuse. En réalité, début 1943 tout était déjà perdu. Ce type avait encore eu de la chance. À présent, il n'y avait plus qu'une seule punition pour de tels actes : la mort par pendaison ou l'exécution à la hache. On risquait de perdre la vie pour un simple vol. Si Haas était passé devant le tribunal du peuple, le verdict eût été tout autre, même en ce temps-là.

Mais cette sentence parut manifestement trop légère à la Gestapo : six mois après sa déportation à Bautzen, on transféra Ruprecht Haas à Buchenwald. La Gestapo avait corrigé le verdict du tribunal. Le criminel disparut dans le camp de concentration pour une durée indéterminée.

Kalterer continua à feuilleter. Il n'y avait plus rien d'important dans le dossier, sinon que Haas avait fini par tout avouer après avoir d'abord protesté.

Il était en train d'examiner les papiers personnels de Haas quand Inge, en robe de chambre, l'air endormi, fit son entrée dans la cuisine. Elle grommela un bonjour et mit aussitôt de l'eau à chauffer pour le café.

Il découvrit encore deux actes de décès, l'un au nom de Lieselotte Haas, née Mudra, l'autre de leur fils

Friedrich-Christian, tous deux tués dans un bombardement le 25 mars 1944.

La bouilloire s'était mise à siffler et il dirigea ses regards vers la gazinière. Inge versait l'eau chaude dans la cafetière sur l'ersatz de café.

— Apparemment, il n'y aura pas de raid ce matin, dit-il en reprenant l'examen du dossier.

Elle ne réagit pas et attendit en silence que le marc descende au fond.

Il empila les feuillets déjà dépouillés. Il contempla longuement la photo de la carte d'identité de Haas. Un front haut, des cheveux plats, bruns foncés, un visage triste aux joues légèrement arrondies, le nez un peu fort, sans autre signe particulier.

— Hans, qui est Merit ?

Inge s'était accoudée à la table de la cuisine, bras croisés.

Il sursauta.

— Pardon ?

— Tu as parlé d'elle dans ton sommeil.

— Merit, dit-il à voix basse, cela ne nous concerne pas.

— Cela ne nous concerne pas, répéta Inge dans un rictus. Qui est-ce ?

— C'est du passé.

Kalterer s'appuya à la table et se leva. Il était assis là depuis cinq heures du matin, cette affaire ne le laissait plus en paix.

— Tu es au lit avec moi et tu parles d'elle !

Elle était outrée et blessée à la fois. Elle se recula quand il prétendit s'approcher d'elle.

— Merit était ma femme. Nous sommes séparés, depuis longtemps déjà.

Il avait dû parler pendant un cauchemar. Il se plaça devant elle, lui prit la taille et l'embrassa tendrement sur les lèvres.

— Rien de grave. Désolé, Inge, mais il faut que je termine ce travail.

Elle approuva, se détourna et disparut dans la chambre à coucher.

Il se versa de l'ersatz de café et alluma une cigarette. Les femmes avec leurs questions. C'était la cause de tous les problèmes. Le tabac sec lui piqua la gorge.

Toute la vie de Haas était étalée sous ses yeux sur la table de la cuisine. Une vie courte, terne. Rien de notable, rien d'extraordinaire. Quelques marks d'épargne pour acheter une voiture. Haas avait mené une vie retirée, repliée sur sa famille qui semblait avoir été tout pour lui. Les comptes rendus d'interrogatoires semblaient crédibles. Rien n'avait dû échapper à la Gestapo.

Un court laps de temps, il eut la vision des papiers de sa propre carrière étalés eux aussi sur le bureau d'un officier de renseignements allié. Depuis un an, la rumeur avait filtré que les ennemis avaient l'intention de traduire les officiers de la Wehrmacht devant les tribunaux comme criminels de guerre. Mais il n'était pas un criminel de guerre. Comme tout bon soldat, il n'avait fait qu'obéir aux ordres. Les Alliés ne pourraient rien retenir contre lui. Il n'était qu'un petit rouage de la machine. Et on avait besoin de policiers compétents partout ; on en aurait aussi besoin après la guerre. Même si on ne savait pas comment tout cela allait finir, résoudre cette belle affaire criminelle ne pouvait certainement pas faire de tort.

Ruprecht Haas avait été un homme prévoyant. Depuis le premier jour de son apprentissage, il avait soigneusement collé ses vignettes, toutes proprement alignées dans son carnet d'assurance-retraite. Chaque année avait ainsi été consignée, même durant la période où il avait été commerçant. Cet homme avisé n'était sorti qu'une seule fois de sa réserve, et ce pour sa perte.

Attestations d'assurance, récépissé de libération de Bautzen, certificat de transfert pour Buchenwald. Puis il eut à nouveau en mains les documents de l'administration du camp de concentration, ceux aussi où l'on informait succinctement le procureur de la mort de Ruprecht Haas. Il y avait bien une date, mais les causes du décès manquaient. Une communication téléphonique avec Buchenwald avait tiré un point au clair : après le raid aérien sur le camp, la plupart des morts n'avaient pu être identifiés. Les bombes explosives avaient fait leur œuvre, et l'administration ne s'était plus donné la peine de mettre de l'ordre dans les divers *membra disjecta* des cadavres. On n'avait même pas pu établir avec certitude le nombre exact de tués. Il était clair que Haas avait réussi à s'évader durant le bombardement de Buchenwald et qu'il avait été déclaré mort par erreur.

Il déposa la pile de documents sur le sol pour faire de la place à Inge qui dressait la table du petit déjeuner. Il se leva pour couper du pain, posa la miche sur la planche de la machine, en laissa dépasser quelques centimètres et appuya avec force sur le manche du couteau. Une tranche de pain tomba. Il souleva de nouveau la lame en acier, avança la miche, coupa la tranche suivante.

On les poursuivrait « jusqu'au coin le plus reculé de la planète ». C'est ainsi, disait-on, que s'étaient exprimés les ennemis dans une déclaration signée par Staline, Churchill et Roosevelt. Il fallait livrer les criminels de guerre à leurs accusateurs, pour que « la justice règne ».

37

Wörthstrasse. La bataille de Reichshoffen, près de Woerth dans le nord de l'Alsace, 1871. Des Wurtembourgeois et des Badois montent vaillamment à l'assaut des troupes françaises. Kalterer grimpait les escaliers quatre à quatre. Après chaque raid aérien, une fine poussière de crépi se détachait des murs gris du sombre bâtiment. Les femmes de ménage n'arrivaient plus à suivre. Les travaux de nettoyage commençaient tout en haut de la hiérarchie. Le bunker du Führer, propre. La chancellerie du Reich, propre. Prinz-Albrecht-Strasse 8, toujours bien propre. Dans la Wörthstrasse ou dans des annexes comme celles de la Kochstrasse ou à son domicile, le ménage ne suivait plus. C'est pourquoi, selon le jour ou l'heure, les escaliers étaient poussiéreux.

Il était deux heures de l'après-midi. Heure à laquelle s'étaient dessinées des demi-lunes claires dans la poussière grise des marches. Mais la rampe de l'escalier était toujours sale. Personne ne posait la main sur un garde-fou sale. Il passa une porte battante et pénétra dans un couloir sombre. La deuxième porte de gauche était la bonne. Il entra dans le bureau sans frapper.

Avec un individu du genre de Bechthold, il ne fallait pas hésiter à être un peu brusque.

Deux fenêtres, deux bureaux encombrés de papiers, deux fonctionnaires, une fleur en pot desséchée, un poêle dans un angle. Il ne tint pas compte de l'assistant assis sur la gauche, Scholz ou Scholl et, main droite glissée dans la poche de son pantalon, pan de la veste relevé, celui du manteau crânement rejeté en arrière il se planta devant l'homme plus âgé.

— Bonjour, commissaire Bechthold, dit-il en ricanant, toisant de haut le fonctionnaire qui griffonnait sur un morceau de papier. Toujours appliqué au travail ?

Il approcha une chaise, s'assit sans vergogne devant le bureau de Bechthold, repoussa quelques chemises d'un revers de l'avant-bras et déposa son chapeau sur la place ainsi libérée.

Bechthold s'empressa de déplacer sa bouteille thermos.

— Qu'y a-t-il à votre ser... ?

— Beaucoup de travail par les temps qui courent, l'interrompit-il, beaucoup de choses dont on ne peut s'occuper correctement, ce qui doit certainement chagriner le cœur d'un vrai flic. Pas le loisir de mener correctement ses enquêtes, on classe des affaires à la va-vite. C'est l'époque qui veut ça, on n'y peut rien.

— De quoi s'agit-il, Herr Sturmbannführer ?

Bechthold l'observait en clignant les yeux. Il avait l'air calme, comme si l'apparition théâtrale de Kalterer ne l'impressionnait absolument pas.

Avec les vrais coriaces, à l'assaut, comme Blücher à la Katzbach, faut les asticoter, ces gars-là, leur avait inculqué l'instructeur. Mais un vieux renard comme

Bechthold savait ça aussi, naturellement. Il réussirait donc sans aucun doute à molester plus facilement un homme comme le commissaire en jouant les demi-habiles, en usant de la fibre paternaliste, de la confiance. Il changea donc de registre, parla d'une voix plus posée.

— De l'affaire Frick, évidemment. J'ai étudié le dossier et je me demande si vous n'auriez pas commis là une petite erreur.

Bechthold se laissa aller contre le dossier de sa chaise et joua avec un crayon. Sans que l'un ou l'autre des deux fonctionnaires eût prononcé un mot, Scholl quitta la place. Quand la porte se fut refermée derrière lui, le commissaire demanda :

— Où voulez-vous en venir ?

Répondre à une question par une question : ce genre de pratique avait de quoi faire bouillir un officier SS de la kripo, et cela Bechthold le savait aussi.

Mais Kalterer sut se maîtriser : au fond, il n'avait besoin que d'une seule information.

— Je vous ai déjà parlé de ces ressemblances notables et troublantes entre le meurtre de Stankowski et la mort de Frick. J'aurais aimé savoir qui a reconnu Buchwald sur les lieux où la Frick a été tuée.

— L'affaire est classée. Le dossier est sur le bureau du procureur.

Bechthold avait pris un autre crayon sur son bureau et le faisait pirouetter entre ses doigts sans lever les yeux. Le commissaire avait quelque chose à cacher, Kalterer en était certain. Ou peut-être s'agissait-il une fois encore d'un de ces coups en traître, d'une jalousie entre services, envers ceux qui jouissaient d'un traitement de faveur, ou un de ces coups en douce tout en finesse qui entravaient si souvent le travail de la police.

Il déplaça son chapeau de manière qu'il touche une pile de dossiers en désordre.

— Mon cher Bechthold, vous n'allez tout de même pas me refuser cette petite information ?

Bechthold n'avait pas perdu un centimètre du trajet du chapeau. Dans sa main, le crayon ne bougeait plus.

— Vous vous rappelez mon sauf-conduit ?

Le commissaire se pencha lentement en avant, ouvrit un tiroir dans lequel il sembla plonger tout entier, et en sortit un calepin.

— Heutelbeck, Hinrich, Tempelherrenstrasse 2.

Il leva les yeux.

— C'est lui qui a formellement reconnu Buchwald dans l'escalier ; c'est du moins ce qu'il a déclaré. La déposition écrite de Heutelbeck est sur le bureau du procureur, signée. Buchwald avait une liaison avec Frick. Ce fameux soir, ils se querellent, puis la demoiselle est assassinée. Ce qui fait que Buchwald a un mobile. Mais il nie être entré dans l'immeuble, quoique Heutelbeck l'ait vu. Il se rend ainsi automatiquement suspect, et à mes yeux il l'est encore.

Il arracha une page de son calepin et la fit glisser sur le bureau.

Kalterer s'en empara et se leva.

— C'est tout ce que je voulais savoir, Bechthold.

Il reprit son chapeau et sortit sans un mot.

Parvenu au bout du sombre couloir, passé la porte battante, il vit Scholl appuyé à la balustrade du palier. Les dessous de manche des avant-bras de sa veste bleu foncé étaient souillés de poussière et à l'endroit où il s'était appuyé, le bois brun vernis luisait comme si on venait d'y passer le chiffon. Kalterer lui fit un signe de la tête pour le saluer avant de s'engager dans l'escalier. L'adjoint du commissaire le retint :

— Herr Sturmbannführer, pourriez-vous m'accorder un instant ?

— Certainement. De quoi s'agit-il ?

Scholl tourna le dos à la rampe et dit à voix couverte :

— C'était un ordre. Je ne pouvais rien faire.

— De quoi parlez-vous ?

— Ce que le commissaire vous a dit n'est pas tout à fait exact. Pourtant, il était question de Front rouge, de saboteurs et de traîtres.

Scholl remarqua que ses avant-bras étaient couverts de poussière et s'empressa de tapoter ses manches.

— Venez-en au fait, mon vieux.

L'assistant interrompit sur-le-champ son opération de dépoussiérage.

— Euh, tout le service est vraiment sous pression à cause de l'attentat contre le Führer et de l'augmentation de la criminalité.

— Vous commencez à me taper sur les nerfs, mon cher Scholl.

Scholl regarda vers la porte battante.

— Bechthold a monté tout un truc, là… avec ce rouge… ce Heutelbeck… Un rouge pur jus, membre d'un comité d'entreprise depuis leur création et tout et tout. Jamais capable de la boucler. Il faisait toujours des blagues idiotes, traînait le mouvement dans la boue, mais personne ne l'a jamais dénoncé.

Tout en lui parlant, l'assistant le regardait, comme s'il guettait un mot d'approbation. Kalterer haussa les épaules.

— Bechthold a donc menacé Heutelbeck avec son passé de rouge et l'a ainsi obligé à identifier Buchwald. Dès le départ, j'ai pensé que ce n'était pas correct, même pour se faire bien voir de ses supérieurs. Bechthold voulait certainement se rendre indispensable en ces heures décisives pour notre patrie.

Scholl s'interrompit net. Puis il ajouta à voix basse :

— Mais c'était, c'est encore, mon supérieur hiérarchique…

Cet incident cadrait avec le reste. Partout où il mettait les pieds, il pataugeait dans la même gadoue. Il donna un coup de pied dans une boulette de mortier qui alla s'écraser quelques marches plus bas.

— Et vous aussi, vous voulez sans doute vous rendre indispensable, n'est-ce pas ? Maintenant qu'on fait même appel à des divisions de vieux grognards pour la milice du Volkssturm.

Kalterer posa le pied sur la première marche. Jusqu'au rez-de-chaussée le milieu des marches avait été tellement piétiné qu'il en était propre.

38

— Mollo, mollo, un petit vieux, c'est pas un express !

La porte s'ouvrit lentement, dévoilant peu à peu le visage non rasé d'un homme aux cheveux gris d'environ soixante-dix ans. Sous des sourcils en broussaille, une paire d'yeux éveillés contemplaient Kalterer avec curiosité.

— Comme je vous vois là, jeune homme, dans votre étoffe premier choix, je me demande quelle sorte de combattant de l'arrière vous êtes...

Kalterer lui présenta son laissez-passer.

Heutelbeck plissa le front en examinant le document et ses sourcils se réunirent en une longue chenille velue.

— Il faut que nous ayons un petit entretien.

— Mais ils m'avaient dit que l'affaire en resterait là.

— Je ne sais pas de quoi vous parlez. Me permettez-vous d'entrer ?

Un bref tressaillement et la chenille se scinda en deux. Le visage du vieil homme se détendit.

— Bon, ben, entrez donc dans ma modeste chaumière.

Hcutelbeck le précéda dans une pièce encombrée qui sentait fort le remugle, le petit vieux et le tabac froid, et où stagnaient aussi des relents de chou bouilli.

— Asseyez-vous donc.

Heutelbeck lui désigna une chaise près de la table.

— J'étais justement en train de boire une tasse de jus de chaussettes, de fumer une bonne pipe et de regarder ce qu'ils disent dans le journal. Faut bien se tenir au courant de tout ce qui se passe dans notre vaste monde.

À côté d'une pipe éteinte, l'ersatz fumait dans un vieux gobelet ébréché en émail. La table était saupoudrée de miettes de pain et de brins de tabac, sans compter les débris d'allumettes tombés de l'énorme cendrier plein à ras bord.

— Merci, répliqua Kalterer, mais il poursuivit son chemin jusqu'à la fenêtre et jeta un œil dans la Tempelherrenstrasse, sur le canal et les bassins derrière lesquels le soleil se couchait lentement. Vous avez là un beau point de vue.

— Là, vous avez bien raison, tout le monde en est jaloux. Mais le plus beau, c'est que le spectacle change presque tous les jours : il y a toujours du neuf. Sans compter que la vue est de plus en plus dégagée…

Une authentique grande gueule de Berlinois, ce bonhomme. Les Berlinois ne se laissaient pas abattre. Mais ce genre de blague défaitiste pouvait vite vous conduire à la prison de Plötzensee. Le vieux avait l'air de croire que son misérable petit arrangement avec Bechthold lui valait sauf-conduit. Mais avec lui, ça ne prenait pas.

Heutelbeck sirotait bruyamment son ersatz de café.

— Vous voudrez bien m'excuser de m'être assis, mais le café refroidit.

Il tapota le fourneau de sa pipe sur le bord du cendrier, y fourrailla encore un peu jusqu'à ce qu'il la trouve suffisamment curée, souffla dans le tuyau pour en extraire un jus brunâtre, puis tira avec difficulté de la poche de sa veste en laine une vieille boîte rectangulaire en fer-blanc bouclée par un élastique.

— Alors, qu'est-ce qui vous tracasse, z'avez des sujets de réclamations ?

Il ouvrit la boîte, en sortit précautionneusement un vieux mégot qu'il débarrassa de son papier raide de salive séchée, bourra sa pipe avec le pouce, craqua une allumette et pompa plusieurs fois sa flamme jusqu'à ce que d'épaisses volutes de fumée bleu-gris sortent de sa bouche.

Il se tourna vers Kalterer, toujours appuyé au montant de la fenêtre, mais qui n'avait rien perdu de son manège.

— Qu'est-ce qui se passe ?

— Votre humour vous fait honneur, Herr Heutelbeck, mais allez-y mollo. J'ai quelques questions à vous poser au sujet de votre déposition sur le meurtre de Fraulein Frick, Angelika.

— Mais c'est plus d'actualité, avec tous ces événements qui se bousculent.

Heutelbeck hocha la tête d'un air compatissant.

— La pauvre demoiselle !

Sa voix avait l'air plus cassée :

— Et puis, j'ai déjà dit tout ce que vous vouliez entendre.

Kalterer fit le tour de la table et fixa le visage parcheminé de Heutelbeck.

— Que voulez-vous dire ?

— Vous avez mon témoignage écrit. Votre collègue l'a emmené avec lui.

— Vous avez donc rencontré Georg Buchwald dans la cage d'escalier à l'heure du meurtre ?

— C'est bien ce qui est écrit dans ma déposition, non ? Qu'est-ce que vous voulez de plus ?

— Buchwald conteste votre témoignage.

— J'ai dit ce que vous vouliez entendre.

— Je ne vous comprends pas.

Kalterer posa une photo de Haas sur la table.

— Connaissez-vous cet homme ?

Heutelbeck sortit de la poche de sa chemise de flanelle fatiguée une paire de lunettes dont il avait réparé une branche avec du fil de fer, la chaussa et se pencha sur la photo. Il se tut quelques secondes. Les pommettes du vieil homme tressaillaient sous sa peau mâchée.

— Connaissez-vous cet homme ?

— À votre avis, où j'aurais dû le rencontrer ?

— Ne jouez pas les idiots, ce n'est pas un jeu de questions-questions. Il retourna à la fenêtre. C'est lui que vous avez vu dans la cage d'escalier, ou c'est Buchwald ?

Heutelbeck était resté courbé sur la photo de sorte qu'on voyait bien sa nuque mal rasée.

— Qui faut-il que j'aie vu dans la cage d'escalier, qu'est-ce que vous avez envie d'entendre ? demanda-t-il à voix couverte.

— La vérité, mon vieux. C'est votre devoir de la dire.

Il ne répondit pas, s'entêtant à fixer la photo. Kalterer marcha de long en large derrière son dos. Les petits cheveux gris ne se hérissaient pas dans sa nuque. Vérité ou mensonge, ce n'est pas en regardant sa nuque qu'il le saurait. Quand quelqu'un ment, il faut le regarder en face, en plein visage, dans les yeux, mais il restait obstinément derrière Heutelbeck et observait la nuque ridée et les cheveux clairsemés.

Bergmann, lui, avait toujours fait face aux prisonniers, leur criant dessus et les frappant. Assis à l'autre bureau, lui ne les voyait jamais que de dos. Ils commençaient par rester assis bien droit, puis ils se courbaient peu à peu vers l'avant, offrant de plus en plus leur nuque. Des silhouettes désespérées, perdues, peu importe ce qu'ils racontaient. Une balle dans la nuque.

Il en eut assez. Trop de rebelles ces derniers temps, à commencer par cette Everding, et maintenant ce type, séditieux lui aussi. Même si tout le monde vaquait à ses petites affaires, même si tout le monde devinait lentement que Führer, peuple et Reich s'en allaient à vau-l'eau, il avait une mission à accomplir et il entendait la mener à bonne fin, peu importait le chaos tout proche.

— Dites-moi la vérité, mon vieux, tout simplement la vérité.

Le vieux fixait toujours la photo, muet comme une carpe. Kalterer n'était pas venu pour perdre son temps. Il attrapa Heutelbeck par les cheveux et lui cogna violemment le visage contre la table. Heutelbeck hurla. Il lui releva la tête, lui arracha les lunettes, lui cogna de nouveau la face contre la table.

— Espèce de sale porc, vous dénoncez quelqu'un pour meurtre uniquement pour détourner l'attention de vos gamineries de coco. Et vous croyez que ça va marcher ? Vous le croyez vraiment ?

Il respira profondément.

— Alors, et maintenant, vous le reconnaissez plus facilement, l'homme de cette photo ? Vous me dites la vérité tout de suite, ou vous voulez que je remette ça ?

Il lâcha le vieux et s'assit en face de lui. Les journaux entassés sur le plateau de la table avaient amorti les coups. Le front de Heutelbeck ne semblait pas trop avoir souffert. Son nez saignait et gouttait sur le bord de la nappe déjà pleine de taches. La branche de lunettes s'était complément détachée et un verre s'était cassé.

Heutelbeck gémissait doucement.

— J'ai pas fait ça pour moi. Mais pour mon fils, ma bru et mes deux petits-enfants. Le commissaire m'a menacé, il se chargerait personnellement de les faire disparaître... Je n'avais pas le choix, il est capable de tout. Et alors, je lui ai dit tout ce qu'il voulait entendre.

Kalterer tira un mouchoir de sa poche et le lança à Heutelbeck. Bechthold était vraiment un sale type. Cette grande gueule de Heutelbeck lui venait au bon moment avec ses sorties défaitistes. Un type comme ça finissait toujours par se prendre les pieds dans le tapis. Il ne pouvait pas s'en empêcher. Une victime-née, celle qu'on attend.

Heutelbeck ignora le mouchoir, en tira un de sa poche de pantalon et s'en tamponna le nez. Il évitait le regard de Kalterer.

— Et ensuite ? Kalterer rempocha son mouchoir et désigna la photo de Haas.

Heutelbeck s'essuya une fois encore le nez. Le saignement diminuait lentement.

— Oui, j'ai vu cet homme ici. C'est lui qui a frappé chez moi ce jour-là, pas Buchwald.

Heutelbeck se passa le mouchoir plein de sang sur le visage.

— Faut que vous compreniez, ma famille, mon fils… Le commissaire a dit que si je ne disais pas que j'avais vu Buchwald sur le palier, il s'occuperait de ma famille. S'agirait que de moi, jamais j'aurais fait ça, vous auriez pu me tuer sur place…

39

— Heil Hitler, Herr Sturmbannführer, Bideaux à l'appareil.

— Heil Hitler, Hauptsturmführer.

— Comment allez-vous ? L'enquête avance ?

— On fait ce qu'on peut, Bideaux, répondit-il impatiemment. Que me vaut l'honneur ?

— Le Gruppenführer voudrait vous parler. Le mieux serait immédiatement.

Merde. Il fallait qu'il trouve quelque chose à lui dire.

— Bien, j'arrive tout de suite.

Ils lui avaient laissé suffisamment de temps pour travailler à sa guise et ils voulaient tout doucement voir des résultats. Il doutait que ce qu'il avait découvert correspondît à leur attente. Karasek était mort victime d'une vengeance personnelle. Aucune trace d'un quelconque complot politique. Langenstras aurait du mal à accepter ça. Tout était clair, cependant : Haas avait assassiné Frick, Karasek et Stankowski. Ce type tuait l'un après l'autre tous les voisins susceptibles de l'avoir dénoncé. Si son hypothèse était exacte, c'était au tour de la vieille Fiegl. Il fallait donc qu'il la prévienne.

Il prit congé d'Inge, assise à son bureau, penchée sur les dossiers des affaires commerciales de Karasek. Il les avait complétement oubliées celles-là, ces derniers temps. Ça n'avait plus autant d'importance, il connaissait l'assassin.

— Prends ton temps, Inge, ça ne presse pas.

Dehors, le vent soufflait en tempête et s'engouffrait dans le bâtiment froid, sifflant le long des couloirs. Il voulut tout de même aller à pied à la Prinz-Albrecht, se vider l'esprit, préparer une stratégie pour Langenstras. Les petites gouttes de pluie froide tournoyaient dans l'air et le frappaient au visage. Pour se protéger, il enfonça plus profondément son chapeau sur son crâne, remonta le col de son manteau et plongea ses mains au fond des poches. Il avait dénoué l'affaire. On aurait déjà pu mettre en branle toute la machine, jeter les filets à la recherche de l'assassin, surveiller l'appartement de Fiegl, les gares, perquisitionner les hôtels et les bistrots. On aurait pu lâcher les limiers sur la piste. Ils étaient bien placés pour savoir où quelqu'un pouvait se cacher dans le désert de ruines de la cinquième année de guerre. Son travail était terminé. Mais cela signifiait aussi : retour dans le merdier, retour au front. Dans la situation où il se trouvait, il ne fallait surtout pas aller trop vite.

« Temps de merde », marmonna-t-il en levant les yeux. De gros nuages noirs filaient vers l'ouest. Cette nuit, les tommies ne viendraient pas. Pour une fois, l'hiver était de leur côté. Courbé en avant, il descendait la Kochstrasse à grands pas. Par des temps pareils, ce ne devait pas être facile pour Haas. Il avait certainement besoin d'un toit solide au-dessus de la tête. Les gares étaient pleines de monde, et trop surveillées. Un de ces trous de caves dans les champs de ruines, c'était une possibilité. Mais il ne pourrait jamais tout ratisser tout seul.

— Faites donc attention ! Vous ne voyez pas clair ?

La jeune femme lui lança un regard courroucé et se pencha vers un papier journal plié en forme de cornet qui lui était tombé des mains lors de leur collision et gisait défait sur le trottoir mouillé. L'enfant qu'elle portait sur le bras se mit à pleurer. Je ne me suis pas tuée à planter ça et à le récolter pour que ça atterrisse dans la boue !

— Excusez-moi, mais avec cette pluie je ne vous avais pas vue. Vous vous êtes fait mal ?

— Taisez-vous donc et aidez-moi, plutôt.

Il récupéra un kilo environ de choux de Bruxelles dans le papier déjà passablement détrempé qu'il lui glissa sous le bras. Elle le remercia du bout des lèvres et poursuivit son chemin.

Il la suivit un instant du regard. Où avait-elle bien pu récolter des choux ? On avait transformé beaucoup de parcs d'agrément publics en prés ou en champs cultivés. On y coupait de l'herbe, on y faisait la fenaison, la moisson, on y plantait des betteraves. On utilisait le moindre recoin pour l'économie de guerre. Signe patent, en fait, qu'on avait surestimé ses capacités. Mais tout cela se faisait au grand jour, publiquement, il n'y avait pas de récoltes privées. Buchwald n'avait-il pas parlé d'un jardin ouvrier en banlieue ?

— Venez donc, Herr Sturmbannführer.

Une secrétaire le débarrassa de son manteau dégouttant de pluie et le conduisit dans la grande pièce.

Langenstras était assis derrière son bureau et signait

des papiers. Dès que Kalterer lui eut adressé un salut réglementaire, il leva les yeux.

— Heil Hitler, Sturmbannführer.

Langenstras se leva et désigna le coin avec les sièges.

— On me dit que vous enquêtez avec diligence...

En s'asseyant, Kalterer ne se sentit pas à l'aise. Langenstras avait l'air bien informé. Il fallait être prudent. On pouvait lui retirer cette affaire sans crier gare, et c'en serait fini de Berlin.

— Oui, Gruppenführer, j'ai déjà acquis quelques certitudes.

— Mais vous voulez dire : pas encore de résultats.

— Pas de résultats définitifs, Gruppenführer.

— Ne me faites pas languir, qu'avez-vous trouvé ? Y a-t-il des liens avec la politique, le Front rouge est-il en train de devenir arrogant ? Cette bande...

Langenstras passa énergiquement le plat de la main sur le plateau verni de la table.

— Tant que je serai assis dans ce bureau, ils ne tiendront jamais le haut du pavé. Ils peuvent ramper, là, dehors, et grimacer insolemment, je les aurai quand même, même si ça me coûte le dernier...

Il s'interrompit brusquement et saisit une bouteille du petit assortiment rangé sur le côté de la table. Sans en offrir à Kalterer, il remplit un verre à ras bord et le vida cul sec. Il se secoua brièvement.

— Des résultats, Kalterer, des résultats ! Hier encore, le Reichsführer m'a reparlé de cette affaire, vous savez qu'il connaissait personnellement la malheureuse victime, un camarade de combat des premiers instants. Il nous faut des résultats. Bon, faites votre rapport.

S'il orientait la conversation sur les liens de cette affaire avec les autres meurtres, peut-être réussirait-il à faire diversion au sujet du véritable assassin.

— Gruppenführer, la mort violente du camarade Karasek n'est pas un cas isolé.

— Quoi ?

— Oui. Je pars de l'hypothèse qu'au cours des deux derniers mois, trois camarades ont été assassinés de la même manière, donc par le même groupe criminel. Les ennemis de l'État relèvent la tête et frappent clandestinement.

— Les coupables, Kalterer, qui sont les coupables ?

Langenstras tenait toujours le verre vide dans la main droite. Il le serra au point que la peau blanchit à la jointure des doigts.

— Il me semble donc que le mobile politique est avéré…

Ça l'amusa de voir comment la croisade de vengeance personnelle d'un individu comme Haas était en train de se transformer en grand complot contre le Reich…

— Mais je n'ai pas encore réussi à savoir s'il s'agit d'un groupe ou d'un criminel isolé.

Il n'avait encore jamais écrit nulle part que le coupable était Haas et il était donc seul à le savoir. Impossible que Langenstras ait pu l'apprendre par un de ses mouchards.

— Nous pouvons cependant partir de l'hypothèse – et sur ce point je m'appuie aussi sur les enquêtes de vos hommes – que les groupes politiques connus ne sont pas responsables de ce meurtre. Il s'agit plutôt d'un nouveau groupuscule, ou, ce qui paraît plus probable, d'un criminel politiquement très motivé, et qui agit seul.

— Quelqu'un comme Elser ? demanda Langenstras.

La poigne se relâcha autour du verre.

— Ce n'est pas à exclure, Gruppenführer.

Kalterer se rappelait vaguement ce communiste qui, il y avait longtemps, au début de la guerre, avait apparemment agi seul pour essayer de tuer le Führer en amorçant une bombe artisanale.

Langenstras reposa le verre de schnaps sur la table et approuva d'un signe de tête.

— Nous ne devons pas non plus sous-estimer des individus qui agissent seuls. Il a tué trois personnes, il faut le lui faire payer. Il faut que nous frappions vite et fort. Surtout en ce moment. Je vais vous parler en toute franchise, Sturmbannführer. Nous connaissons des problèmes de discipline, et ce sur une grande échelle. Il faut que nous fassions la démonstration que nous sommes toujours capables de frapper fort. Il faut que nous resserrions les rangs et que nous le montrions ostensiblement, et de manière impressionnante.

Langenstras s'éclaircit la voix.

— Saviez-vous qu'Alfred Naujocks a déserté ? Depuis peu. Nous avons trop fait confiance à trop de gens.

Il regardait Kalterer droit dans les yeux.

Kalterer eut un instant l'impression que son estomac se ramassait sur lui-même et que son repas de midi lui remontait à la gorge. Naujocks avait déserté ? Il ne pouvait tout simplement pas le comprendre. Naujocks aurait filé, disparu derrière les lignes ennemies ? Mais c'est avec Naujocks que tout avait commencé à Gleiwitz, c'est lui qui avait donné les ordres. Il n'avait pas le droit de sauter du train en marche et de tirer un trait sur tout cela. C'était tout de même bien lui qui l'avait attiré dans ce merdier, et voilà qu'il se défilait sans demander son reste. Les rats quittaient le navire en train de sombrer. Parce que ce sont des animaux intelligents. *Tu es seul responsable de ce que tu as fait, Hans. Tu ne peux pas te cacher derrière les ordres.* Merit avait raison. Plus personne ne pouvait l'aider. Il fallait qu'il prenne lui-même les choses en main.

— Vous m'avez entendu, Kalterer ?

— Oui, Gruppenführer.

Il respira profondément et se rendit compte que Langenstras l'observait.

— Je comprends, Gruppenführer. Il faut que nous agissions vite et fort, maintenant. Malheureusement, cette enquête prendra encore un peu de temps. Je vais mettre tous les moyens en œuvre pour identifier le ou les assassins. Ensuite nous mettrons toute la machine en route.

Naujocks en avait été depuis le début. Si un type comme lui, un combattant de la première heure, se tirait des pattes, il fallait qu'il réfléchisse sérieusement à la suite, à ce qu'il ferait au cas où le sol se déroberait définitivement sous ses pieds.

— Bien, bien, approuva Langenstras en tournant ses regards vers la bouteille de schnaps. Mais dites-moi, quels rapports avec vos recherches sur les habitants de cet immeuble ? De la Sophienstrasse, si je ne me trompe.

Touché ! Le coup était précis. Il ne fallait vraiment pas sous-estimer ce vieux bavard. Il commençait par vous endormir et frappait subitement avec la vitesse de l'éclair. C'est Inge qui en savait le plus sur cette affaire. Le mouchard s'appelait donc Inge. Il ne pouvait plus faire confiance à personne, moins encore que naguère. Si Inge avait parlé, Langenstras savait que les victimes avaient habité le même immeuble, et il en aura facilement conclu qu'il n'y avait aucun mobile politique aux meurtres.

— La routine, Gruppenführer, la routine. Je suis toutes les pistes. Les personnes en question étaient d'anciens colocataires de Karasek. J'ai enquêté sur tous ceux qui le touchaient de près ou de loin, voisins, connaissances, ennemis éventuels. Et je n'ai pas encore tout à fait terminé. Peut-être y a-t-il là des rapports, des coïncidences.

— Bien, bien, répliqua Langenstras, continuez comme ça. Vous savez comment vous y prendre. Vos conclusions sont d'ores et déjà remarquables. Il faut que nous nous débarrassions de ces illuminés.

Il jeta un œil à sa montre.

— Vous m'excuserez, Sturmbannführer, je suis très pris, tout le monde veut quelque chose de moi et je ne peux pas être partout.

— Mais certainement, Gruppenführer.

Kalterer salua. Langenstras se contenta de lui tendre la main.

— Tenez-moi au courant, Sturmbannführer.

Kalterer opina et quitta la place. Il ne comprenait pas : en plein milieu d'une conversation où il était réellement question de résultats tangibles au sujet de l'enquête qu'il lui avait confiée, où il aurait pu facilement le mettre au pied du mur, Langenstras mettait fin à l'entretien. Il était clair que s'il était bien informé par ses nombreux mouchards, il n'exploitait pas vraiment leurs renseignements.

À la sortie, un planton vérifia sans un mot son laissez-passer et il franchit la chicane de sacs de sable. Il leva les yeux vers la dentellière de pierre que l'humidité semblait avoir noircie.

Le vent avait chassé la pluie et quelques rayons de soleil luisaient sur le pavé humide. Il alluma une cigarette et remonta la rue.

Peut-être que Langenstras ne s'intéressait pas autant à cette affaire qu'il le laissait croire, son dénouement ne tracassait pas le Gruppenführer autant qu'il le pensait. Peut-être que la vérité ne l'intéressait pas.

Avec ce vent, la R6 n'avait aucun goût. Il jeta la cigarette en direction du caniveau. Elle atterrit sur le bord du trottoir. Le vent s'en empara et il la perdit de vue.

40

Haas était propriétaire d'un jardin ouvrier quelque part entre Lichtenberg et Marzhan et sa femme s'en était encore occupé jusqu'à sa mort. Il n'avait eu aucun mal à obtenir cette information. La mère Fiegl le lui avait dit. Il n'avait rien appris d'autre lors de son interrogatoire, mais elle savait au moins ça. La vieille femme avait eu une réaction horrifiée et s'était mise à trembler quand il lui avait dit de se tenir sur ses gardes parce que son ancien camarade d'immeuble, Haas, était sur ses traces et voulait se venger d'elle puisqu'il la rendait responsable, elle et les autres, de son malheur.

La voiture cahotait lentement, de nid-de-poule en nid-de-poule, sur le chemin de terre bourbeux qui menait aux jardins ouvriers.

Il pensait encore à cette conversation avec la vieille Fiegl, ou plutôt aux réponses incompréhensibles qu'elle avait bredouillées au sujet de cette folle série de meurtres.

La dénonciation ? Haas ne pouvait pas la chicaner à cause de ça ! C'était un peu ennuyeux, mais son seul tort était d'avoir été présente ce soir-là, ce n'est pas comme si elle l'avait personnellement dénoncé. Mais quelle idée aussi d'aller offenser le Führer ! Un peu de chance dans la vie et la paix chez soi, elle n'en demandait pourtant pas plus. Et ce qu'il avait dit, bien inutile, ça aussi… Mais c'était comme ça dans la vie. On est là, on ne pense à rien de mal. En fait, on se trouve au mauvais endroit au mauvais moment, et tout à coup on est embringué dans une histoire stupide, avec laquelle on n'a strictement rien à voir, et il faut se justifier quand même. C'était comme ça, voilà tout. Terminé. Tout en parlant, la femme n'avait pas cessé de le regarder d'un air stupide.

— À droite, maintenant, Herr Sturmbannführer ? lui demanda Kruschke sans se retourner.

— Arrêtez-vous ici, Kruschke, je ferai le reste à pied. Ce n'est pas le moment de se faire repérer avec des bruits de moteur.

— À vos ordres, Sturmbannführer. Pour un Berlinois, le coin est vraiment désespérant, remarqua le chauffeur.

Il était sans doute aussi de cette armée de mouchards qui faisaient leur rapport à Langenstras.

— Soyez heureux d'y conduire votre berline. Vous pourriez sans doute être muté dans des endroits pires que celui-ci.

Derrière son volant, Kruschke rectifia la position. Allons, il n'avait sans doute pas encore eu la possibilité de cafarder quelque chose de bien intéressant !

Kalterer vérifia que le chargeur de son 9 mm parabellum était plein et le repoussa dans son logement. Un chargeur de huit cartouches, c'était suffisant, sauf pour nettoyer une tranchée en combat rapproché. Il fit sauter le cran de sûreté du pistolet. Il n'était pas tout à fait impossible que Haas soit dans son jardin. L'homme était dangereux, il fallait s'attendre à tout.

Si vis pacem, para bellum. « Si tu veux la paix, prépare la guerre. » C'était à peu près le sens. C'était peut-être à cause de son éducation humaniste qu'il tenait à ce lourd P08, quoique l'arme eût été remplacée en 1942 par un modèle plus récent. Et qui plus est : elle n'était pas du tout en rapport avec son grade. Habituellement, les officiers s'achetaient eux-mêmes leur arme, et avant tout un calibre 7,65. Ces derniers temps, on se portait volontiers sur le Mauser, pour les reflets bleus du métal.

Il enfouit le pistolet dans la poche de son manteau et regarda brusquement dans le rétroviseur. Son regard croisa celui de Kruschke qui l'observait avec attention. Le chauffeur détourna aussitôt les yeux et fixa le pare-brise.

— Attendez-ici !

Il descendit de voiture et ferma la portière sans la claquer. C'était peut-être une précaution inutile, car le vent qui soufflait en tempête étouffait tous les bruits. Ils auraient pu s'approcher plus, mais on n'était jamais trop prudent.

Il suivit le chemin boueux à courtes enjambées. Les lopins de terre des jardins ouvriers étaient à environ deux cents mètres. Quelques corneilles passèrent au-dessus de lui en croassant, survolèrent les arbres et se posèrent entre les jardins et un bosquet, dans un champ fraîchement ensemencé.

Les lieux avaient l'air abandonnés. Il n'y avait pas âme qui vive, aucun bruit ne signalait une quelconque activité ou des jardiniers qui seraient venus le soir après le travail pour préparer leurs plates-bandes et leurs cabanes pour l'hiver. Au-dessus de l'entrée principale, un écriteau signalait : « Lieu de jardinage et de repos ». L'association ne s'était pas souciée d'une clôture. Il n'en repéra pas non plus à l'autre extrémité de l'allée centrale. Selon le croquis qu'il s'était tracé suivant les indications de la mère Fiegl, la parcelle de Haas était la dernière à droite de la deuxième allée perpendiculaire.

Les terrains avaient à peu de chose près tous la même surface. Ils étaient séparés par des clôtures grillagées le long desquelles grimpaient des ronciers de framboises et de mûres. Le vent s'emparait des dernières feuilles des poiriers à haute tige, des pommiers trapus et des cerisiers qui lui barraient la vue. Les feuilles virevoltaient dans la bourrasque et finissaient par se prendre dans les ronciers. La plupart des plates-bandes avaient été récoltées, il restait encore quelques choux isolés sur quelques parcelles. Le vert foncé d'une plantation de choux frisés fit tache sur les bruns de cette fin d'automne. Devant les constructions de planches des abris de jardin, les légumes étaient alignés comme des militaires à la parade. Alors qu'il continuait à avancer, il vit de la fumée qui sortait de quelques cheminées. Manifestement, toutes les parcelles n'étaient pas abandonnées. Il évita prudemment toutes les flaques d'eau de pluie de l'allée principale détrempée et s'engagea dans la deuxième.

Il s'arrêta brusquement et empoigna la crosse froide du parabellum. Le vent lui apportait un léger bruit de tôle, comme si quelqu'un avait renversé quelque chose. Il était face à la dernière parcelle côté droit. Ce devait être le jardin de Haas.

Il resta debout sans bouger devant la porte en tôle

grillagée, se contentant d'observer les lieux. Un chemin dallé presque entièrement envahi par la végétation menait à une simple tonnelle. De chaque côté s'étendaient des plates-bandes gagnées par des mauvaises herbes sèches et maigres. On n'avait certainement pas beaucoup jardiné ici cette année. Dans un coin du terrain, rongée par les intempéries, il y avait une petite cabane à outils derrière laquelle on devinait un compost recouvert de vrilles de citrouilles fanées. Tout semblait plongé dans un profond sommeil.

Il pesa doucement sur la clenche et essaya d'ouvrir le portail qui grinça dans ses gonds, mais resta en place. Il poussa le panneau grillagé qui finit par céder un peu avec un léger crissement, puis se coinça. Si Haas était là, ce bruit l'avait sûrement trahi. S'il était dans la baraque, il n'avait qu'une seule issue, sortir pour s'enfuir et pour ainsi dire se précipiter dans ses bras. Il fallait faire vite. Kalterer se jeta de tout son poids contre le portail et manqua tomber dans l'allée dallée quand il s'ouvrit à la volée et que le ressort à boudin la referma. Il se reprit aussitôt. Si Haas était là, il le tenait.

41

Il remplit d'eau la cuvette à la pompe et retourna à la remise à outils. Un vent froid sifflait à travers les rames de haricots alignées contre le mur de planches. Quelques seaux métalliques tintèrent contre la baignoire en tôle retournée pattes en l'air. Il avait froid. Au-dessus de Marzahn, le ciel vert foncé annonçait du mauvais temps. Il ouvrit la porte d'un coup de pied et reprit ses travaux de réparation. Il plongea la chambre à air dans l'eau de la cuvette à l'endroit où il avait collé une rustine et constata avec satisfaction qu'il ne s'en échappait plus aucune bulle d'air.

Il avait crevé un pneu la veille en rentrant d'une visite infructueuse à la Reichenbergerstrasse. Quelque part dans Friedrichshain, il avait roulé sur un de ces éclats de bombes ou de shrapnels tranchants qui jonchaient les rues après chaque raid. Il avait dû pousser son vélo sur le reste du trajet durant presque deux heures et n'avait regagné sa parcelle qu'à la nuit noire.

Il passa la valve de la chambre à air dans l'œillet de la jante et força le pneu sur la roue. Comme la lumière était devenue très faible, il ouvrit en grand la porte en planches de la remise et la coinça avec le fer d'une houe. Le ciel devenait de plus en sombre et sous les assauts du vent la porte cliquetait dans ses gonds.

Il prit la roue avant, la glissa entre les deux branches de la fourche, serra les écrous, remit le vélo sur ses roues, gonfla le pneu.

Il était en train de replacer les outils dans la sacoche quand la porte se referma dans un grand bruit. La houe bascula et son fer ricocha brutalement sur le bord de la cuvette qui perdit l'équilibre et se renversa, tomba sur le sol où elle roula sur son bord en cercles concentriques pour finir par s'immobiliser à ses pieds.

Il grimaça. Il se rappela Buster Keaton et Charlie Chaplin, luttant eux aussi avec des objets. Dans un de ces délicieux courts métrages, la réaction en chaîne se serait sans doute terminée par la destruction totale de la cabane.

Il avait commencé à pleuvoir, les gouttes tambourinaient sur le toit de tôle ondulée. Il boutonna son manteau et ramassa son chapeau sur l'établi. Il appuya de tout son poids sur le guidon du vélo et fit faire quelques allers-retours à l'engin pour tester sa réparation et la position de la roue dans la fourche. Il s'apprêtait à ouvrir la porte quand il entendit un cliquetis familier dans le bruissement de la pluie.

Sans faire de bruit, il rangea la bicyclette contre la paroi de la remise, s'approcha furtivement de la porte qu'il entrebâilla. Le battement se répéta. Un bref claquement métallique, suivi d'un gémissement sourd. Il épia par la fente, mais la pluie lui bouchait la vue de presque toute la parcelle. C'est alors qu'il entendit le grincement attendu. Il referma la porte au plus près du montant, en sorte qu'il ne pouvait plus surveiller qu'une mince bande de terre le long de la cabane.

Il y avait quelqu'un à la porte du jardin, quelqu'un qui manœuvrait la clenche, s'arc-boutait au grillage pour forcer l'ouverture qui coinçait. Il avait été confronté au même problème au début, mais il avait vite pris le coup de main nécessaire.

Il entendit le bref grincement de métal rouillé du portail qui s'ouvrait à la volée. Il cligna les paupières et aperçut bientôt à travers les traînées de pluie qui cascadaient du toit de tôle une longue silhouette portant chapeau. L'homme s'arrêta et regarda vers l'appentis. Sa main droite était plongée dans la poche de son manteau brun.

Il ne put reconnaître le visage du visiteur, le chapeau était enfoncé trop bas sur le front, le col du manteau montait trop haut sur son profil. Mais peu lui importait, il savait que cet homme était une menace, il le sentait de toutes les fibres de son corps aux aguets. Cet homme, là-bas, dans son jardin, à quelques mètres de lui, la tête légèrement levée à présent malgré la pluie, cet homme le recherchait. Police judiciaire ou Gestapo, il n'était pas là par hasard.

Il lui sembla un moment que l'individu allait se diriger vers la remise, mais il bifurqua, se rapprocha lentement de la cabane et disparut de son champ de vision. Il referma la porte avec précaution et colla son œil entre deux planches.

L'étranger fit le tour de la fontaine et posa le pied sur la véranda. Dos collé au mur et visage tourné vers la porte, il semblait écouter s'il y avait du bruit à l'intérieur. Il resta ainsi un moment, puis fit un bond vers la porte qu'il enfonça soudain d'un violent coup de pied. Il disparut aussitôt dans la baraque et la porte se referma derrière lui.

Haas avait déjà calé la petite valise sur le porte-bagages. Il se faufila dans l'ouverture de la porte et fonça vers le portail du jardin en coupant par l'herbe mouillée. Une bourrasque de vent rabattit bruyamment la porte de la remise et presque simultanément il entendit la porte de la cabane s'ouvrir brusquement. Une voix retentit :

— Halte ! Arrêtez-vous !!

Sans se retourner, maintenant d'une main l'équilibre de sa bicyclette, il pesa de l'autre sur la clenche tout en passant le pied sous le battant pour le soulever un peu, effaça son corps et poussa le portail d'un seul effort. Il s'ouvrit en grinçant sur ses gonds rouillés, le ressort à boudin se tendit, lui ouvrant la voie pour quelques instants. Il prit son élan en tirant son vélo avec lui et se retrouva dans l'allée. Le battant se referma bruyamment et vint taper contre le garde-boue de la roue arrière avant de heurter le montant métallique. Au même instant, le pêne claquait dans la gâche.

— Arrêtez-vous, nom de Dieu ! Gestapo !

L'homme se précipita derrière lui, se jeta contre le portail, secoua la clenche comme un forcené, agrippa le panneau grillagé qu'il tira frénétiquement vers lui.

Haas courut quelques secondes en poussant son vélo, sauta en selle, chercha les pédales sous ses pieds. Trois, quatre puissants coups, un claquement sec, et il moulina dans le vide.

La chaîne avait sauté ! Il perdit le contrôle de l'engin, réussit à faire encore quelques mètres en zigzag et finit sa course dans la haie de l'allée centrale.

À environ vingt mètres derrière lui l'homme, qui avait enfin réussi à ouvrir le portail, se lançait sur le chemin.

Il se releva, empoigna sa bicyclette et reprit sa course. Il entendit derrière lui des pas rapides sur le sol détrempé. Il allait être rattrapé. Sur le point de se débarrasser de son vélo, il entendit un court râle et le bruit de la poursuite cessa. Il se retourna. Son poursuivant était plié en deux au milieu du chemin, le souffle court, serrant sa cuisse des deux mains.

Il reprit de plus belle sa course jusqu'au carrefour, se précipita dans le chemin de droite qu'il suivit sur quelques mètres, puis tourna sur la gauche dans l'intention de franchir un fossé. Il prit sa bicyclette à l'épaule, pataugea dans l'eau glacée qui lui montait aux genoux, gravit la berge abrupte et disparut dans les fourrés d'un bosquet voisin. Il trébucha dans les sous-bois, vélo toujours à l'épaule, et atteignit enfin un chemin carrossable dont il savait qu'il le conduirait aux alentours de Lichtenberg. Dissimulé derrière des buissons, il remonta la chaîne et sauta en selle.

Plus il s'éloignait de sa parcelle, plus les battements de son cœur reprenaient leur rythme normal. Il finit même par prendre conscience de la pluie battante qui l'empêchait presque de voir et alourdissait de plus en plus son manteau. Tremblant de froid, il roulait aussi vite que possible, appuyant gaillardement sur les pédales. À chaque mouvement l'eau clapotait dans ses bottes. Mais le pire, c'est qu'il avait perdu ce refuge si vital pour sa survie. Ils avaient repéré sa cachette et il ne pourrait plus jamais retourner dans sa cabane. Il avait perdu les boîtes de conserves péniblement amassées ces derniers mois, perdu la couverture chaude et ses vêtements de rechange. Au moins avait-il sauvé l'argent et les cartes d'alimentation qu'il avait toujours sur lui. Mais il avait besoin d'une nouvelle retraite. Atze Kulke l'aiderait certainement. Mais s'ils le chopaient, la vie d'Atze ne vaudrait plus un pfennig. Il ne pouvait pas faire ça à un vieux copain.

Il finit par apercevoir les premières maisons de Lichtenberg et tourna dans une rue vide. Dans tout Berlin, il n'y avait qu'une seule personne à qui il pouvait s'adresser et à qui, bon an mal an, il lui fallait bien faire confiance. Il n'y avait pas d'autre issue.

42

— *Tous des bandits !*

Le rire enroué du Gruppenführer éclate, il tend le bras par la vitre baissée de la voiture.

Il est assis sur la banquette arrière. La chaleur est suffocante et il doit continuellement éponger la sueur de son front. Il regarde par la fenêtre. Dans la rue poussiéreuse du village, un soldat est en train de mener une vache.

— *Tout a l'air bien paisible, pourtant.*

La voiture s'arrête. Trois adolescents passent, mains derrière la nuque, suivis de soldats en armes.

— *Pas tant que ça. Ils se ressemblent tous, si on ne reste pas sur ses gardes, on se retrouve avec un couteau entre les deux omoplates.*

Ils descendent de voiture. Quelques hommes chassent des poules qui caquètent. Ça sent la fumée.

— *J'ai des spécialistes pour tout, dit le Gruppenführer. Je les répartis. Les uns s'occupent du fourrage, les autres sont capables de découvrir n'importe quelle planque...*

Ils pénètrent dans une baraque. Le Truppführer se met au garde-à-vous.

— *Rien de particulier à signaler. Pas de résistance. Pas d'armes jusque maintenant. Aucune perte.*

— *Combien ? questionne le Gruppenführer.*

— *À peu près quatre-vingts jusque maintenant.*

— *Où ?*

— *Près de l'église.*

— *Bon, allons-y.*

Le Truppführer boucle son ceinturon. Ils sortent.

— *... Je ne me suis encore trompé sur aucun de mes gars, dit le Gruppenführer, tourné vers lui. Ils font leur devoir avec une fidélité à toute épreuve envers le Führer et ils sont fermement convaincus de la nécessité de ce combat. Les représailles et des punitions impitoyables, c'est le seul langage que comprenne cette racaille surexcitée. (Il s'interrompt.) C'est comme je le dis. D'autres rasent purement et simplement les maisons à la dynamite. J'ai là des spécialistes qui en un rien de temps sont capables de ramener tout un village au niveau du sol.*

Ils débouchent sur la place de l'église. Les habitants du village sont serrés le long du mur.

— *Naturellement, l'homme le plus important dans tout ça, c'est vous, Hauptsturmbannführer, vous et votre exceptionnel talent d'organisateur.*

Le Gruppenführer dit toujours ça avec une pointe d'ironie.

— *Enfin, l'organisation militaire habituelle, quoi !*

Quelques soldats fouillent les gens, le doigt sur la détente de leur PM. De jeunes enfants pleurent. Un deuxième classe photographie le Gruppenführer. Des rires fusent d'une baraque.

— *D'autres, en revanche, voient impitoyablement ce qu'il convient de faire. Dans notre combat contre* ce complot mondial judéo-bolchevique, ils savent se servir sans la moindre pitié du glaive tranchant de notre nouvelle foi, si je puis m'exprimer ainsi, de manière imagée.

Le Gruppenführer ricane, la chaleur étouffante de midi ne semble pas le déranger. Lui, au contraire, est en nage. Il s'évente avec sa casquette à visière.

— Bah, ajoute le Gruppenführer, on ne fait pas d'omelette sans casser des œufs. Il faut que nous en finissions avec ces bêtes féroces. Mieux vaut ne pas se demander ce qu'ils feraient de nous s'ils étaient à notre place...

Le Gruppenführer jette un œil aux habitants du village, tassés contre le mur de l'église, mains derrière la tête.

— La division du travail, c'est bien, mais il faut qu'on puisse faire confiance à chacun, individuellement.

Il se passe la main sur la nuque.

Un cochon traverse la place en courant, grouine, fait des zigzags. Deux soldats lui courent après.

Il ne comprend pas assez vite. Le soldat photographie le portail de l'église. Une femme hurle de manière hystérique. Il remarque l'ombre trop tard, trop interloqué pour réagir. Elle s'accroche à lui, le frappe au visage, l'agrippe férocement, hurle quelque chose, lui crache dessus. Il sent ses ongles qui s'enfoncent dans sa gorge, comprend que la chair est arrachée. Elle veut le tuer, cette maudite gamine. Il essaie de se dégager. Une sentinelle s'approche d'un bond et de la crosse de son fusil frappe la jeune fille dans les reins. L'étreinte se desserre. Il la repousse. Les hommes la jettent brutalement à terre. Il se passe la main sur la gorge, près de la pomme d'Adam, là où ça fait mal. Incrédule, il contemple sa main ensanglantée. *Putain de salope !*

Un jeune soldat la maintient. Elle lance des coups de pied sauvages autour d'elle, l'atteint derrière le genou.

Robe d'été rouge, nattes blondes, pieds nus, jambes sales, des taches de rousseur, treize, quatorze ans tout au plus, une enfant.

Il se tient le cou ensanglanté.

— Tous pareils, toute la bande, complètement surexcités.

Le *Gruppenführer* fait signe au jeune soldat.

— Finissez-en.

— Mais ce n'est encore qu'une enfant.

Le casque lourd du soldat est rejeté en arrière, loin sur la nuque, une mèche de cheveux hirsute lui tombe sur le front, il tient son PM à la main. *Une enfant.*

Le *Gruppenführer* cherche à le convaincre.

— Il faut que nous soyons forts. Il faut que nous soyons forts face à la haine. La haine, ce sont les enfants. Il faut que nous fassions notre devoir.

— Je ne peux pas.

— Il faut que je puisse faire confiance à mes hommes, mon vieux. Et tous ceux qui n'obéissent pas n'iront pas bien loin chez nous. Votre comportement sera noté dans votre dossier et vous suivra votre vie durant. Allez, allez-y donc !

Le coup de feu !

Le sang fait vite une tache sur la robe d'été. L'enfant est étendue sur le sol comme un pantin désarticulé.

— Oh ! mon Dieu, non !

La sueur lui coule dans le cou, brûle ses plaies.

La voix du Gruppenführer retentit sur la place de l'église.

— Finissez-en avec cette racaille !

Les salves crépitent contre le mur.

Sitôt réveillé, il se redressa d'un seul effort.

— C' qu'y a ? demanda Inge en bâillant dans un demi-sommeil.

— Rien. Dors.

Elle se retourna, prit l'oreiller dans ses bras, y enfouit la tête dans un sourire et se rendormit.

— Rien d'important, marmonna Kalterer. Un mur, ça se recrépit pour boucher les impacts de balles et on n'y voit plus rien.

Il trouva les cigarettes dans la cuisine. Il en alluma une, écarta un peu le rideau de camouflage et regarda dans la rue noire. Le cadavre de la jeune fille le hantait jusque dans ses rêves. Impossible de s'en débarrasser.

Cette histoire avait marqué un tournant pour lui. Peu de temps après, il avait fait une demande de mutation. Elle avait même été acceptée. Mais, au fond, cela n'avait rien changé. Bandits, partisans, Résistance – et partout des vieillards, des femmes, des enfants. Et des filles avec des nattes.

« Mais vous êtes tout pâle, avait dit le Gruppenführer sur le chemin du retour, puis il avait ricané. Eh oui, sur le terrain… ça change tout. »

Voyons, Merit. Il ne s'occupait que des transmissions, assis derrière un bureau.

Si Merit savait vraiment tout, il ne pourrait plus jamais la regarder en face. Mais il fallait qu'il lui parle encore une fois – essayer de recommencer une nou-

292

velle vie. Et peut-être qu'alors il serait débarrassé de ces rêves.

Elle avait toujours admiré son travail de flic, elle avait vraiment été fière de lui. Arrêter un vrai meurtrier, quelqu'un qui tue pour des mobiles crapuleux, que la société méprise : voilà ce qu'il devait faire pour lui en imposer à nouveau.

Et Haas était l'assassin. Il avait vu ce type de face un instant alors qu'il s'enfuyait sur sa bicyclette après avoir jailli de cette stupide remise pendant qu'il s'attardait à perquisitionner la cabane. Il l'avait suivi jusqu'à ce que cette douleur à la cuisse devienne insupportable. La silhouette sombre faisait une belle cible, mais il n'avait pas tiré. Il l'aurait vivant, il avait le temps. Il fallait à présent qu'il tire les choses au clair avec Merit.

Il tressaillit. Des mains douces lui caressaient le ventre et Inge appuya sa tête contre son dos. Il se libéra aussitôt. Elle le regarda, étonnée, les yeux pleins de sommeil.

— Ça fait vraiment partie de ton travail de faire des rapports sur moi à tes supérieurs, ou est-ce que je suis une exception ?

Sa voix sonna plus dure qu'il ne l'avait voulu.

— Je...

— Ne me prends pas pour un imbécile.

Il se retourna et se rapprocha de la fenêtre.

— Il faut que je le fasse.

— Il le faut ?

Il cria presque, fit un pas vers elle.

— Ça fait partie de mes attributions, dit-elle à voix basse en haussant les épaules. C'est mon devoir. Il faut bien que j'exécute les ordres de là-haut.

Des larmes coulaient sur ses joues.

— Et je ne pouvais pas deviner que je... (elle hésita) que je t'aimerais tant.

Elle avait raison, que pouvait-elle faire d'autre. Il essaya de lui sourire et lui caressa calmement la main.

— Excuse-moi... mais il faut que je sache. Qui t'a donné l'ordre ?

— Bideaux. Mais je ne sais absolument pas sur quel bureau mes rapports finissent par atterrir, celui de Langenstras ou plus haut encore. Tout cela n'a rien d'extraordinaire, c'est la routine. Là-haut, ils veulent simplement savoir tout ce qui se passe.

Il lui toucha légèrement l'épaule. Elle s'approcha et laissa aller sa tête contre sa poitrine.

— Je suis désolée.

Il la prit résolument par la taille et la serra contre lui. Ils s'embrassèrent tendrement et retournèrent dans la chambre à coucher en chancelant si maladroitement qu'ils finirent par en rire.

L'alerte les replongea dans la routine. Enfiler rapidement un vêtement, jeter le manteau sur les épaules, prendre quelques affaires déjà toutes prêtes, dévaler l'escalier, intégrer les rangs serrés du bataillon des valises, filer dans la direction du bunker public.

43

C'était la première fois depuis longtemps qu'il avait dormi toute une nuit d'un sommeil profond et sans rêves. Le lit avait des draps frais qui sentaient la poudre à lessive. Dans un demi-sommeil, il entendit la pendule sonner quatre fois, s'étira sous l'édredon chaud et ouvrit les yeux.

Il se rendit progressivement compte qu'il devait avoir dormi une éternité. S'il en croyait la lumière grise qui venait de la tabatière, le soir tombait déjà et, quand il s'assit sur le bord du lit, il remarqua que le poêle était éteint et que la soupente s'était bien refroidie. Il jeta son manteau encore humide sur ses épaules et marcha pieds nus jusqu'au poêle. Il le tisonna et vida le cendrier dans un seau. Puis il prit quelques feuilles d'un tas de vieux journaux, les froissa et les enfourna avec du petit bois. Il alluma le papier et se laissa fasciner par les flammes. Les écrits des journaleux nazis partirent en fumée, et le bois se mit à brûler. Il referma la trappe du fourneau et ouvrit un peu le clapet d'aération.

Il ne vit ses vêtements trempés nulle part. Il trouva en revanche sur le dossier d'une chaise du linge de corps qui ne lui appartenait pas, une paire de pantalons, une chemise et un pull-over. Karine avait dû revenir alors qu'il dormait profondément pour échanger ses habits mouillés contre ces vêtements secs.

Ils étaient un peu trop grands pour lui et son corps maigre flottait dedans, mais il avait chaud et se sentait en sécurité. Il se dirigea vers l'avancée du chien-assis et regarda dans la cour recouverte d'une mince pellicule de neige. Des nuages de vapeur blancs sortaient d'une petite fenêtre de la buanderie, se dissipant rapidement dans l'air froid. Quelques pigeons picoraient des graines éparpillées dans la neige.

Cette arrière-cour idyllique et le sentiment d'être en sécurité lui firent oublier un temps qu'une guerre faisait rage à l'extérieur, qui pouvait d'une minute à l'autre changer sa confortable cachette en un tas de ruines fumantes. Il alla vers les étagères murales et regarda les livres. À côté d'une collection dépareillée de Karl May, il découvrit des éditions populaires de Franz Jung et d'Upton Sinclair, des œuvres de Theodor Pliever et de Walter Mehring. Un petit volume de poésie éveilla son intérêt. Il laissa filer les minces feuilles sous son pouce et s'arrêta sur une page au hasard.

« Moi, dans mon cœur pire assassin sadique et crapuleux / Je boute le feu à tous les réservoirs de gaz du cerveau / Je comble tous les tunnels, Je tue tout / Et il y a encore au plafond de la cervelle explosée. / Et toujours s'empâtent des battements de pouls tels des corps de vipères venimeuses, découpées /Le nauséabond dragon n'a toujours pas éclaté... »

Le sbire SS, la Frick, Stankowski. Tous morts. Assassinés par lui. Il s'étonna de la froideur avec laquelle il considérait ces faits.

« *Pour vous, instituteurs imbéciles et singes conchiés / Pour vous lâches juges trichinosés et bandits de latrines / Pour votre sens de la Justice, votre Honneur Ô vous, faux Hottentots / Je ne suis pas de ce monde !* »

Il ne put s'empêcher de ricaner. Mais qui était donc ce – il referma le livre et lut le nom sur la couverture – Jakob Haringer ? Le volume de poèmes avait paru en 1925 chez Kiepenheuer avec une préface d'Alfred Döblin ; celui-là, il le connaissait, naturellement.

Les pages bruissèrent sous ses doigts. Il prit place sur le canapé. Une autre page, un nouveau poème. Haas lisait à voix basse.

Soudain l'escalier grinça. Il posa le livre sur la table et regarda la trappe qui basculait lentement. Il se précipita vers Karine chargée d'un plateau avec un casse-croûte. Il la débarrassa et l'accompagna au divan, sur lequel elle s'assit avec un profond soupir de lassitude.

— S'il y a quelque chose que je déteste, c'est bien le jour de la lessive ! Faire du feu sous la lessiveuse, tremper le linge, le frotter, rincer, sécher, repasser – tout ça pour avoir des gerçures aux mains pendant des jours et des jours !

Elle hocha la tête en regardant ses mains rougies et enflées. Puis elle enleva le morceau d'étoffe coloré dont elle s'était coiffée en turban et secoua ses cheveux blonds. Sous un long et lourd tablier en caoutchouc, elle portait une chemise grossière dont elle avait remonté les manches et un pantalon de mécanicien enfoncé dans des bottes, en caoutchouc elles aussi, qui lui montaient aux genoux.

— Je sais, j'ai l'air affreuse ; mais impossible de faire autrement aujourd'hui.

Elle dénoua le tablier et le posa sur le dossier d'une chaise.

— Mais, comment allez-vous ? Avez-vous bien dormi ?

Il répondit d'un battement de paupières.

— C'est tellement bon d'avoir des vêtements propres. Je n'ai rien pu laver pendant tout ce temps.

— Ces affaires appartenaient à mon mari, dit-elle. Il n'en a plus besoin, le pauvre, là où il est, c'est tout à fait normal que je vous aide avec ça. En plus…

Elle lui sourit en clignant les paupières.

— … vous commenciez à sentir un peu comme un vieux sac à patates. J'ai lavé vos vêtements sales, mais j'ai dû jeter votre linge de corps ; il était en lambeaux – impossible de faire autrement.

Il se sentit rougir.

— Faut pas que ça vous gêne, poursuivit-elle, par les temps qui courent, il y a pire qu'un caleçon troué et sale.

Il lui sourit.

— L'essentiel, c'est que vous alliez bien maintenant.

Il acquiesça d'un signe de tête et ils se turent quelques instants. On n'entendait que le crépitement du feu. Il rompit le silence :

— Mais pourquoi vous faites ça pour moi ? Vous ne me connaissez même pas.

Karine le regarda dans les yeux.

— Vous aviez tout simpement l'air de quelqu'un qui a un urgent besoin d'aide.

— Mais je pourrais n'être qu'un simple assassin.

— Possible, dit-elle, mais croyez-moi, pendant toutes ces années mon regard s'est affûté et je sais qui a vraiment besoin d'aide et qui ne pense qu'à son propre intérêt. Et vous n'êtes certainement pas un criminel, je l'aurais senti.

Elle se baissa, retira ses bottes, replia ses jambes sous elle et se blottit confortablement dans un angle du canapé. De la main, elle désigna le casse-croûte.

— Allez-y, vous devez avoir une faim de loup. Et tout en mangeant, vous aurez peut-être la gentillesse de me raconter la suite de votre histoire. Avant-hier, vous vous êtes endormi au milieu d'une phrase.

Il leva les yeux.

— Avant-hier ?

— Oui.

Karine lui sourit.

— Vous avez dormi pendant presque deux jours. Vous en aviez certainement bien besoin.

Il se passa la main sur le visage et approuva.

— Où en suis-je resté ?

— On est venu vous arrêter suite à la fête de la Saint-Sylvestre…

Tout lui revint immédiatement en mémoire. Il était entré dans le bistrot tard le soir, trempé comme une soupe et à bout de forces. Elle l'avait reconnu tout de suite, avait abandonné ses clients quelques instants pour le conduire dans l'arrière-salle plus calme. Elle avait à peine écouté la demande de secours qu'il ne parvenait qu'à balbutier difficilement, lui avait préparé de quoi manger et l'avait conduit à la soupente. Elle avait allumé le feu et lui avait conseillé de retirer ses habits trempés et de se coucher sans plus tarder. Après l'heure officielle de fermeture, elle était revenue avec une bouteille de vin. Ils s'étaient alors présentés, elle s'appelait Karine, Karine Bulthaupt. Depuis que son mari était tombé, elle s'occupait de la brasserie avec sa plus jeune sœur et le cuisinier. Après un certain temps, il avait commencé à raconter sa proprc histoire. D'abord indécis, il s'était mis à parler de plus en plus vite. Après toutes ces journées et ces nuits de solitude, toute son histoire s'écoula, d'abord par saccades, jusqu'à ce qu'un barrage cède. Et ce furent des phrases en cascade, d'abord plus ou moins sans suite, avec le sentiment qu'il devait parler de tout cela une fois pour toutes, à haute voix, pour que quelqu'un connaisse enfin sa vie. Il avait presque tout raconté à Karine Bulthaupt, sa famille, ses frères, son enfance jusqu'à son mariage, son indépendance comme petit commerçant au détail jusqu'à la naissance de Fritzchen, de la modeste aisance à laquelle il était parvenu, de ce mariage bien trop court et de cette fatale soirée de la Saint-Sylvestre. Il se rappelait à présent exactement les dernières paroles qu'il avait dites à Karine l'avant-veille : « La Prinz-Albrecht-Strasse, on a l'impression que c'est si près, mais dans la cave, dans les cellules, j'étais si loin… » Il avait dû ensuite s'endormir d'épuisement.

Il prit une tartine et mordit dedans. Le goût délicieux de saindoux sur sa langue.

— Qu'est-ce qui vous est arrivé ensuite, quand on est venu vous arrêter ?

Il finit de mâcher et dit :

— J'ai d'abord été enfermé à Bautzen, puis ils m'ont transféré à Buchenwald. Et c'est là, Frau Bulthaupt, que mes yeux se sont définitivement dessillés, que j'ai compris ce qui se passait réellement dans notre pays….

— Vous avez été à Buchenwald ?

Elle se redressa et le fixa en plissant les yeux.

— Mon Dieu, et on vous a relâché ?

Il n'aurait pu avaler une bouchée de plus.

— Relâché ?

Il posa le reste de la tartine sur le plateau.

— On ne relâche personne de Buchenwald, ni d'autres camps de concentration. Ce sont des camps de la mort. Plus personne n'en sort vivant. Ne survit que la lie criminelle et sans scrupules, celle qui se vend comme kapo et rend infernal le restant de leur misérable vie aux autres détenus.

Sa voix s'était durcie.

— C'est donc vrai… murmura Karine.

— Oui, bien sûr, c'est vrai. Tout est vrai. Chaque infâmie est exacte, chaque machination authentique. Là-bas, c'est l'enfer. Les gens crèvent comme des mouches, il en meurt tous les jours. De faim, d'épuisement, à la suite de mauvais traitements – tous meurent – quelle que soit la raison pour laquelle ils sont enfermés là. On est réduit à néant, on nous traite comme des bêtes. Le camp… je n'arrive même pas à en parler correctement. Personne ne ménage plus personne, c'est tous contre tous. Et celui qui ne supporte pas ça reste au bord du chemin, il y en a qui se pendent… (il avala sa salive) avec leurs propres vêtements. J'allais presque en faire autant, et pourtant j'avais tellement prié pour qu'on me laisse sauve ma putain de vie, j'étais tombé à genoux devant ce porc, j'ai appelé ma mère…

Il s'interrompit, fut incapable de reprendre. Il avait l'impression que le souffle lui manquait, que son cœur battait à une allure folle.

— Comment avez-vous réussi à en sortir ?

La question de Karine le ramena dans la soupente. Il respira plus tranquillement, les mains agrippées à ses genoux pour calmer ses tremblements. Elle se leva, vint vers lui, lui mit un bras sur les épaules et lui caressa le visage. Il se laissa aller contre elle et ferma les yeux. Il sentit la douceur de ses seins. Être petit et protégé, se blottir, se laisser caresser, tendres contacts…

— Comment avez-vous réussi à en sortir ?

Il se concentra de nouveau sur son récit, nia son désir.

— En août, il y a eu ce raid aérien sur les camps annexes. Je me suis évadé en profitant de la confusion et j'ai réussi non sans mal à regagner Berlin. J'ai vraiment eu beaucoup de chance, toutes ces journées sur les routes. Mais ensuite…

Son contact lui parut soudain insupportable, il desserra l'étreinte et se leva.

— Notre immeuble avait été rasé pendant un bombardement. Des décombres, des ruines. Ma femme et mon fils…

Il se détourna et continua de parler dos tourné.

— Ils ont été tués lors du raid. Il ne reste plus rien, le magasin, notre appartement, Lotti, Fritz. J'ai tout perdu…

Il ne put retenir ses larmes, pleura sans bruit en fixant le mur qui jouxtait la fenêtre obscurcie du pignon.

Il entendit qu'elle se rasseyait sur le canapé. Elle attendit, des minutes durant, sans prononcer une parole, lui laissant le temps de se ressaisir. Il finit par se rapprocher du poêle et tendit ses mains. Il n'avait pas froid, simplement envie de sentir la chaleur.

— Comment avez-vous survécu ces derniers mois ?

Le ton de sa voix était couvert.

Il se retourna et vit ses yeux rougis de larmes. Il se rassit sur la chaise à côté d'elle, lui prit la main en hésitant et la serra. Elle répondit à son geste.

— Des amis m'ont prêté de l'argent et m'ont donné des cartes d'alimentation.

C'était un mensonge, mais cela n'avait aucune importance.

— Il m'en reste encore assez pour le moment, mais je ne peux absolument pas remettre les pieds dans mon jardin…

— Non, bien sûr.

Elle se leva.

— Vous allez rester chez moi en attendant. Vous êtes en sécurité ici. Je trouverai bien une solution pour la suite. J'ai de bons amis qui me soutiennent. Mais avant tout, il vous faut des papiers à peu près fiables. Combien d'argent vous reste-t-il ?

— Pas tout à fait trois mille reichsmarks.

Il reprit la tartine de pain et l'engloutit en deux bouchées.

— Ce n'est pas trop pour des papiers acceptables, mais je vais voir ce que je peux faire.

Elle lui sourit.

— On y arrivera.

Ils étaient assis en silence l'un à côté de l'autre. Elle se leva.

— Il est temps que je me sauve. Il faut que je prépare la boutique pour le soir. Je suis certaine que Suzanne m'attend déjà.

Elle désigna le reste des tartines.

— Vous pouvez manger tout, c'est pour vous. Et reposez-vous. Mais ne sortez d'ici sous aucun prétexte. Je repasserai demain matin. À bientôt.

Elle disparut par la trappe qu'elle rabattit sur elle. Il épia le bruit de ses pas jusqu'à ce qu'il cesse. Puis il se pencha en avant, enfouit son visage dans ses mains et sanglota comme un petit enfant.

44

Noël approchait à grands pas. Olmuz avait été repris, Strasbourg était tombé, Venlo avait été abandonné, Budapest était menacé. Rien cependant ne laissait deviner une issue incontestable. La guerre semblait encore vouloir passer un hiver. Noël. Peut-être que cette fête rendrait Merit plus accueillante.

Il n'y avait aucune trace de Haas, rien de nouveau. Il n'avait pas fait tellement d'efforts non plus. Et pourquoi donc ? Langenstras ne bougeait pas, aucun nouvel ordre ne lui était parvenu. Ce qui lui convenait parfaitement. Tant qu'il pourrait remplir son devoir à Berlin, il n'irait pas au front. Il n'était pas pressé.

Mais il fallait qu'il parle à Merit. Il ne comprenait pas que tout ce qu'ils avaient vécu ensemble ne compte plus pour elle. La guerre était perdue, dans un avenir plus ou moins proche le cauchemar serait terminé. Il faudrait prendre un nouveau départ. Noël, la fête de la paix, était une bonne occasion pour tirer les choses au clair avec elle.

— Bombes explosives, quatre ou huit tonnes, belles bêtes, proclama d'une voix claire le gamin d'environ neuf ans. Un bonsoir des tommies, l'avant-dernière nuit. Un Lancaster, à tous les coups.

Kalterer contempla la façade gris-brun de l'immeuble. On avait cloué des cartons et des planches à deux des trois fenêtres de l'appartement de Merit. Du crépi était tombé du mur en grandes plaques et plusieurs fentes montaient en ramage vers le toit. Les vantaux de la porte cochère étaient ouverts, celui de gauche pendait au gond supérieur, arraché par le souffle d'une explosion.

Le jeune garçon était près de la porte et le regardait d'un air important. Joues et nez luisant de froid, de la morve lui coulait de la narine droite. La tête et les oreilles étaient protégées par un passe-montagne noir en laine, sur le devant duquel était cousue une petite visière, comme sur les casquettes des hommes de l'Armée rouge. Son manteau gris lui battait aux mollets. Seules les pointes de ses doigts dépassaient des manches trop longues et serraient fermement un long bâton en bois qu'il traitait comme un fusil et pointait vers les pavés.

— Tu habites ici ?

Le garçon renifla.

— Ouais, mais pas depuis longtemps. Jusqu'au mois de novembre, on était à Spandau. Mais une bombe incendiaire a traversé tout l'immeuble. Il n'y avait plus rien à faire. On habite chez grand-mère maintenant, tout là-haut.

— Mais ici, à part des carreaux cassés, il ne s'est rien passé de grave ?

— Non, je fais attention, je veille.

Il voulut lui passer la main sur le passe-montagne

en entrant dans l'immeuble, mais le gamin fit un bond en arrière et se réfugia derrière un battant de la porte.

— Dans un an, je rentre aux Novices, cria-t-il en présentant les armes avec son manche en bois. Mon grand frère est déjà à la Hitlerjugend.

Kalterer se fendit d'un salut réglementaire et monta l'escalier.

La sonnette ne fonctionnait pas. Il frappa à la porte et attendit. Peut-être serait-elle contente qu'il arrive ainsi, à l'improviste. Peut-être n'attendait-elle qu'un geste. Mais aucune de ses lettres n'avait jamais reçu de réponse, elle avait toujours refusé son argent. Tout cela n'était pas bon signe.

Elle ouvrit. Un court instant, il crut lire de l'étonnement sur son visage. Mais elle se reprit aussitôt et fit la grimace.

— Alors, Hauptsturmführer...

— Sturmbannführer, rétorqua-t-il, et il se dit illico qu'il aurait mieux fait de se mordre la langue.

On ne pouvait imaginer plus mauvaise entrée en matière. Elle leva les yeux au ciel mais lui ouvrit néanmoins le passage. Pourquoi cette femme l'impressionnait-elle au point qu'il commettait de semblables erreurs de débutant ?

Elle le précéda dans la cuisine, se retourna et lui désigna la fenêtre.

— Regarde-moi ça, je n'ai trouvé qu'un seul carreau, mais pas de mastic, que des pointes pour le faire tenir en place. Tu crois que ça irait en bourrant du papier mâché ?

Un seul carreau était encore intact dans un des battants de la fenêtre, celui du haut ; tous les autres étaient remplacés par du carton, ce qui plongeait la pièce dans la pénombre.

— Tout est cassé. Depuis hier, je n'arrête pas de nettoyer et de ranger.

La porte de la cuisine était brisée en trois morceaux ; elle gisait sur le sol de l'entrée à côté de fragments de crépi qu'elle avait balayés en un tas, de bouts de bois de toutes tailles, de terre même et d'éclats de vitres. Les portes du salon et de la chambre à coucher étaient intactes, mais appuyées contre la cloison car les gonds avaient été arrachés.

— Que de la saleté, des débris, des éclats. Tu peux prendre ton temps pour admirer. Les fleurs sont toutes fichues, il ne reste plus une feuille, les pots sont cassés.

Il alla à la fenêtre de la cuisine. Il reconnut à cinquante mètres les restes de l'immeuble à l'angle de la Leibnizstrasse. L'onde de choc de l'explosion avait dû partir de là, puis secouer tout l'immeuble, tout arracher, même ce qui était solidement fixé. Et la porte d'entrée de l'appartement était restée en place parce que le souffle avait perdu de sa force en s'acharnant sur les autres portes.

Merit se laissa tomber lourdement sur une chaise de cuisine.

— Il ne reste plus rien debout, tout est sens dessus dessous. Le gaz ne marche plus, il n'y a plus de courant. De toute façon, ça n'a aucune importance, toutes les ampoules sont fichues. Je ne peux pas faire la cuisine, je n'ai rien à te proposer.

Elle se tut un instant et le regarda.

— Mais qu'est-ce que tu viens faire ici ? Admirer les résultats de votre politique ? Dieu, que les Anglais doivent nous haïr !

Il posa une bouteille de liqueur sur la table.

Elle ouvrit le buffet de cuisine dont les carreaux étaient cassés aussi.

— Et le pire, c'est qu'ils ont raison.

Elle essuya deux verres avec un torchon usé et les posa devant lui.

Elle était belle malgré les yeux cernés, la peau fatiguée, l'absence de maquillage ! Il avait toujours aimé la regarder. Partout. Il avait aimé la toucher, aimé sentir la douceur de sa peau. Il aurait voulu se lever, la prendre dans ses bras, l'embrasser dans la nuque, sous les petits cheveux qui dépassaient de son foulard poussiéreux. Mais il savait que c'était déjà une chance d'être assis là, à la table de la cuisine.

Comme si elle avait senti quelque chose, elle se débarrassa de son tablier et de son foulard. Ses longs cheveux bouclés se répandirent sur la veste en laine claire, sale à présent, qu'elle portait déjà avant la guerre.

— Regarde-moi tout ce chaos, dit-elle en se rasseyant. Seuls les verres à liqueur ont été épargnés, précisément ces affreux petits verres ; ils tiennent le coup, impossible de les casser.

— Je suis de retour à Berlin, dit-il, s'efforçant de garder une voix calme.

— Je le vois bien, répliqua-t-elle.

Elle prit la bouteille et se remplit un verre à moitié. Elle se mit à le siroter sans lever les yeux sur lui.

Le moment était manifestement mal choisi pour des retrouvailles. Mais y en aurait-il jamais un plus favorable ?

— Et toi, qu'est-ce que tu fais ?

— J'essaie de m'en sortir avec quelques leçons de

piano. Le dimanche, je joue de l'orgue à l'église. Avant, on m'a obligée à travailler dans une usine, mais elle a été bombardée.

— Je suis de nouveau dans la police.

— Ce qui signifie ?

Elle le regarda soudain, droit dans les yeux.

— Comme jadis, répondit-il, faire que les rues soient plus sûres.

La réponse lui sembla certes un peu naïve, mais il ne s'était pas attendu à sa réaction.

Elle se mit d'abord à glousser, puis ses hoquets de plus en plus forts culminèrent en un fou rire tonitruant. Il était assis comme pétrifié sur sa chaise de cuisine et fixait le second verre à liqueur vide. Elle finit par se calmer et essuya ses yeux pleins de larmes.

— Alors, comme ça, tu veux rendre les rues plus sûres ? Ne va surtout pas présumer de tes forces.

Elle se remit à glousser. Il ne supporterait pas qu'elle recommence à rire.

— Pour l'amour de Dieu, Merit, reprends-toi.

— Dieu ? Tu invoques le nom de Dieu ?!

Sa voix était dure tout à coup, agacée.

— Quelle sale blague, après tout ce qui s'est passé.

— Mais écoute-moi donc cinq minutes. Je ne tiens pas à me disputer avec toi. Je suis venu te dire que tu avais raison sur tout ce que tu m'as reproché. Sur toute la ligne. Mais c'est du passé. J'ai obtenu une mutation. J'ai été blessé et j'ai passé un certain temps à l'hôpital militaire. Et maintenant me voici à Berlin pour faire à nouveau un travail correct.

— Un travail correct ?

La manière dont elle répétait ses paroles sonnait comme un reproche.

— Tu crois vraiment qu'après tout ce qui s'est passé, il suffit de travailler dans une fabrique de savon pour avoir les mains propres ? Tu crois ça, vraiment ? Qu'il suffit de dire : tout ce que j'ai fait, c'était de la merde, mais c'est terminé, je vais refaire un travail correct, et tout sera pardonné, et oublié. Tu crois vraiment que ça marche comme ça ?

Tandis qu'elle parlait et que chaque mot augmentait sa rage, il remplit son verre à ras bord. Il ne savait que dire.

— On en sait de plus en plus, poursuivit-elle à voix basse. Vous étiez à peine en Pologne que tous les Juifs ont été massacrés, tous ceux que vous avez trouvés. Tu étais en Pologne, au milieu de tout ça…

— Je n'ai pas fait ça, la coupa-t-il en reposant vivement sur la table le verre qu'il s'apprêtait à porter à ses lèvres.

Elle haussa le ton.

— Mais tu as permis que ça se passe, tu y as prêté la main. Car tu es un rouage de leur machinerie. Et elle ne fonctionne que si tous tournent en même temps.

Il leva la tête, voulut rétorquer, mais elle fut plus rapide.

— Et ne viens pas encore me parler de ton devoir. Il n'existe nulle part un devoir qui t'oblige à assister des assassins. Cet État ne mérite pas la moindre indulgence.

Il vida son verre d'un trait.

— Merit, je viens de t'avouer que tu avais raison. Mais, au début, tout était différent, personne ne pouvait deviner où ça nous mènerait.

Il haussa les épaules.

— Mais tu n'es pas le seul en cause, nous sommes

tous dans le coup. Nous avons trop laissé faire, et on va nous présenter la note. Et il va falloir que nous rendions tous des comptes, si toutefois nous voulons encore regarder quelqu'un en face sur cette terre.

Elle ne le regardait pas, fixait la table et il eut soudain le sentiment qu'elle le comprenait mieux que jadis, quand ils s'étaient séparés, qu'elle ne lui battait plus froid avec cette impitoyable rigueur. Elle se leva lentement et il observa le geste familier avec lequel elle rejetait ses cheveux en arrière. Elle débarrassa les éclats de verre du dessus du buffet de la cuisine avec une balayette et les fit glisser dans un tiroir vide. Ils s'étaient tous rendus coupables. Ils avaient tous été entraînés, tous avaient été inconscients, tous champions du détournement de regard. D'une manière ou d'une autre, ils étaient tous complices. Plus personne n'était capable de tracer une frontière entre culpabilité et innocence. Merit et lui, la distance qui les séparait n'était pas si grande. Ils pouvaient se retrouver, affronter ensemble ce qui les attendait, eux et l'Allemagne, quand la guerre serait perdue.

Elle lui tint sous le nez la pelle à ordures pleine de ce qui ressemblait à du sel.

— Tout est plein de ces débris de verre si fins qu'ils passent à travers les mailles des tamis. Impossible de trier. Tout l'appartement est plein de ces minuscules éclats de verre.

Elle versa le contenu de la pelle sur un tas de gravats dans l'entrée, retourna devant le buffet et passa une main sur le plateau de travail.

— Tout n'est plus que cendres et décombres, dit-il.

Il hésita, attendant sa réaction. Elle s'appuya sans un mot contre le meuble.

— Plus rien n'est comme avant, poursuivit-il. On ne peut plus rien y changer. Mais il faut continuer à vivre quand même, trouver une nouvelle voie, un arrangement.

Elle paraissait ne pas l'avoir entendu.

— Nous savons tous les deux que, d'une certaine manière, tout le pays est coupable, Hans. Nous avons été trop nombreux à défiler. Par conviction, par opportunisme, par peur ou par indifférence. Moi aussi, j'ai…

Elle hésita un moment.

— On ne pourra pas déclarer tout le peuple coupable… mais les responsables, ceux-là il faut leur demander des comptes !

— Et tu penses que j'en fais partie, n'est-ce pas ?

Il allait s'emporter, mais un regard d'elle suffit pour que sa colère se perde dans les sables.

— Je ne sais pas. Mais qu'est-ce que tu en penses, toi ?

— Je ne me sens aucunement responsable, je n'ai toujours fait qu'obéir aux ordres. Comme nous tous. D'une certaine manière, nous avons tous marché, non ?

— Mais tout le monde n'a pas obéi à ces ordres criminels.

Elle avait dit cela sur un ton de reproche, de défi presque.

— Celui qui n'obéit pas est passé par les armes. C'est comme ça !

Elle l'exaspérait et il se rendit compte qu'il haussait de nouveau le ton. Il serra le verre à liqueur vide dans sa main.

— Tu n'as jamais été confrontée à une telle situation, Merit, tu ne sais pas ce que c'est… Ne pas obéir aux ordres, facile à dire !

Il la regarda dans les yeux.

— Pourquoi es-tu aussi arrogante, Merit ? Tu connais la Bible par cœur pourtant : « Que celui qui n'est pas coupable jette la première pierre... »

Elle approuva lentement d'un signe de tête.

— J'ai quelques reproches à me faire. Moi non plus, je n'ai rien voulu voir les premières années qui ont suivi 1933, je n'ai pas voulu écouter quand Frau Hausner m'a raconté qu'elle avait peur qu'on vienne les chercher.

— Si tu voulais m'aider, j'en finirais avec tout ça.

Il parlait sérieusement.

Mais elle hocha la tête.

— Comment donc ? Tu rêves, Hans. Tu veux déserter, tu veux passer à la clandestinité, te cacher ? Crois-tu que ça effacerait tout ? Et puis je te connais, Hans. Tu te gardes toujours une porte de sortie.

— C'est comme ça que tu me parles ! Je suis ton mari, nous sommes encore mariés, tout de même ! Qu'allons-nous devenir ?

Elle quitta le buffet de cuisine, s'assit et le contempla de ses yeux noirs, pensifs, ces yeux qu'il avait toujours aimés, qu'il aimait encore tant.

— J'aurais aimé passer ces années affreuses avec toi. Tu m'as souvent manqué. Tu me manques...

Elle déglutit et murmura presque :

— Si seulement tu étais resté à la police... Mais je ne peux plus vivre avec toi maintenant. Même si je le voulais. Pour nous, il n'y a plus aucune chance, Hans.

— Mais je suis de nouveau policier. Je n'ai jamais cessé d'être policier.

— Mais arrête donc avec ça, c'est insupportable !

— Alors dis-moi ce que je dois faire.

314

Elle se tut un moment. Puis elle se leva et dit :

— Fais face à tes responsabilités, acceptes-en les conséquences.

Il la regarda fixement. Évidemment, pour elle, c'était la solution, faire pénitence, expier, quoi qu'il en coûte. Il avait oublié son fort attachement à la foi et aux valeurs chrétiennes. Mais il ne pouvait pas se laisser mener à l'abattoir comme un mouton.

— Qu'est-ce que cela veut dire, Merit ? Quoi que je fasse, je suis dans la merde, que ce soit avec toi, dans mon métier ou après la guerre. Tu veux que je dise à mes supérieurs : Allez vous faire foutre, je ne suivrai plus vos ordres parce que je ne veux plus, parce que j'ai des scrupules, que j'ai pris conscience de ce que je fais ? Ils me liquideront avant même que j'aie terminé ma phrase ! Ou est-ce que tu t'attends à ce que je déclare aux vainqueurs après la guerre : « Hello, je me présente, Sturmbannführer Kalterer de la SS, j'ai accompli mon devoir pour la patrie en Pologne et en France et j'ai obéi aux ordres, comme vous vous attendiez à ce que vos hommes le fassent aussi. » Mon uniforme noir leur suffira pour me fusiller. Droit des peuples ? Ils n'en ont rien à foutre. Faut-il que je me mette tout simplement dos au mur pour me laisser tirer comme un lapin ? C'est ça que tu attends de moi ?

Elle s'accouda à la table et se couvrit le visage des mains.

— Non, dit-elle à voix couverte, non, ce n'est pas ce que je veux… Mais qu'est-ce que nous allons devenir ?

Il se leva et lui posa prudemment la main sur l'épaule. Elle se laissa faire.

— Je te le jure, je n'ai jamais fusillé de femmes,

d'enfants ou de Juifs. Il faut tout simplement que tu me croies. Nous sommes faits pour vivre ensemble, non ?

Elle se dégagea délicatement et leva les yeux vers lui.

— Je ne sais si je peux te croire, Hans. Est-ce que je te connais vraiment, au fond ?

— Je t'aime, Merit.

Il effleura ses cheveux d'une caresse.

— L'amour ne suffit pas. J'ai compris ça avec la guerre. Tu ne m'as jamais fait participer à ta vie. Je ne suis même pas certaine que tu aies été honnête envers moi. Qu'est-ce que je savais de tes pensées, de tes soucis ? Tu as toujours pris tes décisions sans moi. Et maintenant tu viens et tu veux que je croie que nous sommes à nouveau réunis. Tu ne penses pas que c'est trop tard ?

— Je ne voulais pas t'ennuyer avec mes soucis quotidiens, je ne voulais pas que ça trouble notre vie commune. Je voulais que tu sois heureuse. Mais maintenant, j'ai besoin de toi, Merit. Moi aussi, je suis tombé dans la gueule du loup. J'ai certainement commis des erreurs, je suis peut-être même complice de ce que tu me reproches, parce que j'aurais détourné le regard, par le seul fait de ma présence, par l'aide que j'aurais pu apporter sans le savoir. Mais d'une certaine manière, n'en avons-nous pas tous fait autant ? Je n'ai pas cessé d'être dans des situations où j'ai eu à prendre des décisions avant même de comprendre ce qui se passait réellement. Il faut tenir compte de ça avant de condamner quelqu'un sans lui donner sa chance.

De la pointe du nez, il sentit la douceur de sa peau,

sa respiration haletante. Elle se taisait. Il sentit qu'elle se raidissait. Elle s'écarta lentement de lui et se leva, alla à la fenêtre et lui tourna le dos.

— Tu as peut-être raison, Hans, et qu'avec tous ces événements il est impossible de rester correct. Il s'est passé tant de choses.

Elle lui fit face.

— C'est trop pour moi, Hans, il faut que je sois seule pour réfléchir. C'était bien, que tu sois passé me voir, mais va-t'en maintenant, je t'en prie.

Elle l'aimait encore, il le sentait. Une petite étincelle brûlait encore en elle. Il ne fallait pas la laisser s'éteindre, il fallait l'entretenir soigneusement, la nourrir afin de chasser ses réticences et ses doutes. Ce qu'il avait de mieux à faire était de partir, surtout ne rien ajouter et prendre son mal en patience. Il se rendit à la porte d'entrée.

Elle le suivit.

— Laisse-moi le temps, Hans, veux-tu ?

Elle accepta qu'il l'attire à elle, la serre contre lui sans un mot.

Non, tout n'était pas perdu.

Il se retrouva dans la rue. Le temps s'était rafraîchi et le ciel gris semblait annoncer de la neige. Le gamin patrouillait le long du mur de l'immeuble, bâton sur l'épaule. Il fit un salut réglementaire à Kalterer quand il passa à sa hauteur.

45

Inge lui avait déjà annoncé au petit déjeuner qu'elle se chargerait d'acheter tout ce qu'il fallait pour un agréable réveillon de Nouvel An, en tête à tête. Il ne l'avait que vaguement écoutée. Elle avait raconté qu'il y avait beaucoup de viande aux étals et que c'était bien suspect. On abattait le bétail à l'Est, disait la rumeur. Avant le sauve-qui-peut général. Abattages rendus nécessaires avant l'offensive d'hiver menaçante. De temps à autre, il avait approuvé en silence, l'air absent, le regard vide, laissant errer ses pensées. Merit l'aimait encore. Toute issue n'était pas complètement fermée. Ils se retrouveraient. Il fallait simplement qu'il lui laisse le temps, qu'il ne la bouscule pas. Mais avant tout, il devait clarifier ses relations avec Inge et se séparer d'elle.

Il se tenait devant le miroir de sa chambre d'hôtel et essuyait les traces de mousse à raser. Mains sales, sale boulot. Il ne devait pas se laisser guider uniquement par ses sentiments. Combien de temps lui restait-il encore pour clore son enquête ? La contre-offensive à l'Ouest avait échoué. La Wehrmacht ne pourrait certainement pas résister bien longtemps à l'assaut des troupes russes. Il ne devait pas perdre de vue l'ensemble de la situation, il devait garder l'œil sur toutes les péripéties de son affaire. Il lui paraissait de plus en plus évident que la traque de Haas était sa meilleure planque pour demeurer à Berlin, meilleure que n'importe quelle tranchée des bords de la Meuse ou du coude de la Vistule, avec des B16 au-dessus de la tête ou ces machines à coudre russes. Ruprecht Haas était sa position d'arrêt, celle qu'il devait tenir aussi longtemps qu'il le pourrait, le trou d'obus dans lequel il se laisserait glisser pour survivre aux premières vagues d'assaut.

La femme de chambre frappa à la porte, on l'appelait au téléphone. Il se sécha, enfila sa chemise et sa veste et descendit à la réception où on lui tendit l'écouteur.

— Oui ?

— C'est moi !

— Tu as déjà tout trouvé pour ce soir ?

— Oui, oui, déjà depuis midi…

Inge paraissait tout excitée.

— Mais ce n'est pas pour ça que j'appelle. J'ai trouvé quelque chose dans les dossiers de Karasek, ça va sûrement t'intéresser. C'est un petit calepin de cuir noir rempli de notes. Il y a de ces trucs là-dedans !

Il l'interrompit brutalement :

— Pas au téléphone.

— Mais il faut que tu voies ça le plus vite possible. Veux-tu que je te l'apporte ce soir ?

— Non, de toute façon, je vais repasser Kochstrasse. Range-le au fond du premier tiroir de mon bureau.

— Bien, mais ne traîne pas trop, sois à l'heure. Sinon le rôti sera froid. Et ce serait vraiment dommage.

— Tu rentres maintenant ?

— Oui. Encore un petit entretien et j'y vais.

Au moment même où il reposait l'écouteur sur la fourche, les sirènes retentirent. Les tommies ne pouvaient s'empêcher de carillonner l'année nouvelle avec un raid aérien. Il aurait dû s'en douter. Il emballa le nécessaire et prit le chemin du bunker.

L'alerte mit longtemps à être levée. Il était en retard et renonça à repasser par le bureau. Il voulait être à l'heure, comme promis. Kruschke lui gara la voiture devant l'hôtel et lui souhaita un bon réveillon. Il lui donna congé pour deux jours et se mit en route. Une pluie glaciale fouettait les pavés et le vent soufflait en tempête. Les essuie-glaces n'en pouvaient plus et il avait du mal à distinguer la chaussée.

Il fit les quelques mètres qui le séparaient de l'entrée de l'immeuble au pas de gymnastique. Il secoua son chapeau, ouvrit son manteau et éternua. Il gravit lentement les marches usées. Il aurait préféré passer cette soirée avec Merit. Il l'aurait même volontiers accompagnée à la messe de Nouvel An et l'aurait écoutée jouer de l'orgue avec plaisir. L'an prochain, peut-être.

La porte de l'appartement d'Inge était simplement poussée. Il pénétra dans l'entrée ornée de guirlandes en papier. De la musique à la mode jaillissait du récepteur populaire de première classe. Il l'appela à haute voix, mais n'obtint aucune réponse.

Elle n'était pas au salon. La table était dressée pour deux, porcelaine blanche sur nappe blanche, chandelles blanches au centre, couverts en argent auprès des assiettes au bord doré, verres en cristal taillé et verres à liqueur colorés étincelants.

Elle voulait sans doute lui faire une surprise. Il

baissa le son de la radio. Il ne savait pas Inge capable de telles niaiseries. Elle voulait donc qu'il parcoure l'appartement à tâtons, jusqu'à ce qu'elle surgisse, légèrement vêtue sans doute, avec en tête quelque plaisanterie idiote du style « *Force par la joie* ». Elle n'était pas non plus couchée dans le lit. Non, cela ne lui ressemblait vraiment pas de se livrer à de telles gamineries.

Il la trouva dans la cuisine. Elle s'était faite particulièrement belle pour lui. Elle portait un double rang de perles et une longue robe de soirée noire. Ses jambes étaient galbées de bas de soie à couture couleur chair qu'il ne lui connaissait pas. Elle était chaussée de fines sandales à talons hauts carrés. Elle était allongée sur le sol, jambes bizarrement tordues, une main sur la poitrine, là où la robe était pleine de sang. Ses yeux fardés fixaient le vide et ses lèvres maquillées rouge foncé étaient légèrement entrouvertes sur ses dents.

Pendant quelques instants, il n'éprouva rien. Il ne sentit que ses genoux qui mollissaient et se rendit compte qu'il s'accroupissait lentement. Il lui toucha le cou à hauteur de la veine jugulaire. La chair était froide et le pouls éteint. Elle n'avait pas mérité ça. Inge n'avait pas mérité ses mensonges. Il s'était seulement servi d'elle, comme on se sert d'ustensiles quotidiens… Personne n'avait mérité ses mensonges, peut-être pas même Langenstras. Et à présent cette femme, dont quelques heures auparavant il avait encore senti le souffle chaud et l'odeur de transpiration, était morte, étendue sous ses yeux sur le sol de la cuisine et il ne ressentait de pitié qu'envers lui-même.

Il se reprit. Inge était morte, manifestement poignardée. Il voulut lui fermer les yeux, mais se retint : il est interdit de toucher quoi que ce soit sur les lieux du crime. Il se releva ct chercha des mobiles. Il était fort possible que le meurtre soit lié à l'affaire dont il s'occupait. Peut-être y avait-il des rapprochements qui lui avaient échappé.

Il fit à nouveau le tour des lieux. Comme d'habitude, l'appartement était propre et rangé. Inge avait de l'ordre et il n'y avait pas la moindre trace de fouille crapuleuse. Il y avait plusieurs bouteilles de vin sur la table de la cuisine. Sur un plateau en argent il vit des tranches de rôti froid soigneusement garni avec différents légumes de conserves. À côté du rôti, un couteau à découper auquel tenait encore une tranche de viande, comme si Inge avait été dérangée en plein travail. Elle avait tout préparé pour une belle fête, tout organisé à la perfection. Elle avait même trouvé une boîte de plaquettes en plomb à faire fondre dans une cuiller tendue sur la flamme d'une bougie et à précipiter dans un verre d'eau froide pour, selon la coutume, jouer à lire l'avenir dans la bizarrerie des formes ainsi obtenues. Il soupesa le carton, le replaça sur l'égouttoir. Pendu au dossier d'une chaise, il remarqua un torchon de cuisine auquel elle s'était sans doute essuyé les mains quand elle avait été interrompue dans ses préparatifs par son assassin.

Il ne découvrit aucune trace d'effraction sur la porte d'entrée. Le meurtrier avait dû sonner et elle avait tout laissé en plan, peut-être parce qu'elle avait pensé que c'était lui qui attendait devant la porte. Elle avait alors regardé son assassin dans les yeux. Une connaissance peut-être, ou un vieil ami, ou un simple visiteur. Il regagna la cuisine et fit le tour du cadavre, le contempla sous tous les angles. Il se rappela qu'elle avait parlé d'un petit calepin en cuir noir, elle l'avait déposé dans un tiroir de son bureau. Le meurtrier avait peut-être quelque chose à voir avec ses recherches. En ouvrant la porte, elle avait peut-être même fait face à un collègue.

Kalterer regarda la grotesque position des jambes d'Inge. Ses chevilles fines et ses mollets joliment galbés se dessinaient sous les bas de soie mats qui disparaissaient sous le bord de sa robe remontée à mi-cuisses. Il fut soudain pris de vertige. Sur la table de la cuisine, la sauce où baignaient les légumes avait refroidi et une peau blanchâtre s'était formée à sa surface. Il remarqua qu'on avait éteint le four. Et c'est alors qu'il vit que la lame du couteau était recouverte jusqu'au manche en bois de sang caillé.

46

— Elle a manifestement été poignardée avec le couteau à trancher, affirma le collègue du service anthropométrique.

Il tenait en main le couteau plein de sang coagulé, manche précautionneusement enveloppé dans un mouchoir.

— L'assassin a tout simplement déposé l'arme du crime à côté du rôti. Macabre, non ?

Kalterer haussa les épaules. Le fonctionnaire de police essaya de repérer des empreintes digitales sur le couteau. Trois policiers fouillaient les autres pièces à la recherche d'indices exploitables.

Soudain, on entendit du vacarme dans la cage d'escalier. Les lourdes bottes de plusieurs hommes résonnaient sur les marches en bois. Quelqu'un cria d'une voix de commandement :

— Mais retournez donc dans vos appartements, il n'y a rien à voir !

Langenstras fit son entrée dans le vestibule, lança un bref signe de tête à Kalterer avant de se placer à côté de lui, le regard fixé sur le cadavre d'Inge. Un aide de camp inconnu de Kalterer surgit derrière lui.

Le Gruppenführer Walter Langenstras se déplaçait en personne, la nuit de la Saint-Sylvestre, sur le lieu du crime d'une employée subalterne ! Tout cela était bien étonnant.

— Quelle histoire stupide ! marmonna Langenstras en posant sa main sur l'épaule de Kalterer pour le guider vers la salle à manger.

Il tapota une cigarette sur son étui. Son aide de camp se précipita pour lui donner du feu.

— Quelle saloperie, et ça la veille du Nouvel An !

Le regard de Langenstras alla de Kalterer à la table dressée. Kalterer s'attendait à ce que le Gruppenführer lui donne la raison de sa présence, mais celui-ci se tut.

— Je vous ai négligé, Sturmbannführer.

Cigarette entre les doigts, Langenstras se mit à arpenter la pièce. Il ouvrit une des portes du buffet.

— Beaucoup à faire, vous savez ce que c'est.

— Je sais, Gruppenführer, vous êtes très occupé. Et je me suis dit que vous me feriez signe dès que vous auriez le temps d'écouter mon rapport. Le criminel est quasiment cerné, il ne reste plus que quelques petites questions à éclaircir.

Il s'en posait désormais plus que jamais, des questions, mais ne pouvait pas en discuter avec Langenstras. Pour cela, il lui fallait des preuves, des preuves irréfutables. Il fallait absolument qu'il mette la main sur le calepin dans le tiroir de son bureau.

— Il faut dire aussi que les circonstances actuelles ne favorisent pas l'enquête, ajouta-t-il. De nos jours, tout prend du temps.

Peut-être devrait-il lui livrer le nom de Haas, inventer rapidement un lien avec le meurtre d'Inge de manière qu'il puisse coller au ballon, qu'on ne lui retire surtout pas l'affaire. Il ne pouvait pas faire la moindre allusion à la piste qui le menait éventuellement à l'Office central pour la Sécurité du Reich. Cela pourrait lui causer de graves ennuis.

Après avoir mis son nez dans la dernière étagère basse du buffet, Langenstras se releva et le regarda.

— Où est la bouteille de schnaps, Sturmbannführer ?

— Dans le meuble, sous le poste de radio, répondit-il sans hésiter.

Langenstras n'était pas idiot et toujours bien informé. Mieux valait donc ne pas trop s'éloigner de la vérité.

Langenstras tira une bouteille de cognac de la desserte, posa deux verres sur la table, les remplit et lui en proposa un. L'alcool lui mit les larmes aux yeux. Langenstras lui aussi expira profondément. Il se rapprocha de Kalterer et remplit de nouveau les verres.

— Vous couchiez avec elle ?

Il répliqua d'un clignement des paupières.

— Ne le prenez pas mal, nous ne sommes que des hommes et la chair est faible, dit Langenstras en tordant la bouche en une sorte de sourire. Moi aussi, j'ai été jeune. On prend ce qu'on trouve. On fait la fête, même quand les maris tombent au front. À la victoire finale ! À la vôtre !

Ils avalèrent tous deux leur verre d'un même mouvement brusque de la tête. Le visage de Langenstras vira au rouge. Il jeta un regard sur la table dressée.

— Ça aurait dû être une belle fête, n'est-ce pas ?

Puis il pivota brusquement vers Kalterer.

— Qu'est-ce que vous pensez de tout ça ?

Kalterer fit lentement tourner entre ses doigts le

verre à liqueur aux tons bleus. Inge avait découvert une piste importante pour lui. Possible que certains milieux de l'Office central pour la Sécurité du Reich aient intérêt à saboter ses investigations. Jusqu'à ne pas hésiter devant un meurtre. La prudence était donc de mise. Inge avait dû avoir la puce à l'oreille. Les résultats de l'enquête parvenaient à Bideaux et, selon toute vraisemblance, finissaient par remonter à Langenstras. Mais il n'avait aucune idée du nombre d'individus de cette hiérarchie, il ne savait pas combien de personnes d'autres sections, bureaux ou services pouvaient avoir accès à ses recherches. Il ne soupçonnait personne avec certitude, il n'avait aucun élément solide en main.

— Je ne sais pas, Gruppenführer.

Il reposa son verre sur la table basse du divan.

— Ça ne ressemble pas à un crime crapuleux.

— Quelqu'un était-il jaloux de vous, ou est-ce vous qui l'avez tuée ?

— Pour l'amour du ciel, Gruppenführer, je…

Langenstras fit un signe de dénégation.

— J'aurais du mal à le croire, évidemment. Non, non, ce n'était qu'une remarque idiote de ma part.

— Et je ne me connais pas de rival non plus, fit Kalterer en haussant les épaules.

— Est-ce qu'il y aurait un rapport avec notre histoire, Sturmbannführer ?

— Je n'en vois aucun pour le moment, répliqua-t-il, tout en observant Langenstras qui s'était confortablement installé dans un fauteuil, les yeux sur le verre à liqueur aux tons rouges qu'il caressait de la main.

— Lors de notre dernier entretien, vous m'aviez dit qu'il était possible qu'un groupe non encore identifié soit coupable, mais qu'il n'était pas exclu non plus que ce soit un individu isolé avec un mobile politique.

Kalterer approuva d'un signe.

— Peut-être pourrait-on penser aussi à un individu manipulé par un groupe terroriste. Guidé par une bande de lâches qui ne veulent pas se salir les mains.

— Aucune hypothèse n'est à écarter.

— Une bande qui aurait des antennes dans la police et qui serait informée de vos investigations.

— Cette possibilité existe aussi.

— Mon cher Kalterer, la trahison rôde partout, nous devons être vigilants et prudents.

Langenstras se pencha en avant et reposa son verre.

— Même dans nos propres rangs, il y a du relâchement, des vides. Pensez à Nebe, pensez à Naujocks. Nous sommes entourés de traîtres qui veulent prendre leurs distances. Poursuivez votre enquête, mon ami, dans toutes les directions possibles. Pensez à l'impensable et faites-moi votre rapport.

Kalterer contempla les puissantes mains de Langentras. Le Gruppenführer était en train de lui bâtir un pont en or, presque comme s'il voulait lui faire comprendre qu'il était son unique interlocuteur, la seule digue à laquelle il pouvait faire confiance dans un océan de traîtrises. Peut-être que Langenstras était en quête d'un confident. Il lui fallait rester sur ses gardes, sinon il risquait de devenir le dernier fidèle, le dernier défenseur du bunker de Langenstras dans l'ultime massacre de cette guerre. Cet homme le déroutait. Langenstras avait été mis au courant de son enquête et avait tiré de ces informations les conclusions les plus plausibles. Voulait-il orienter ses réflexions dans une direction précise ? Ou lui faire comprendre habilement ce qu'il savait et ce qu'il soupçonnait ?

— Je ne peux malheureusement pas mettre d'hommes à votre disposition. La situation du personnel est tendue, vous le savez. Mais de toute façon, vu la manière dont l'affaire se présente, il vaut mieux que vous continuiez à enquêter seul. (Il lui fit un clin d'œil, mais reprit aussitôt son sérieux.) Vous êtes mon homme de confiance, ajouta-t-il.

— À vos ordres, Gruppenführer.

Kalterer rectifia la position et salua.

— Pour des raisons de principe, je ne peux vous confier l'enquête de cette nouvelle affaire, reprit Langenstras. Vous êtes trop impliqué, ça pourrait mal tourner. Mais je vous tiendrai au courant.

Des cloches s'étaient mises à carillonner et Merit était certainement assise à son orgue pour le concert du Nouvel An. Homme de confiance ! Il n'en avait rien à foutre. Le meurtre d'Inge, la présence de Langenstras avec ses questions, ses réflexions – tout cela était malsain. Il fallait qu'il aille récupérer ce calepin noir.

Un policier sortit de la cuisine et Kalterer le vit ranger le couteau dans un petit sac en papier. Il crayonna quelques mots sur une étiquette brune qu'il fixa au sachet avec un bout de ficelle. Kalterer se rendit soudain compte qu'il serait bien improbable qu'il retrouve dans son bureau le calepin avec les notes qu'Inge y avait lues.

Langenstras sortit d'autres verres du buffet, les remplit tous, appela son aide de camp et les fonctionnaires de police. Il les embrassa du regard et leva son verre.

— Camarades et membres de la communauté patriotique nationale, garde-à-vous ! En ce jour de fête, nous pensons à nos glorieux succès, et à l'heure présente, l'heure de l'entraide mutuelle, de la solidarité, nous pensons aux meilleurs de notre peuple, à ceux qui ont mûri en son sein. Que nos armes gagnent la plus grande et la plus décisive bataille sur nos ennemis ! C'est dans ces heures difficiles que les vrais Allemands se distinguent des lâches indécis, et tous ceux qui, maintenant, serrent fidèlement les rangs, peuvent être assurés de la reconnaissance du Führer du peuple allemand. L'avenir leur appartient. À l'Allemagne, à la victoire ! Heil Hitler !

Ils vidèrent leurs verres d'un trait. Le jeune aide de camp avala stoïquement le sien, les policiers de la Sûreté commencèrent par se regarder les uns les autres, mais finirent par être fiers de trinquer en cette compagnie. Langenstras but, les yeux rouges, rendus brillants par l'alcool. Kalterer reposa son verre avant qu'il soit entièrement vide. À quelques mètres de lui à peine, la raideur cadavérique s'emparait lentement d'une femme allongée dans sa cuisine, une femme… oui, il l'avait aimée. La situation était surréaliste.

— Il en reste encore une goutte pour moi, où est-ce qu'une fois encore cette année j'arrive trop tard ?

Bideaux se tenait sur le seuil en ricanant. Il ne manquait plus que celui-là dans cette scène jouée par des cabots. Kalterer se contenta de lui adresser un salut de la tête.

— Venez, mon cher Bideaux, il y aura toujours quelque chose pour vous.

Langenstras remplit de nouveau les verres et en tendit un au nouvel arrivant.

— Un toast pour mon collègue Bideaux, qui va

nous quitter cette semaine pour l'Italie où il va chauffer le cul aux partisans.

Le Gruppenführer se tourna vers Bideaux :

— Comment se fait-il que vous ayez mis si long-temps pour arriver ici ?

— J'ai eu du mal à joindre le commissaire Krieger, mais il est en route.

— Bien, messieurs, retournez à votre travail main-tenant, sinon le commissaire va nous gronder parce que nous buvons du schnaps sur les lieux du crime.

Les policiers posèrent leurs verres et retournèrent dans la cuisine.

— C'est Krieger qui va s'occuper de cette affaire, dit Langenstras tout en prenant Kalterer par le bras pour le reconduire. Vous pouvez disposer, Sturmbann-führer, vous avez besoin de sommeil pour la suite de vos propres investigations.

Il lui ouvrit la porte palière et lui serra la main.

— Pensez à ce que je vous ai confié et tenez-moi au courant, lui murmura-t-il. Quand vous tiendrez le coupable, n'en parlez à personne, venez me voir direc-tement. Nous réglerons cela tous les deux.

47

Le moteur de la voiture hurlait dans la nuit calme. Il devait se rendre au bureau sur-le-champ, il lui fallait ces notes de Karasek, il y trouverait peut-être la solution à son affaire et une piste pour le meurtrier d'Inge. Mais après quelques minutes dans les rues sombres il perdit toute orientation. Il s'était trompé de route au milieu de ces pâtés de maisons chamboulés dont il ne subsistait la plupart du temps que des façades ou des moignons de murs et où les jardinets n'étaient plus que monticules de remblais. Il descendit de voiture à un carrefour. À l'aide d'une lampe de poche munie d'un filtre de camouflage rouge il chercha le nom d'une rue.

Un homme sortit d'un trou de cave et se mit à pisser contre un tas de décombres en chancelant légèrement. Il fixa Kalterer comme s'il avait vu une apparition.

— Bonne année, marmonna-t-il. Tu viens me souhaiter la bonne année ?

Il rit sous cape, tout en reboutonnant maladroitement sa braguette.

— Comment s'appelle cette rue ? questionna Kalterer.

— Rue du Joyeux-Tas-de-Ruines, bredouilla-t-il, plié en deux de rire et finissant par s'écrouler tête la première dans les gravats juste à l'endroit où il venait de pisser.

— Venez, je vous raccompagne.

L'homme s'efforça de l'aider un peu et il put le saisir sous les aisselles et le tirer sur les quelques marches qui descendaient à la cave. Deux épais rideaux de porte de bistrot faisaient office de coupe-froid, derrière lequel il découvrit une sorte de chambre de bonne. Des meubles de bric et de broc, une table, un lit, une table de toilette, un petit poêle à charbon, un tas de morceaux de bois récupérés dans les décombres. Le tuyau de poêle sortait par l'unique soupirail bouché avec une vieille couverture. Deux bougies éclairaient la pièce. Une femme dormait sur le lit ; sur la table, il y avait une bouteille de schnaps vide et une à demi-pleine.

— Où se trouve la Friedrichstrasse ? demanda-t-il à celui qu'il avait assis sur une vieille chaise de cuisine.

L'homme entonna la bouteille à moitié pleine et avala une longue gorgée.

— Bonne année, Allemagne ! bredouilla-t-il. Il fixait un œil sur Kalterer. Friedrichstrasse ? Tout est foutu, reste p'us rien.

Sa tête dodelinait à chaque mot.

— Resaississez-vous, mon vieux !

Le bonhomme sursauta.

— Deuxième à gauche, toujours tout droit et vous allez y... arriver, bégaya-t-il, lui désignant de l'index une vague direction.

— Merci, répondit Kalterer.

Il se glissa entre les rideaux et sortit du trou humide. Avec sa lampe de poche, il éclaira le mur au-dessus de l'entrée de la cave. Aucun nom, aucun numéro de rue n'indiquait que quelqu'un vivait ici. Haas devait certainement se cacher lui aussi dans une de ces habitations troglodytes, au milieu de maisons entièrement incendiées par les bombardements, au fond d'un quelconque trou de cave, sans eau courante, sans toilettes correctes, et surtout sans être recensé. Ils étaient déjà des milliers de sinistrés à vivre ainsi. Il était quasiment impossible de retrouver un meurtrier dans ces conditions.

Il monta dans sa voiture et démarra. Deux rues plus loin et il sut de nouveau où il était. Vingt minutes plus tard, il s'arrêtait Kochstrasse.

La porte d'accès avait été forcée.

Il entra, sortit son arme et écouta. Rien ne bougeait. Il se réfugia derrière la porte, puis tâtonna le mur à la recherche du commutateur. Quand il tourna le bouton à ailettes en porcelaine, les lampes s'allumèrent avec un claquement sec. Il enleva le cran de sûreté de son parabellum, attendit que ses yeux se soient habitués à la lumière, puis bondit dans le couloir. Il avança prudemment, de bureau en bureau. Il n'y avait manifestement plus personne. Il était arrivé trop tard. Toutes les pièces avaient été fouillées, on avait renversé tous les tiroirs, jeté les papiers sur le sol. Papier à écrire à en-tête, notices individuelles du personnel, laissez-passer en blanc, formulaires de déclaration de résidence, tampons administratifs, cartes d'alimentation, livrets ouvriers, certificats de travail, bons d'essence jonchaient pêle-mêle le sol du couloir et des bureaux.

Il en était de même dans la pièce d'Inge. Les dossiers concernant les affaires commerciales de Karasek étaient éparpillés sur son bureau et sur le sol, la plupart dos en l'air comme si on les avait secoués puis tout simplement laissés tomber.

La porte en acier de son propre bureau était grande ouverte. Ses notes, les croquis qu'il avait tracés pour essayer de comprendre comment les crimes s'étaient effectivement déroulés, avaient été passés au crible. On les avait trouvés sans intérêt et jetés au pied du bureau. La porte à cylindre de son secrétaire avait été forcée et ne fonctionnait plus. Tout avait été retourné. Il ne trouva de calepin noir nulle part, ni dans le tiroir du haut de son bureau, ni dans aucun autre. Il s'assit dans son fauteuil qui grinça. Cette intrusion était évidemment liée au meurtre d'Inge. Elle avait trouvé les notes de Karasek, elle était morte et elles avaient disparu. Elle avait informé quelqu'un d'autre que lui de sa découverte, celui-ci l'avait tuée, puis avait simulé un cambriolage dans les bureaux, en avait profité pour faire main basse sur des documents compromettants. Seul quelqu'un de la maison était en mesure d'agir aussi vite et de manière aussi ciblée. Personne d'autre n'aurait osé s'aventurer dans une annexe de la Gestapo après un meurtre sans être absolument certain qu'il n'y aurait pas de sentinelles.

Il regagna lentement l'entrée, s'efforçant de ne pas piétiner des documents ou des feuilles manifestement arrachées à des dossiers. Il éteignit la lumière et reprit place dans sa voiture. On découvrirait l'affaire le lendemain au plus tard. Il était certain qu'on aurait à déplorer la disparition de quelques tampons administratifs de première importance ainsi que de formulaires en blanc, ce qui donnerait une explication plausible au cambriolage.

Mais peut-être ce vol ne concernait-il vraiment que les dossiers de Karasek, le calepin étant la seule pièce à conviction qui établissait un lien entre sa mort, celle d'Inge et les meurtres de Haas. Il y avait peut-être dans le calepin noir une allusion, un détail susceptible de devenir dangereux pour quelques messieurs de la Prinz-Albrecht-Strasse. Des notes sur les affaires de contrebande de Karasek par exemple. Karasek fait ses affaires douteuses avec l'aide, ou la couverture, de membres de l'Office central pour la Sécurité du Reich, et Haas vient semer le trouble dans tout ça en assassinant Karasek. La police criminelle, puis la Gestapo, lui enfin, mettent le nez dans les dossiers, et les complices du trafiquant craignent qu'au cours des enquêtes on mette au jour leur implication dans ses affaires de contrebande. C'est alors qu'ils découvrent qu'Inge a mis la main sur quelque chose d'embarrassant, des éléments d'accusation peut-être, et ils la liquident purement et simplement. Le raisonnement se tenait.

48

Il s'était mis en planque dans les ruines d'un bâtiment et depuis l'aube il espionnait l'immeuble situé en face.

C'était la première fois depuis presque un mois qu'il avait quitté sa soupente. Il fut surpris de voir la quantité de destructions provoquées par les bombes. Sur le trajet, il avait à peine remarqué un seul immeuble encore intact, il était devenu impossible de circuler dans des rues entières, obstruées qu'elles étaient par des monceaux de décombres. Un jour après le dernier bombardement, de fines colonnes de fumée montaient encore des ruines partout où le feu trouvait toujours matière. Ailleurs, on était pris à la gorge par l'odeur amère d'incendies à peine éteints. On rencontrait dans les rues des silhouettes emmitouflées, encapuchonnées, en train de débarrasser les gravats avec des pelles, fouillant les ruines dans la poussière à la recherche de quelque objet utilisable, déblayant des entrées de caves pour s'y aménager un nouveau logis.

Karine Bulthaupt lui avait fermement recommandé de ne pas quitter la soupente avant d'avoir ses nouveaux papiers. Pendant les alertes aériennes, il ne s'était jamais rendu dans le bunker situé à quelques rues, mais était descendu dans la buanderie. Elle lui avait enfin apporté les papiers la veille. Les documents n'étaient ni complets ni totalement sûrs. On pouvait lire sur un formulaire de la Wehrmacht flanqué d'un tampon, qu'un certain Heinz-Eberhard Grundel avait été muté sur l'arrière-front pour y occuper un poste vital pour la guerre. Les papiers officiels y afférents indiquaient que le bénéficiaire était un ouvrier des chemins de fer du Reich, spécialisé dans la pose des rails. Karine estimait que ces papiers étaient suffisants pour un contrôle de routine. Pour acquérir cette nouvelle identité, il avait dû se débarrasser de la plus grande part de l'argent volé. Il lui en restait encore un peu qui devrait suffire à ses modestes besoins.

Les jambes lui rentraient dans le corps à force d'attendre dans cette planque d'où il scrutait la rue sans relâche. Deux femmes arrivèrent, attelées à une charrette lourdement chargée de bûches. Il observa celle de droite, taille et silhouette correspondaient, mais lorsqu'elle trébucha il vit qu'elle était trop jeune.

Pendant deux nuits, il avait partagé sa soupente avec une femme et son enfant. Il était impossible d'avoir la moindre conversation avec ces êtres terrorisés ; lorsqu'il cherchait à leur adresser un mot, ils se contentaient de le regarder. Karine était venue les chercher et lui avait confié plus tard qu'elle les avait remis à de bons amis qui prenaient le relais. Il avait été profondément ému par cette générosité, mais elle lui donnait aussi un sentiment de honte. Au milieu des masses bêlantes qui hurlaient le nom d'Hitler – lui compris – il y avait donc encore des gens qui en aidaient d'autres, qui ne leur donnaient pas de coups de pied au cul. S'il avait la chance de survivre à tout ça, il faudrait qu'il rende visite aux Rosenkrantz en Amérique pour s'excuser. Si toutefois ils avaient réussi à gagner l'Amérique, car d'après tout ce qu'il voyait et entendait, ils n'avaient sans doute pas réussi à quitter cet État criminel.

Tous les matins, Karine lui apportait son repas et elle lui rendait visite presque tous les soirs. Ils discutaient souvent jusque tard dans la nuit, ce qui les avait de plus en plus rapprochés, jusqu'à ce qu'il se rende compte qu'il attendait de plus en plus fébrilement sa venue. Une semaine s'était à peine écoulée et il lui disait à quel point cela lui faisait du bien de la voir et de bavarder avec elle. Il n'avait rien d'un beau parleur, c'est avec des phrases hachées qu'il lui avait avoué qu'elle était devenue plus qu'une aide pour lui. Karine s'était rapprochée sans un mot, l'avait enlacé, attiré vers le lit, s'était déshabillée sans cérémonies et glissée sous la couverture avec des pudeurs de jeune fille.

Mais ça n'avait pas marché, pas vraiment en tout cas... Lotti s'était glissée entre eux ainsi que les nombreux coups de pied, trop de souvenirs... La douleur ne laissait aucune place au plaisir. Mais Karine s'était blottie contre lui et lui avait susurré que ce n'était pas si grave que ça, que ce n'était qu'une question de patience et de temps et que tout rentrerait dans l'ordre. Nuit après nuit, à condition qu'un raid ne vienne pas s'en mêler, ils étaient couchés ensemble dans le lit, bavardaient, se caressaient jusqu'à ce qu'ils s'endorment. Ça n'avait pas marché pour autant, mais les mauvais souvenirs s'estompèrent, puis les coups de pied, puis la douleur, jusqu'à ce qu'il ne reste plus que Lotti pour le hanter et empêcher la délivrance.

Il se demanda si Karine accepterait encore de s'allonger à ses côtés si elle savait ce qu'il avait fait et avait encore à faire pour mener à bien sa vengeance. Durant ces nuits qu'ils passaient ensemble, il n'avait pas soufflé mot de son plan, se contentant de lui raconter qu'il recherchait ses anciens voisins dans l'espoir d'apprendre quelque chose sur les circonstances de la mort de sa famille. Il n'avait rien dit non plus de cette vieille femme qu'il incluait dans ses prières quand un raid aérien le poussait à descendre dans la buanderie et qu'il s'y accroupissait dans le coin le plus reculé, tremblant de peur et de froid. Il espérait alors ardemment que non seulement Karine et lui sortiraient indemnes de cet enfer de bombes, mais aussi la Fiegl.

Il la guettait depuis des heures. Il dut attendre jusqu'à la fin de l'après-midi qu'elle sorte enfin de l'immeuble. Elle était engoncée dans un épais manteau gris et portait une hotte en osier sur le dos. Il l'observa qui traversait directement la rue et se dirigeait vers le tas de ruines où il s'était caché. Elle marcha sans le voir en trébuchant dans les gravats, disparut derrière des pans de murs noircis et se rendit dans ce qu'il subsistait de l'arrière-cour. Il quitta sa planque, jeta encore un œil dans la rue, s'assura que personne ne le remarquait et la suivit.

Il s'accroupit derrière les restes d'une souche de cheminée éboulée, la vit déposer sa hotte et ramasser tout ce qui lui paraissait combustible. Il se jeta sur elle avant même qu'elle ait pu se retourner, l'agrippa fermement aux bras et par un escalier à moitié démoli l'entraîna sans ménagements dans un trou de cave. Ils tombèrent par-dessus des étagères renversées et des bocaux de conserves et s'affalèrent sur une caisse à pommes de terre. De la poussière se mêla à l'odeur de moisi de sacs à charbon humides.

Il fut vite sur ses jambes, saisit un morceau de soliveau qui traînait par là et se dressa devant elle. La vieille n'arrivait pas à se relever. Elle le regardait, les yeux écarquillés.

— Haas !

Il sentit la peur dans son cri sans force.

Il avança d'un pas.

— Gueule pas, Elfriede, où je te défonce le crâne.

Elle voulut reculer pour se mettre à distance, mais les planches de bois brisées de la caisse à pommes de terre lui barraient le chemin. Elle dérapa et se rattrapa à grand peine à une conduite d'eau qui sortait du plafond.

— Qu'est-ce que tu me veux ? parvint-elle à murmurer en se relevant péniblement. Je ne sais rien, rien du tout, absolument rien…

— Qu'est-ce qui te dit que je veux te demander quelque chose ? l'interpella-t-il vivement, tout en tapotant sa paume gauche avec le bout de soliveau.

— La Gestapo est passée, annonça-t-elle.

Elle épousseta son manteau, sans le quitter les yeux.

— Ils te cherchent pour les meurtres d'Angelika, de Bodo et d'Egon. Ils pensent que tu les as tués tous les trois pour te venger de ton arrestation. L'officier m'a dit que tu me soupçonnais aussi et que tu voulais me tuer. Mais, mon Dieu, je ne t'ai pas trahi… Je n'ai absolument rien fait. Je suis une vieille femme. Tu ne peux tout de même pas t'en prendre à moi.

Elle se mit à pleurer.

— Cesse de pleurnicher, espèce de vieille sorcière.

Il la rassura :

— Il ne t'arrivera rien. Contente-toi de répondre à mes questions. Mais gare à toi si tu mens !

Elle opina et se moucha.

Il la contempla quelques instants. Ils voulaient donc aussi lui coller sur le dos le meurtre de Karasek.

— C'est trop d'honneur, marmonna-t-il.

Elle se passa le mouchoir sur le nez et releva la tête.

— Quoi ?

— Ce n'est pas très important, répondit-il, et il commença à lui poser les questions habituelles. Alors, comme ça, tu m'as dénoncé à la fête du Nouvel An ?

— Non. Pas moi. J'ai…

— Ta réponse, je la connais. C'était qui, alors ?

— Je ne sais pas. Je n'en ai aucune idée.

— Tu n'as donc jamais discuté de mon arrestation avec un des voisins ?

— Si, bien sûr. Avec Bodo et Angelika, on s'est effectivement demandé qui avait bien pu te dénoncer. Pour nous aussi, c'est resté un mystère.

— Et tu voudrais que je te croie ?

Il avança d'un pas tout en jouant avec son morceau de bois.

— Ne me prends pas pour un idiot, Elfriede.

Elle se recula en enfonçant la tête dans les épaules.

— Tu peux me croire.

Sa voix était devenue ferme, à la limite de l'arrogance.

— On était de bons voisins, des amis, des camarades de parti, une vraie communauté.

— Épargne-moi ces conneries !

Il cogna le soliveau contre le mur de la cave avec

une telle violence qu'un éclat de bois vint frapper la Fiegl au bras. Elle fit un pas en arrière, effrayée.

— Et tu savais que la Frick a insisté auprès d'Egon jusqu'à ce qu'il lui donne notre appartement ?

Elle approuva d'un signe de tête.

— Bien. Et tu sais donc aussi qu'avant mon arrestation déjà, Karasek et Stankowski voulaient s'emparer de mon magasin parce qu'ils cherchaient un moyen pour écouler leur marchandise de contrebande au marché noir ?

Elle hocha de nouveau la tête.

— Réponds ! Je veux entendre le son de ta voix.

— Oui.

— Et tu sais encore que c'est pour ça qu'ils ont piqué le magasin à ma femme ?

— Je m'en suis doutée.

Sa voix n'était plus qu'un gémissement.

— Très bien, et alors que tout ça se passe dans l'immeuble après mon arrestation, tu ne te poses aucune question ?

— Non.

Sa voix était à peine audible. Elle s'éclaircit la gorge et répéta :

— Non, je ne me suis pas posé de questions. Ta femme a déménagé dans un appartement plus petit parce que le loyer était plus intéressant, et elle a vendu le magasin parce qu'elle n'y arrivait plus sans toi.

— J'ai déjà entendu ce discours cent fois, Elfriede. Et je suis las d'entendre toujours les mêmes mensonges. Je te parle très sérieusement, tu comprends ! La Frick et Bodo s'en sont déjà rendu compte et, Dieu m'est témoin, je te jure que je te défonce le crâne si tu me racontes pas très exactement ce qui s'est passé.

La femme, qu'il dépassait de deux têtes, sembla se ratatiner encore. Elle maltraitait nerveusement les pans de son manteau, passant d'une jambe sur l'autre, opération au cours de laquelle elle faillit riper sur les planches pourries et glissantes de la caisse. Il l'observa en train de retrouver l'équilibre tout en s'efforçant de garder ses distances.

— Tout le monde dans cette maison, sans exception, a profité de ma déportation, d'une manière ou d'une autre. Je serais très curieux de savoir quels avantages tu en as tirés, toi, personnellement.

— Aucun, répliqua-t-elle d'un ton pleurnichard. Au contraire. À la suite de ton arrestation, ta femme n'avait plus un sou et n'habitait plus son grand appartement. Lotti et Angelika étaient mes meilleures clientes. Rien que pour ça je ne t'aurais pas donné. Je dépendais de ces ventes de meubles. Après tout, c'est avec les commissions que je touchais que j'améliorais ma pension de veuve de guerre. À part ça, je n'avais rien.

— Quels meubles ? De quoi tu parles, là ?

Ses yeux s'étaient habitués à l'obscurité et il vit que le sol était entièrement recouvert de tessons de bouteille et de bocaux de fruits renversés, cassés.

— Ben, les meubles, quoi – l'armoire en chêne de votre salon, les vitrines, les canapés, les commodes, les tableaux, la porcelaine de Meissen, les tapis avec lesquels vous avez aménagé votre appartement. J'ai fourni tout l'immeuble avec ça, les maisons voisines aussi.

— Tu veux dire, les meubles bon marché avec lesquels Lotti a arrangé notre appartement… c'est toi qui les lui as fournis ?

— Bien sûr. Egon avait les meilleures relations

dans les ventes aux enchères des biens non aryens, et c'est moi qui vendais la plupart des meubles pour lui.

Il leva le regard des fruits pourris et la fixa des yeux.

— Tu veux dire par là que la majorité des meubles de notre appartement venait de biens juifs confisqués ?

— Oui. Mais je pensais que tu étais au courant… (Elle se redressa un peu et remit son fichu en place.) Pourquoi penses-tu qu'ils étaient si bon marché ? Et c'était du premier choix !

— Je ne te crois pas, dit-il à voix basse.

Une odeur de pourriture montait du sol et paraissait s'incruster dans ses vêtements, ses cheveux, sa peau. Il se mit à hurler :

— Bande de salauds, bande de maudits salauds ! Vous m'avez entraîné dans ces affaires véreuses, et j'ai payé avec l'argent que j'ai honnêtement gagné. Vous avez fait de moi un complice, vous m'avez attiré dans votre marigot de corruption !

La Fiegl fit un pas vers lui.

— Je ne comprends pas pourquoi tu t'énerves comme ça. Ça ne t'a pas beaucoup dérangé non plus, à l'époque, que tes concurrents juifs disparaissent du quartier et que ton chiffre d'affaires augmente.

— Tout ça, c'est du passé, aucun rapport avec maintenant, dit Haas entre ses lèvres serrées, s'efforçant de se calmer.

Il avait bien vu le coup d'œil de la Fiegl en direction de l'escalier de la cave. Il s'interposa sans un mot, lui coupant toute possibilité de fuite. Il tenait toujours fermement le bout de soliveau serré dans son poing.

— C'est tout ce que tu voulais savoir ? demanda-t-elle à voix basse.

— On en est loin. Stankowski m'a raconté que tu as emporté la valise de ma femme. Où est-elle ?

— Je l'ai donnée à l'Everding. Elle m'a proposé elle-même de la garder.

— Mais après le bombardement, cette valise, tu l'avais sortie toi-même de la cave, et tu l'avais emmenée dans la rue, non ?

— Oui, rien de plus normal à ça...

— Où elle était quand tu l'as trouvée ?

— Devant la porte de l'abri.

— Devant la porte... tu veux dire à l'extérieur ?

— Oui.

Elle hésita, leva les yeux vers lui, puis vers l'escalier.

Haas s'approcha à la toucher et la regarda droit dans les yeux. La Fiegl détourna le regard.

— Explique-moi une chose, maintenant, Elfriede, pourquoi ma famille n'était-elle pas dans l'abri ?

Elle voulut prendre du champ, mais il la tenait par le col de son manteau.

— Explique-moi ça, Elfriede !

La vieille s'effondra sur elle-même et il pensa qu'elle allait s'évanouir dans ce trou. Elle tremblait et pleurait, les yeux emplis de larmes.

— C'est Egon et cet homme... Ils ne l'ont pas laissée entrer...

Elle était secouée de sanglots.

Il la lâcha.

— Calme-toi. Et raconte-moi tout ça, dans l'ordre.

— C'était la première alerte.

Elle hésita, se maîtrisa et s'exprima plus calmement.

— Les sirènes hurlaient, et je suis descendue à la cave aussi vite que possible parce que je m'y étais prise relativement tard. Presque tout le monde était déjà là : Bodo et sa femme, Angelika, Egon et cet homme…

— Quel homme ?

— Ben, une espèce de relation d'affaires d'Egon, un officier qui devait être là par hasard.

— Ensuite ?

— Je me suis assise près d'Egon et de cet homme, les sirènes de l'alerte principale venaient juste de finir de hurler. Lotti est arrivée à la porte de la cave avec Fritz et sa valise à la main. Je les revois encore devant moi, Fritzschen pleurait et Lotti m'a simplement regardée…

Elle s'interrompit et avala sa salive.

— Continue.

Il se passa la main sur les yeux. Quelque chose bourdonnait dans sa tête.

— Qu'est-ce qu'elle a fait, Lotti ?

— Elle a regardé cet homme, le copain d'Egon. Elle est restée debout à la porte, comme si elle se demandait si elle allait entrer ou non. L'homme a eu l'air surpris, lui aussi, je crois, que Lotti soit là. Il a regardé Egon et lui a demandé à voix basse qu'il s'arrange pour qu'elle le laisse tranquille, qu'elle ne se remette pas à se plaindre et à lui casser les pieds avec ses jémériades. C'est ce que cet homme a dit, presque mot pour mot, j'ai tout entendu, j'étais assise à côté.

Le bourdonnement dans sa tête devint plus fort.

— Et après ?

— Egon a dit : « Je m'en charge. » Il s'est approché de Lotti et lui a interdit de mettre les pieds dans l'abri. Tout le monde l'a entendu dire ça. Elle a demandé pourquoi, et Egon a dit qu'après l'alerte principale, les portes de sécurité devaient être fermées et qu'il n'était pas question de les rouvrir pour qui que ce soit. Mais Lotti lui a dit que les portes étaient encore ouvertes. Et Egon a dit : « Plus maintenant. » Et il lui a claqué la porte au nez...

La Fiegl renifla.

— C'était terrible. Elle a supplié qu'on la laisse encore entrer, Fritz a pleuré et ils ont tambouriné contre la porte avec les poings, ça a duré une éternité...

Elle fut incapable d'articuler un mot de plus, elle n'arrêtait pas de sangloter.

— Et vous ?

Il voulut crier, mais ne put que murmurer sèchement :

— Et vous... qu'est-ce que vous avez fait ? Vous êtes restés assis là, sans rien dire ?

— Et qu'est-ce tu voulais qu'on fasse ?

Elle se rapprocha et dit :

— Dans l'immeuble, tu le sais bien, seul Egon avait la parole. On avait tous honte, ça je peux le dire, mais personne n'a mouffeté, on est restés assis là, jusqu'à ce que ce terrible tambourinement cesse. La bombe est tombée peu après. Il n'y avait plus que la déflagration, tout était devenu sombre, la poussière, la saleté. J'ai eu tellement peur...

— Et vous avez accepté qu'on envoie à la mort une femme et un gosse innocents ?

Il fixait la Fiegl. Le soliveau tremblait dans sa main droite.

— Et qui c'était, ce type ? Quels rapports avec ma femme ? Il s'agissait de quoi, Elfriede ?

— Je crois que ta femme avait une liaison avec lui...

La vague de sang rouge lui affluait une fois de plus au cerveau... Elle le submergea comme au camp, comme dans les combles, comme... Il serra le soliveau de toutes ses forces, comme s'il s'y raccrochait pour se tirer sur la berge et hurla :

— Comment s'appelle-t-il ? Je veux son nom !

Il entendit le nom de cet homme que la Fiegl prononça clairement. Puis il n'écouta plus que le bourdonnement dans sa tête.

49

— Sturmbannführer ? Sturmbannführer Kalterer ?

Il se retourna et vit un petit homme rondouillard qui s'efforçait de le rattraper, bien emmitouflé dans son manteau, le menton enfoui dans le cache-col. Il portait une paire de protège-oreilles en feutre sous son chapeau. Il lui donna environ une cinquantaine d'années et se demanda comment un homme de cette taille avait pu être reçu aux épreuves d'entrée dans la police.

— Hecke, inspecteur Hecke. Nous nous sommes téléphoné.

L'inspecteur le dépassa et lui ouvrit la lourde porte en bois.

— Je suis un peu en retard, s'excusa Kalterer.

— Pas grave. J'ai fait quelques pas en attendant. C'est au troisième. Si vous permettez.

Il le précéda dans l'escalier.

— Au fond, je suis content d'être débarrassé de cette affaire. Il y a tellement de travail en ce moment. Je ne sais plus où donner de la tête. Partout tous ces cadavres, et qu'il faut tous identifier !

Kalterer opina.

— C'est qu'on en retrouve encore des jours après, et pour certains on peut compter en semaines.

Ils avaient déjà gravi la moitié des marches. Hecke s'arrêta, hors d'haleine, déboutonna son manteau, s'appuya à la rampe, se servit de son chapeau pour s'éventer. Sans le bandeau de métal des protège-oreilles qui lui barrait le crâne, il était chauve comme une boule de billard.

— Et quand il n'y a pas de parents, identifier un cadavre devient extrêmement difficile. Et puis, il y a ceux qui sont méconnaissables.

Ils se remirent en route, plus lentement cette fois.

— Il y a aussi des bombes qui ont tué tout le monde d'un seul coup, dans le même immeuble. Et il arrive aussi qu'on retrouve plus de monde que d'habitants recensés. Des gens déjà assignés quelquefois, ou des réfugiés, mais qui n'ont pas encore été recensés par les services de la population, de la racaille, tous ceux qui traînent illégalement, car on finit par perdre la vue d'ensemble. Et il faut que je les identifie tous, autant que faire se peut.

— Eh oui, tout ça n'est effectivement pas simple ! finit par concéder Kalterer qui avait laissé s'écouler le flot de paroles de l'inspecteur.

Hecke approuva et s'estima compris.

— Pff ! souffla-t-il, nous y voilà.

Ils pénétrèrent dans un long couloir bordé de lits. Ils passèrent entre deux haies de visages de cire, la plupart enveloppés de pansements ensanglantés. Une odeur agressive de désinfectant et d'exhalaisons humaines flottait dans l'air.

— Entre nous, si cette femme avait été morte, je l'aurais classée dans les victimes de bombardements.

Fracture du crâne suite à une chute de solives. Et hop, direction la morgue, identifiée ou pas.

Un jeune homme avec d'épais bandages sur la poitrine et l'épaule se dressa brusquement dans son lit, se mit à hurler et voulut se lever.

— Délire, commenta Hecke, alors qu'une infirmière se précipitait vers le blessé. Et encore, ici, dans le couloir, ils ont de la chance. En bas, il y en a beaucoup qui doivent rester allongés à même le sol.

Ils évitèrent un unijambiste qui s'entraînait à se déplacer avec des béquilles.

— Chaque attaque aérienne représente une surcharge pour les hôpitaux. Sans compter les nombreux blessés du front, expliqua l'inspecteur avec un grand geste de la main qui englobait le couloir et tous les hôpitaux.

— N'obstruez pas le passage, cria une infirmière qui poussait un lit où était allongé un jeune homme manifestement insconscient.

Le drap faisait une grosse bosse à l'endroit où Kalterer soupçonna les parties génitales.

— Touché au ventre, ou plus bas, exposa l'inspecteur Hecke. On monte dans les étages tout ce qui s'en sortira, les cas bénins. On pourra sans doute interroger Frau Fiegl. Elle a eu de la chance qu'on l'ait retrouvée vite. Le hasard, un type qui cherchait du bois l'a découverte dans un trou de cave et m'a appelé. Je n'étais pas loin. Après un bombardement, il faut que je sois sur les lieux. Bon, comme je l'ai dit, elle a bredouillé quelque chose à propos d'une agression, en répétant constamment votre grade et votre nom, ça m'a mis la puce à l'oreille. Je suis vraiment très heureux que vous me déchargiez de cette affaire.

Il tira une mince chemise de son cartable.

— Bon, alors, on lui a asséné plusieurs coups sur le crâne. Le docteur pense que si elle n'avait pas le crâne aussi dur et qu'elle n'était pas aussi têtue, elle contemplerait toute cette merde depuis un nuage.

Hecke s'amusa de sa blague, mais pas Kalterer.

— Bon, s'empressa l'inspecteur en haussant les épaules, c'est du moins ce que le docteur a prétendu.

— Autre chose encore ?

— Non, rien de plus. Je vous ai fait appeler tout de suite. À vous de l'interroger vous-même. Dieu merci, je ne suis plus dans le coup. Il faut que j'aille à Steglitz, il en est tombé cette nuit.

Il lui désigna au fond du couloir un lit d'où les observait une tête ébouriffée, à moitié cachée sous un bandage.

— J'ai failli oublier l'essentiel. Elle prétend que son agresseur l'a bâillonnée. J'ai confisqué le bâillon en question et je vous l'ai apporté.

L'inspecteur tira de sa poche de manteau un récipient en verre qui contenait un immonde morceau de coutil qu'il tendit à Kalterer.

— Faites-en ce que vous voudrez. Je n'ai pas enregistré l'agression, ni pris sa déposition, elle me paraissait trop confuse.

Hecke ajouta encore :

— Ce sera tout. Je vous souhaite beaucoup de succès. J'espère que vous réussirez à tirer quelque chose de ses bredouillis.

L'inspecteur lui tendit la main et se hâta en direction de l'escalier.

Kalterer s'approcha du lit.

— Frau Fiegl ?

Elle se redressa en gémissant.

— Vous voilà enfin ! C'est pas trop tôt !

La moitié droite de sa tête, œil compris, était dissimulée sous une épaisse couche de cellulose. Son visage était livide comme celui d'une morte.

— Comment allez-vous ?

— J'ai encore réussi à sauter de la faux, murmurat-elle en retombant sur son oreiller. Vous aviez raison : Haas m'a épiée, il a voulu me tuer et m'étouffer. Si cet homme n'était pas passé…

— Frau Fiegl, une chose après l'autre, l'interrompit-il en lui prenant le poignet pour la calmer. Je sais que ce qui vous est arrivé est terrible, mais si nous voulons mettre la main sur l'agresseur, il faut que nous sachions tout, et dans les moindres détails.

Elle le regardait, tenta d'approuver de la tête.

— En fait, je ne sais pas grand-chose. Il m'a surprise alors que j'étais en train de ramasser du bois, m'a jetée dans cette cave et m'a bombardée de questions.

Elle tâta prudemment son pansement.

— Il pensait que je l'avais dénoncé et que j'avais sa famille sur la conscience.

Elle leva des yeux où se lisait la peur et l'indignation.

— Qu'est-ce qui peut lui faire croire des choses pareilles ? Je n'ai jamais fait de mal à une mouche. J'ai toujours été aimable avec sa femme, et voilà comment on me remercie. Et je me suis même occupée de sa valise. Ça ne l'a pas empêché de m'agresser, de me jeter par terre et de me frapper avec son morceau de bois jusqu'à ce que tout soit plein de sang.

Elle avait la respiration oppressée. Elle poursuivit à voix basse :

— Je crois que je me suis réveillée parce que je n'arrivais plus à respirer. Il m'avait enfoncé quelque chose dans la bouche, une espèce de vieux chiffon. J'ai réussi je ne sais comment à le recracher un peu, j'ai crié et je suis retombée dans les pommes. Je me suis réveillée sur une civière.

Elle avait vraiment eu de la chance. Haas l'avait certainement laissée pour morte avant de disparaître. Il inspecta le morceau d'étoffe grossière que Hecke lui avait donné. Manifestement, Haas l'avait bâillonnée après l'avoir tabassée. Ça n'avait aucun sens.

— C'est tout, Frau Fiegl ?

Elle tourna la tête d'un seul mouvement et gémit de douleur.

— Il faut sans doute que j'attende un peu avant de pouvoir remuer la tête.

Elle esquissa un sourire.

— Sinon, vous ne vous rappelez rien ? Le plus petit détail peut être important. Réfléchissez.

La moitié visible de son front se couvrit de rides.

— Il m'a aussi demandé où était la valise de sa femme.

— Et alors ?

— J'ai donné cette valise à l'Everding, à la rouge. Après tout, j'avais déjà assez d'ennuis avec mes propres affaires.

Il y avait deux jours que Haas avait agressé la Fiegl. Il rendrait certainement visite à Frau Everding. Cette fois-ci, il le serrait de près.

50

— Qu'est-ce que vous me voulez encore ?

Cette fois, Everding en personne s'était encadrée dans la porte, bras croisés sur la poitrine.

Ces gens-là, faut les cogner tout de suite, après, tout marche comme sur des roulettes. Si quelqu'un avait montré autant de mauvaise volonté et d'agressivité au cours d'un de ses interrogatoires, l'instructeur avait eu tôt fait de remettre les pendules à l'heure. Mais à présent, il valait peut-être mieux montrer de la retenue pour commencer, même s'il n'avait pas envie non plus que Frau Everding lui marche sur les pieds.

— Frau Everding, vous devriez baisser d'un ton, je peux aussi m'y prendre autrement.

Elle haussa les épaules.

— Bien, laissez-moi entrer, j'ai quelques questions à vous poser.

Elle le précéda dans une petite pièce sombre. Le mur de l'immeuble voisin se dressait à quelques mètres de l'unique fenêtre. Une colocataire, qu'il connaissait de sa première visite, était assise sur le lit. Une table, une chaise et une armoire brune éraflée composaient tout le mobilier de cette minuscule chambre.

La jeune femme rit et se leva :

— Mais le revoilà, ce beau jeune homme !

Elle alla à sa rencontre et mit les poings aux hanches.

— Et encore avec la vieille Gerda. Ça vous dirait pas de sortir plutôt avec moi ? Je vous invite.

Elle le toisa du regard, puis fixa ses yeux sur sa braguette. Elle s'approcha de lui à le toucher, frotta son bas-ventre contre son entrejambe et lui sourit.

Il sortit son laissez-passer et le lui brandit sous le nez.

— Gestapo. Ça vous ennuierait de sortir ?

Elle recula d'un pas pour lire le document.

— Bon, ben tant pis ! dit-elle, et elle passa lentement devant lui en se déhanchant.

Arrivée à la porte, elle lui lança :

— M'aurait étonnée aussi que vous veuillez sortir avec Gerda. Demandez-lui donc pourquoi elle rapporte plus de viande et de poisson que nous autres à la maison !

Everding cria après elle :

— Comme si je ne vous en donnais pas !

— Calme-toi, vieille conne.

La voix de la femme leur parvenait de la cuisine.

Gerda Everding leva les bras, résignée :

— J'ai droit au supplément pour travaux pénibles, je le leur ai déjà dit souvent, mais elles n'écoutent jamais !

— Vous ne travaillez plus à la centrale d'échanges ?

— Bombardée et déménagée plus loin ; ils n'avaient plus besoin de moi. Je tourne des obus en équipe de nuit. (Elle ricana...) Ça n'a pas l'air d'aller bien fort pour vous autres, que vous voilà obligés de confier votre production de munitions à des ennemis de l'État !

— Vous n'avez plus peur de rien, n'est-ce pas, Frau Everding ? Mais ne vous fiez pas éternellement à mon bon cœur. Il vous reste encore quelque chose à perdre.

— Et quoi ? Mon mari est mort. Mon fils qui est allé se fourvoyer est tombé à Riga. Et vous n'avez qu'à regarder comment je vis ici, parquée avec des idiotes.

— Reste la vie.

— Quel sens peut-elle encore avoir aujourd'hui la vie ? Les bombardiers arrivent tous les soirs, et je m'en réjouis. Ils viennent tous les soirs pour nous offrir, à moi et à tous ceux qui l'ont mérité, une vie libre, il n'y a que cela qui compte, même si je devais y rester.

— Ça veut dire que vous soutenez cette terreur qui tue même des enfants ?

Elle le regarda sans un mot, comme si elle savait que même pour lui ce genre de discours était un mensonge éhonté.

Vous connaissez les ordres, finissez-en !

Mais ce n'est qu'une enfant !

Finissez-en ! Il faut qu'on leur montre, sinon cette guerre ne s'arrêtera jamais.

Everding s'assit sur le lit et lui offrit l'unique chaise.

— Qu'est-ce que vous me voulez ? Pourquoi êtes-vous revenu ?

— Est-ce que votre ancien voisin Haas est passé vous voir ces deux derniers jours ?

Elle hésita. Cette fois son regard la trahissait : il était passé, cela ne faisait aucun doute.

— Chère Frau Everding, avant que les choses se gâtent, que ça aille mal pour vous et que nous poursuivions cette petite conversation Prinz-Albrecht-Strasse, je vais vous dire une chose : Ruprecht Haas est recherché pour un triple assassinat et pour coups et blessures graves portés à autrui. Cet homme est dangereux, il est fou, il tue tous ceux dont il pense qu'ils ont un lien avec son arrestation.

Elle se contrôlait étonnamment bien. Elle ne bronchait pas à ses révélations.

— Et il n'est plus question de votre ami Karasek. Même si tout vous est égal et que vous ne nous portez pas particulièrement dans votre cœur, il est impossible qu'un meurtrier comme Haas continue à circuler librement, se fasse justice lui-même et tue des innocents.

— Justice... murmura-t-elle. Innocents ?

Elle se leva.

— Mais qui peut bien être innocent dans ce pays ?

Il se demanda s'il ne devait pas la claquer tout simplement contre le mur. L'instructeur appelait ça : *Leur déverrouiller l'élocution*. Il avait été trop patient avec elle. Il respectait son courage : cette damnée bonne femme l'impressionnait. La balancer contre le mur, lui arracher les cheveux, la jeter contre la cuisinière, elle se ferait toute petite et cracherait illico la vérité. Il pouvait difficilement l'emmener, ça lui causerait trop de tracas, et puis il lui faudrait remplir bien des paperasses. Et cela attirerait encore plus l'attention sur son enquête. Gifler, donner des coups de pied, battre, éliminer, en finir, cela avait toujours été la voie royale du succès rapide. Mais ça n'était plus possible... Merit, nom de Dieu, pourquoi ne lui avait-elle pas dit il y a cinq ans qu'il était sur la mauvaise pente. Il n'en serait pas là, personne ne jouerait au chat et à la souris avec lui, et en lui donnant mauvaise conscience par-dessus le marché. Mais en ce temps-là personne ne pouvait prévoir comment les choses allaient tourner en Allemagne, même Merit n'avait pu s'en faire la moindre idée. Seule Gerda Everding avait probablement tout su mieux que tout le monde, les rouges ne sont-ils pas persuadés qu'ils ont la vérité infuse ? Mais cela ne lui avait pas rapporté grand-chose.

Il marcha sur elle.

— Haas n'était pas meilleur que les autres, dit-elle à voix basse. Le jour de votre foutue prise de pouvoir, il a chanté à tue-tête comme les autres. « Je suis désolé pour votre mari, qu'il m'a dit dans son ivresse, mais avec des temps nouveaux, il y en a toujours qui restent sur le carreau. » Il serait question maintenant de l'essentiel : le peuple, une seule communauté, tous devaient œuvrer dans la même direction, pour le même but, le bien-être et la paix. Les empêcheurs de tourner en rond n'avaient plus leur place dans tout ça.

Elle haussa les épaules.

— Mais bah ! avec le temps, tout le monde peut devenir plus intelligent, même un Haas.

Elle planta son regard dans ses yeux, comme si elle attendait qu'il devienne brutal pour faire la démonstration de sa vision du monde. Il n'allait pas lui faire ce plaisir. Il ne bougea pas, l'exhorta seulement à poursuivre d'un signe de tête.

— Vous avez raison, vous l'avez rendu cinglé dans le camp où vous l'avez fourré. Il s'est précipité chez moi hier matin – je venais juste de rentrer du travail – et a commencé à hurler : « Où est la valise, où est la valise ? » Je ne l'ai d'abord pas reconnu. Dans le temps Haas avait plutôt bon air, mais il a beaucoup maigri. Plus courbé aussi. Je lui ai proposé un ersatz, mais il n'y a que la valise qui l'intéressait. Je l'ai traînée avec moi pendant une éternité, cette valise, Dieu sait pourquoi. Il était pressé, il est reparti tout de suite. Je l'ai suivi sur le pas de la porte. Il était à peine arrivé au palier de dessous qu'il a ouvert ce truc en carton bouilli et s'est mis à y farfouiller, comme si sa vie en dépendait. Je suis rentrée pour aller chercher mon panier à provisions et mes tickets, histoire d'aller poireauter un peu dans les files d'attente. Quand je suis revenue dans la cage d'escalier, Haas avait disparu. Mais j'ai trouvé une lettre adressée à sa femme. Il l'aura sans doute perdue, ou oubliée, tellement il était perturbé.

— Vous l'avez encore, cette lettre ?

Elle se leva, ouvrit l'armoire et en sortit un carton à chaussures. La lettre était sur le dessus.

— La voilà.

Il regarda le nom de l'expéditeur, eut un mouvement de surprise, tira la lettre de l'enveloppe et survola les deux lignes. Il l'enfouit dans sa poche et se tourna vers Frau Everding.

— Dites-moi, vous savez qui a dénoncé Haas ?

Elle secoua la tête.

— Je pense que ce devait être quelqu'un de la fête. Ils sont capables de tout, mais aucun d'entre eux ne s'en est vanté. Je n'en sais pas plus.

— Et vous aviez de bons rapports avec Frau Haas ?

— Seulement depuis l'arrestation de son mari. Il faut bien qu'on se soutienne quand tout le monde vous regarde de travers. Mais Frau Haas était quelqu'un de bizarre, en fait elle ne tenait pas à avoir des relations.

— Et est-ce qu'elle en aurait eu avec des hommes après l'arrestation de son mari ?

— Je ne crois pas.

Elle se tut un moment avant de poursuivre :

— Mais je ne fais pas attention à ce genre de choses ; que les autres en fassent des gorges chaudes !

Elle haussa les épaules.

Il lui proposa une cigarette qu'elle accepta sans hésitation. Pas pour être sociable, plutôt pour lui faire du tort.

— Je l'ai vue une fois avec un homme, peu avant sa mort. (Elle souffla la fumée.) Mais ça ne ressemblait pas à des relations amicales. Ils étaient en train de se disputer, elle criait après lui, en pleine rue. Ça m'a bien fait plaisir. Le type était quelqu'un dans votre genre, en uniforme noir…

Il tordit la bouche en un rictus.

Elle l'engueulait sans doute à cause de l'arrestation de son mari. Car elle était courageuse.

Elle tira une bonne bouffée de sa cigarette.

— Je n'en sais pas plus.

Il remercia d'un battement de paupières, cala son chapeau sur son front et se tourna vers la porte. Il fit volte-face sur le palier et lui dit :

— À l'avenir, faites attention à ce que vous dites, sinon on vous arrêtera.

Elle haussa une fois encore les épaules et le suivit du regard. Il avait déjà atteint la moitié de l'escalier quand elle lui cria :

— Faites plutôt attention à vous. Vous pouvez être aussi prudent que vous voudrez, cela ne vous servira bientôt plus à grand-chose.

51

Il avait l'impression que son crâne était une coquille vide.

Oui, il avait la tête vide… et sans doute aussi un filet de salive à la commissure des lèvres. Il était fini, à bout, vidé, il avait l'impression de n'être plus qu'un misérable petit tas de déchets. Il dut prendre sur lui pour ne pas devenir complètement cinglé. Il avait trié le contenu de la valise, noté tout, comme pour un inventaire, fait des listes qu'il s'était martelées dans le crâne. Il lui fallut faire d'énormes efforts pour penser, combler le vide, peu à peu…

La valise était ouverte sur le sol. Sur le plancher de sa soupente. Il en avait déballé le contenu sur la table. Pull-over, vêtements, robes, bas de laine, linge de corps et habits pour Fritzschen, une paire de chaussures pour dames et une pour enfants, un petit ours brun en peluche, des couverts en argent dans leur écrin doublé de velours, une boîte à bijoux avec des colliers en or et en argent, des boucles d'oreilles, des chaînettes, des bracelets, des broches, des bagues et un collier de deux rangs de perles. À côté, une grande enveloppe avec des papiers personnels et une liasse de billets de banque. Des albums photos en cuir noir pesaient sur une pile de nappes damassées. Il avait aussi étalé quelques photographies.

Il eut soudain de nouveau les billets en main, les compta, additionna les sommes, recompta : douze mille reichsmarks. Il en fit une liasse. Il y avait plusieurs lettres aussi, ouvertes, des lettres à l'écriture serrée. Il les voyait à travers un rideau de larmes, ces lettres, cette tromperie, cette honte… Il s'étouffa, se pencha en avant, pris de nausée, sanglota en silence.

Aspirer profondément, garder son calme, expirer, faire un inventaire, mettre de l'ordre dans ce qu'il lui arrivait, essayer de l'admettre, compter…

L'endroit lui paraissait pourtant familier : l'étagère avec les livres, le lit, le poêle. Mais dans son souvenir ces lieux étaient liés à un certain bien-être, à de la chaleur. Et voilà qu'ils étaient glacés ; s'échappant de chaque fente des lames de bois du parquet, un froid humide se répandait en rampant sur le sol… la lampe, le cadre, la radio du peuple et cette voix gutturale qui égrenait les informations…

« *Comme prévu, après plusieurs heures de pilonnage d'artillerie, les Soviets viennent de lancer leur offensive depuis leurs têtes de pont sur la Vistule, près de Pulawy et de Warka, depuis le coude de la Vistule au nord de Varsovie, ainsi que des têtes de pont de Narew, des deux côtés d'Ostenbourg. Des combats acharnés se sont embrasés sur tout le front. Entre la Vistule et les collines du sud de la Lysa-Gora, aux endroits où l'offensive a percé, de durs combats se poursuivent contre l'infanterie et les forces blindées des bolcheviques qui ont avancé vers l'Ouest en passant la Nida… »*

La voix se tut quelques instants, surgit de nouveau, devint inaudible, recouverte par des crachotements divers et des bruissements dus à des interférences.

Il était assis sur le lit, coudes sur les genoux, visage enfoui dans les paumes de ses mains. À travers ses doigts, il fixait un minuscule trou laissé par un nœud de bois dans une lame du plancher.

Les bruits de fond disparurent et il entendit de nouveau la voix :

« ... *Les tirs de représailles sur Londres se poursuivent...* »

Nouveaux bruissements...

Un signe des temps. Le vide dans son crâne avait cédé la place à des bourdonnements.

Il était assis sur le lit, épiant les crachotements monotones de la radio et contemplant le petit trou dans le bois qui s'estompait de plus en plus dans la pénombre, jusqu'à ce que, les yeux stupides, il ne distingue plus que le noir de la nuit.

52

« *Que la tempête fasse rage ou qu'il neige, que le soleil nous sourie, que le jour soit chaud comme un four ou glaciale la nuit, les visages sont toujours pleins de poussière ; mais nous sommes joyeux, notre panzer ronronne dans le vent de la tempête.* » Le SS-Panzer-offizier braillait son chant guerrier tout en battant la mesure contre le comptoir avec la pointe de sa botte droite.

— Bon, alors à la vôtre, rit-il après son intermède chanté.

Il avala d'un trait son verre de schnaps et se tourna vers Kalterer :

— On les aura.

Il devait avoir vingt-cinq ans à peine, avec cinq ans de guerre derrière lui. D'Arras à Koursk, du canal de la Manche à Arnheim, toujours primesautier. Car il avait tiré le gros lot : comme il le disait, après ces cinq années, il était toujours entier.

Ils étaient assis au comptoir du bar de la salle de restaurant de l'hôtel. Le Hauptsturmführer svelte et blond avait déjà bu quelques verres avant de s'imposer à Kalterer qui n'avait pu s'en débarrasser. Il aurait préféré réfléchir calmement, en compagnie d'une ou deux bières, à ces deux lignes de la lettre que Haas avait perdue.

— Ils ne peuvent pas gagner, tout simplement parce qu'ils sont trop primitifs pour ça, clama son voisin de tabouret.

Depuis le matin, l'artillerie russe grondait de la tête de pont de Baranow, près de Varsovie, annonçant la grande offensive attendue depuis longtemps avec inquiétude. De la Prusse-Orientale à la Galicie, avec un surnombre impressionnant d'hommes et de matériel, les bolcheviques lançaient des assauts contre la mince ligne de défense allemande. Les permissions étaient suspendues, lui avait dit le chef de char, on montait au front demain, aujourd'hui était réservé pour se soûler la gueule une dernière fois.

— Ils ne sont même pas foutus de défiler correctement au pas cadencé. Il y en a toujours qui sortent du rythme.

Il disait cela la tête branlante, tout en gardant les yeux rivés sur les dernières bouteilles de schnaps alignées sur les étagères du bar, comme s'il expertisait d'un air connaisseur une compagnie à la parade.

Kalterer se taisait. Deux lignes brèves, et cet expéditeur. Il y avait trop de hasards dans cette affaire. Le meurtre d'Inge le jour même où elle lui avait parlé du calepin noir de Karasek, le cambriolage avec effraction de son bureau, et à présent ce nom, ce nom qui l'accompagnait depuis le début de cette enquête.

— Vous savez, leurs tankistes, ils sont assis dans leurs chars sur des caisses à savon en bois, que de la carcasse, rien de fini, sorti directement de l'usine, ils sont à bout, finis. Le Führer les a attirés jusqu'ici et maintenant on va les achever.

Kalterer jeta un œil à son voisin qui entre-temps avait aligné devant lui toute une batterie de verres de schnaps vides. Il téta une gorgée de sa bière.

« *Tu ne peux t'en prendre qu'à toi-même. Tu ne peux pas me rendre responsable de ce qui s'est passé. Adieu. Ludwig.* » C'était tout. Il n'était pas capable de deviner si ces quelques mots avaient un rapport avec son affaire, ni s'ils y faisaient même allusion.

— Ils sont même pas foutus de compter jusqu'à dix ! J'en étais quand on a fait des centaines de prisonniers…

Les yeux du Panzeroffizier étincelèrent.

— Il n'y a même pas si longtemps que ça.

Il se pencha de nouveau sur son verre à moitié vide.

— S'ils ne savent pas compter, ils n'ont qu'à s'en prendre à eux-mêmes si on ne les traite pas comme des êtres civilisés. Les commissaires du peuple, on les a liquidés tout de suite. Les autres, suffisait de les toucher pour qu'ils tombent raides morts. Ils n'ont aucune culture. Des sous-hommes, quoi.

Kalterer ne prononçait pas un seul mot que son voisin aurait pu prendre pour une approbation, une invite à poursuivre ou une critique. Mais l'officier n'en faisait aucun cas.

— Il faut qu'on sauve l'Europe de ces hordes. Nous devons cela à la culture.

Le tankiste se leva et vacilla sur les jambes en direction des toilettes. À la porte, il accrocha Kruschke qui cherchait Kalterer du regard.

— Faites donc attention, espèce de crétin !

Kruschke rectifia la position jusqu'à ce que le Panzer-offizier disparaisse, puis marcha sur Kalterer.

— Sturmbannführer, je me suis occupé du linge. Je me suis permis de le monter dans votre chambre.

— Merci, Kruschke, vous pouvez disposer de votre soirée.

Le chauffeur salua et sortit. En le suivant du regard, il remarqua qu'il n'y avait pas que des clients de l'hôtel qui venaient se soûler. Des combattants de l'arrière-front, des permissionnaires, des journalistes de pays amis prenaient d'assaut tous les bars encore intacts de la ville. Deux tabourets plus loin, un officier des troupes de Vlassov discutait en français avec un civil, vraisem-blablement un admirateur de Pétain. Le monde des col-laborateurs s'amenuisait de plus en plus. Ceux-là savaient pourquoi ils s'étaient enfuis. Les règlements de comptes allaient suivre. C'étaient des traîtres, aucun doute là-dessus. Mais il ne pouvait pas s'imaginer ce qui allait lui arriver, à lui, si les Alliés exécutaient leur intention et traduisaient en justice tous les criminels de guerre. Mais il n'était pas un criminel de guerre… Seu-lement – les Alliés seraient-ils aussi de cet avis ? D'un autre côté, ils auraient besoin d'une police d'ordre. On ne pouvait pas livrer tout un pays à l'anarchie…

L'officier lui crachouilla dans l'oreille :

— Leurs panzers, mous comme du beurre quand nos obus leur rentrent dedans, pas de blindage, ces engins-là…

Il escalada à grand-peine le tabouret, dut se retenir au comptoir pour ne pas basculer en arrière.

Kalterer lui adressa un signe de tête tout en passant le plat de la main sur la lettre. Le « tu » des deux lignes était familier, le « adieu » définitif. Entre les deux, un reproche. Et certainement la fin d'une liaison. Mais peu lui importait de savoir lequel des deux rendait l'autre responsable, et de quoi.

— Mais ils sont rapides, leurs putains de panzers, et avec un sacré rayon d'action. Ils vous poursuivent sans même s'arrêter pour pisser. Robustes aussi.

Le tankiste avait l'air profondément désolé.

— Et il y en a plein, il y en a bien trop. Pour un de chez nous, il y en a dix, et t'en as bousillé dix, il en vient quinze.

Kalterer observa un instant les galons sur l'uniforme du jeune homme complètement ivre à présent, les mêmes que ceux qu'il portait encore un an auparavant. Le plus intéressant de cette lettre, c'était l'expéditeur. Everding avait vu Frau Haas avec un homme en uniforme. L'idée ne le quittait pas que ces deux hommes, selon toute vraisemblance, n'en faisaient qu'un.

Le jeune officier lui tapota maladroitement l'épaule et voulut ajouter quelque chose. Mais avant même qu'il puisse dire un mot, il perdit l'équilibre, essaya de tendre le bras vers Kalterer pour se retenir, mais sa main agrippa le vide et il bascula lourdement en arrière sur le sol tandis que Kalterer s'écartait. L'homme était allongé par terre et gémissait entre les pieds des tabourets qu'il avait renversés dans sa chute. Il se redressa lentement, se retrouva à quatre pattes, contempla le sol et se mit soudain à vomir.

— Ben, merde alors, parvint-il à dire dans un hoquet.

— Vraiment ! s'exclama la serveuse en retirant du robinet un verre à bière à moitié plein et sans mousse. Vraiment ! Qu'est-ce que c'est que ces outres pleines de bière et de schnaps !? (Elle secoua la tête.) Et qui va les nettoyer, ces saletés ? Moi, naturellement !

Elle fit la grimace et passa devant le comptoir armée d'un seau et d'une serpillière.

Quelques clients se mirent à rire, levèrent leurs verres et saluèrent :

— À la tienne, camarade !

— Il est tard, déclara Kalterer, venez, camarade, je vais vous monter dans votre chambre.

Il aida le Panzeroffizier à se remettre sur ses pieds et le conduisit vers la porte.

— Ils vont nous tirer comme des lapins, demain, avec leurs putains de T4.

L'homme pleurnichait presque, cramponné à l'épaule de Kalterer, tandis qu'ils cherchaient les marches en tâtonnant dans l'obscurité.

— Adieu, Berlin !

53

Quand il se leva, il savait déjà qu'il avait surmonté le vide, le choc et cette paralysie qui avait duré des jours. Tout en se lavant et se rasant, il fredonna même le vieux refrain de Buchenwald qui ne lui était pas monté aux lèvres depuis longtemps : *« Ô Buchenwald, nous ne gémissons pas, ni ne nous plaignons, et quel que soit notre sort... »*

Non, il ne voulait pas se plaindre et surtout ne pas abandonner, quoique la déception l'eût terrassé. Mais Fritzschen était en cause aussi, son fils avait mérité qu'il continuât, qu'il allât au bout de sa vengeance. Même si l'on avait fait porter des cornes au mari, il était père et demeurait père. Lotti l'avait trompé, sa femme bien-aimée avait eu un amant. Tout était écrit noir sur blanc dans les lettres que ce salopard lui avait envoyées, ce salopard dont la Fiegl lui avait parlé aussi, cette relation d'affaires de Karasek, celui qui avait été assis en bas, dans la cave, responsable du fait que Lotti et Fritzschen aient été interdits d'abri. Il avait la mort de sa famille sur la conscience. Raison suffisante pour envoyer cette crevure dans l'au-delà, mais ça n'était pas tout. C'était ce même type qui l'avait dénoncé. Vraisemblablement avec Karasek, cette repoussante face de porc, cet infernal avorton, ce...

Il aspira profondément. Il venait de se couper sous le menton avec son rasoir. Le sang se mêlait au savon à barbe, laissant sur son cou une traînée rosâtre. Il arracha un morceau de papier journal et le pressa sur la coupure jusqu'à ce qu'il y colle, stoppant le saignement.

Il avait fait un serment et avait passé au fil de l'épée les salauds qui l'avaient mis dans la merde, les responsables de la mort de sa famille. Il avait cogné sur ses voisins jusqu'à ce qu'ils crachent la vérité, morceau par morceau, faisant remonter au jour toutes les odieuses manigances qui suivirent son arrestation. Pour lui aussi, la vérité était devenue amère. Il ne restait plus à présent sur sa liste que ce chien galeux, un dernier nom pour un dernier acte.

Il s'essuya le visage, tourna le bouton de la radio du peuple et s'habilla lentement. La voix étonnamment calme et retenue du Führer retentit aussitôt : « ... *Nous écarterons le destin cruel qui se joue aujourd'hui à l'Est et finirons par le vaincre... grâce à des efforts inouïs, malgré tous les revirements et les épreuves les plus terribles... Mais si tout cela est possible, c'est grâce au changement advenu dans le cœur du peuple allemand depuis 1933... Dans ce combat pour la délivrance de notre peuple, il est de notre inébranlable volonté... de ne reculer devant rien... Quoi que nos ennemis puissent inventer, quels que soient les dommages et les peines qu'ils infligent aux villes allemandes, aux campagnes allemandes et, avant tout, à notre peuple, tout cela pâlit face aux calamités et aux malheurs qui nous affligeraient si d'aventure le com-*

plot ploutocrato-bolchevique devait vaincre. En ce douzième anniversaire de la prise de pouvoir, il est d'autant plus nécessaire d'affermir notre détermination sacrée, de nous battre aussi jusqu'à ce que la victoire finale vienne couronner nos efforts... »

Il éteignit la radio et boutonna son manteau. Après avoir vérifié le trafic de la rue, il se faufila prudemment par le portail en fer et allongea le pas vers l'entrée du bistrot.

Les fenêtres sur rue avaient été condamnées avec des planches et toute la façade était constellée d'impacts d'éclats d'obus. Le trottoir, avec ses pavés arrachés, était changé en un parcours d'obstacles et les lampadaires sans verre avaient pris des formes bizarres. D'un coup d'épaule dans la porte d'entrée coincée, il força le passage et pénétra dans le local.

Il y faisait sombre et il y régnait un froid vif. Il n'y avait plus d'électricité, les bougies qui brûlaient sur le comptoir et les tables donnaient l'impression d'une chaude atmosphère vespérale alors qu'on était au petit matin. Depuis longtemps, les clients étaient plus rares qu'au jour de sa première venue. Il remarqua au comptoir beaucoup de femmes d'âge moyen, avec des bonnets de laine, des fichus, engoncées dans d'épais manteaux, portant des bas et des souliers grossiers. Karine lui avait raconté qu'il n'y avait plus assez de travail, trop d'usines d'armements avaient été bombardées, et la machine de guerre ne tournait plus aussi facilement que quelques mois auparavant.

L'ambiance était feutrée, compassée même. La majorité des clients étaient des blessés de guerre, quelques-uns assis aux tables, la tête enveloppée de gros pansements, d'autres avec des béquilles appuyées au mur derrière eux. On ne servait plus à manger depuis longtemps et il n'y avait plus de bière. Il ne restait que du schnaps et du vin, les réserves de la cave.

Il se glissa discrètement dans le coin le plus reculé et prit place à la table où il s'était assis la première fois. Karine s'entretenait avec sa sœur derrière le comptoir. Elle vint vers lui, prit une chaise et dit à voix basse :

— Heureusement, il n'y a pas grand monde aujourd'hui. Mais tout de même, il ne faut pas que tu viennes ici, c'est trop dangereux.

Elle rapprocha son siège.

— Sinon, tu vas mieux ?

Il opina.

— Qu'est-ce que tu avais ? Ces derniers temps, tu parlais à peine et tu n'as presque pas mangé.

Elle le regardait tout en lui caressant prudemment le bras.

Il lui devait une explication. Elle s'était occupée de lui avec tant de gentillesse, sans l'assaillir de questions alors que la trahison de Lotti le terrassait. Karine avait le droit de savoir. Tandis qu'il racontait, sa sœur posa sur la table une théière avec deux tasses. Tout ce qu'il lui confia ce jour-là n'était pas la stricte vérité ; celle-là, il la gardait pour lui. Mais il voulait parler de Lotti.

— Je suis allé voir mon ancienne voisine, celle qui a gardé la valise de Lotti après sa mort. Cette valise est la seule…

Sa voix le trahit. Il se passa la main sur le visage, puis poursuivit dans un murmure :

— Cette valise est tout ce qui me reste de Lotti et Fritzschen. Le pire, c'est que… j'y ai trouvé un paquet de lettres, toutes adressées à Lotti. De la part d'un homme que je ne connais pas...

Karine se versa la méchante tisane, lui demanda d'un geste s'il voulait de cette eau tiède, lui laissa le temps.

— Et qu'est-ce qu'il y a dans ces lettres ? finit-elle par demander.

— Pour la plupart, ce sont des lettres d'amour ampoulées, très verbeuses. Je ne comprends pas comment Lotti a pu s'y laisser prendre... Elle a dû rencontrer ce type au printemps 42, ou en été, et ils ont dû coucher ensemble. Là-haut, j'ai essayé de classer les lettres par ordre chronologique. Je veux savoir ce qui s'est passé dans mon dos. Au début, il était seulement question d'affaires, je t'ai déjà raconté qu'une de mes voisines trafiquait avec des biens aryanisés saisis à des Juifs.

Karine hocha la tête :

— Oui, l'armoire en chêne de votre salon.

— Pas uniquement.

Il secoua la tête.

— Je ne comprendrai jamais comment Lotti a pu faire ça sans me le dire, sans que je le sache. Mais, d'une manière ou d'une autre, ce type s'est acoquiné avec elle. Peut-être qu'il a voulu, au début, se servir d'elle pour faire pression sur moi afin que je participe à la contrebande organisée dans l'immeuble. Ç'aurait été pratique que je vende la carambouille sous le manteau. Karasek me l'avait proposé, à plusieurs reprises même. J'ai toujours refusé. Si ça s'était su... Mais c'est pas pour ça que j'ai été mieux traité...

Il respira profondément.

— Ils se voyaient dans une chambre d'hôtel à deux

rues de notre appartement. Régulièrement. Et moi, comme un idiot, je n'ai rien remarqué, toute la journée seul dans mon magasin. Tout ça ressemble à un cliché – l'imbécile de mari et sa jeune et belle épouse... Ah, bravo !

Il frappa du poing sur la table, pas de toutes ses forces, mais cela fit suffisamment de bruit pour que quelques têtes se tournent vers lui. Karine lui posa la main sur le poing et murmura :

— C'est bon, Ruprecht, laisse-toi aller, faut que ça sorte. Mais, attention, ne te fais pas remarquer.

Il retira sa main, la coinça entre ses genoux sous la table.

— Mais je ne comprends pas, nom de Dieu, comment elle a pu se laisser entraîner là-dedans ! Elle avait une famille, un fils. Elle aurait dû lui être dévouée, corps et âme.

Il reprit son souffle.

— À la Saint-Sylvestre, quand j'ai perdu les pédales, ils ont sauté sur l'occasion. Karasek, ou ce type, a dû me dénoncer. Après mon arrestation, ils ont repris le magasin, l'ont loué à un homme de paille et ils ont pu enfin y faire leurs affaires véreuses.

Karine leur versa le reste de tisane.

— Tu crois que ta femme a su qu'ils t'ont dénoncé ?

Il n'y avait même jamais pensé. Lotti ? Il secoua la tête.

— Je ne crois pas. Cette crevure s'est servie d'elle. Après qu'ils m'ont eu éliminé, il a immédiatement rompu tout contact avec Lotti. Et Lotti...

Il serra de nouveau les poings sous la table.

— Elle a gémi après lui pendant des semaines. Tu

n'as qu'à lire les lettres. Qu'elle aille au diable, qu'il lui a écrit, ce fumier...

Il se tut.

— Cet homme... (Karine capta son regard, lâcha sa tasse et lui caressa tendrement la petite blessure qu'il s'était faite en se rasant.) Cet homme et celui qui n'a pas voulu que ta femme et ton fils entrent dans l'abri ne font qu'un, n'est-ce pas ?

Elle parlait si lentement qu'il pouvait à peine l'entendre.

— L'officier ?

Il approuva d'un battement de paupières. Lèvres serrées, il déclara :

— C'est son tour, il va payer. Même si c'est la dernière chose que je ferai...

— Tu sais qui c'est ?

— Je ne le connais pas personnellement, répliqua-t-il, mais je connais son nom. Et je me le choperai un jour ou l'autre.

Elle lui posa la main sur la cuisse sous la table, toucha ses poings et caressa la peau tendue sur les jointures. Ils restèrent un bon moment ainsi, sans un mot. La sœur de Karine arriva, débarrassa la table et la questionna du regard.

— Il faut que je me remette au travail.

Elle se leva.

— Ce qui s'est passé là est grave, Ruprecht. Mais je t'en prie, ne fais rien sur un coup de tête.

Elle se pencha vers lui et l'embrassa délicatement sur la joue.

— On se verra ce soir, et on reparlera de tout ça, n'est-ce pas ?

La pièce était bien éclairée. Le long des murs carrelés de blanc s'étendaient des tables étroites, carrelées elles aussi, encombrées d'éprouvettes, de cornues, de creusets, de becs Bunsen et d'instruments dont il ignorait le nom.

— Je vous ai tout préparé sur la table, là.

Le fonctionnaire du service d'identification désignait les fenêtres sur rue.

Kalterer put contempler le Werdersche Markt et les deux tours de l'église bâtie par Schinkel. Schinkel – ah, celui-là ! il avait couvert tout Berlin de ses constructions, toute la Prusse, du château aux bâtiments d'intendance militaire les plus insignifiants, de la tour la plus haute au pont le plus court, genre Eiffel quelques années après. Vu l'aspect actuel de la ville, les architectes auraient bientôt beaucoup de travail.

— Je suis désolé de vous avoir fait attendre si longtemps, mais vous savez vous-même tout ce qu'il y a à faire.

Il acquiesça d'un signe.

— Vous voyez ces trois tampons, ils sont tous en coton.

Le policier désignait les morceaux d'étoffe retrouvés sur Frick, Karasek et Stankowski.

— Mais il y a une petite différence.

Manifestement l'homme savourait sa découverte. Kalterer perdit patience.

— Bon, ne me mettez pas à la torture.

— Naturellement.

Il montra du doigt les deux lambeaux de droite.

— Vous voyez, ces deux-là viennent de nippes en simple coutil, de celui qu'on utilise pour les vêtements de travail. Et si vous y regardez de plus près, vous remarquerez qu'on y distingue des rayures.

Il regarda le fonctionnaire, puis les bâillons.

— Nous les connaissons tous, ces rayures, on en voit tous les jours dans les rues, partout où l'on déblaie les décombres.

Et pas uniquement là. Il les avait vues souvent, la première fois en Pologne, depuis la vitre de la voiture ou la fenêtre d'un compartiment de train, ces colonnes d'individus hâves et efflanqués en tenue aux rayures grises, en route vers un chantier ou rentrant au camp.

— Des tenues de détenus, selon vous ?

— Absolument, sans aucun doute. Mais maintenant, regardez.

L'homme fit glisser les deux lambeaux l'un contre l'autre. Les bords étaient sales et effrangés, mais ce qu'il voulait démontrer lui sauta aux yeux.

— Ils s'ajustent exactement, comme un tenon et sa mortaise ! Ils proviennent du même vêtement.

C'étaient sans doute des morceaux de la tenue de déporté de Haas. Il avait frappé ses victimes à mort, puis leur avait brutalement enfoncé les lambeaux d'étoffe au fond de la gorge ; il leur avait cloué le bec, littéralement. Une sorte d'acte symbolique, de rituel. Kalterer tira de sa poche le tampon de la Fiegl et le posa à droite des deux autres. Les bords effilochés des trois morceaux d'étoffe correspondaient, formaient un long lé qui aurait pu provenir d'une manche de veste. Les bâillons étaient tous du même coutil.

— Et voilà le plus beau.

L'homme désigna le morceau d'étoffe qu'il avait laissé à gauche des deux autres.

— Ce bâillon ne correspond pas aux autres, c'est un coutil uni, sans rayures, vraisemblablement d'un torchon à vaisselle tout à fait courant.

Kalterer prit le lambeau d'étoffe et jeta un œil sur la petite carte nouée à une extrémité. À côté du numéro d'inventaire, il y avait aussi le nom de la victime : « Karasek, Egon ».

La brasserie de l'Olympia était déjà pleine à craquer en ce début d'après-midi. Il longea difficilement le comptoir entièrement occupé, et chercha au fond du local sombre une place libre à l'une des nombreuses tables. Des regards sournois le suivirent. Il fut surpris par la cacophonie de langues étrangères qu'il entendait sur son passage. Il finit par prendre place à une table occupée par une poignée d'hommes qui parlaient une langue qui lui était totalement inconnue. Du roumain, soupçonna-t-il. Excepté quelques personnes qui le mesurèrent du regard, on ne le remarqua même pas. Il posa entre ses pieds sa valise contenant ses objets de valeur et observa les lieux. L'atmosphère était calme et étrangement enjouée, comme s'il y avait quelque chose à fêter. Des hommes et des femmes, certains en vêtements de travail, d'autres en habits de ville soignés, faisaient de grands gestes, riaient ou étaient engagés dans de grandes discussions.

Il n'était même pas certain de reconnaître celui qu'il cherchait. Il faudrait peut-être qu'il demande à un serveur ou à un client s'il avait vu le Français. Son attention fut attirée par la porte qui jouxtait le comptoir :

« Toilettes ». Quelques nouveaux arrivants qui venaient à peine d'entrer dans la brasserie s'y dirigeaient immédiatement sans commander et disparaissaient. Ils ressortaient après un certain temps et filaient directement vers la sortie.

Un de ses voisins de table lui baragouina quelques mots en lui désignant le comptoir :

— Si boire, chercher vous-même.

Puis il se retourna vers ses camarades, leva son verre et dit à haute voix :

— *Prost !*

Les hommes rirent et trinquèrent.

Il se leva, prit sa valise, se fraya un chemin jusqu'au comptoir et poussa la porte marquée « Toilettes ». Il se retrouva dans un petit couloir sombre, ouvrit une autre porte et déboucha soudain dans une étroite arrière-cour entourée de hauts murs d'immeubles. Les entrées des toilettes pour hommes et pour dames se trouvaient de l'autre côté, dans une sorte de bâtiment qui ressemblait à un garage. De petits groupes de deux ou trois hommes stationnaient dans la cour, chuchotant entre eux et discutant manifestement affaires.

Haas s'arrêta un instant et observa la scène. Il fut tout de suite en butte à des regards méfiants. Il traversa la cour, frôlant des groupes où toute conversation cessait dès qu'il approchait pour reprendre aussitôt qu'il s'était éloigné. Il entra dans les toilettes, posa sa valise sur le sol carrelé et gras, s'approcha de la rigole et se soulagea contre l'ardoise.

Une porte claqua. Un petit homme au visage émacié vêtu d'un trois-quarts en cuir s'installa à côté de lui. Du coin de l'œil, Haas remarqua qu'il l'observait à la dérobée. Il se râcla la gorge et lui demanda avec un fort accent français :

— Je peux vous aider ?

Ces manières directes l'irritèrent. Il n'appréciait pas qu'un inconnu lui adresse la parole dans les toilettes, d'autant qu'il était encore en train de pisser. Il avait l'impression que l'homme jaugeait son pénis et se tourna vers lui :

— Je ne comprends pas bien, monsieur.

Il reboutonna sa braguette, se retourna, reprit sa valise.

— Besoin quelque chose ? Étoile jaune, peut-être ?

Le petit homme le regardait.

— Il faut que je parle à Serge. Si vous le connaissez, envoyez-le moi. Je suis assis à une table du fond.

Haas quitta l'homme sans le saluer, sortit des toilettes et se hâta de retourner dans la brasserie. Il commanda une bière au comptoir. Les Roumains avaient disparu, deux hommes étaient assis à sa table avec une femme. Ils se reculèrent quand il prit place, rapprochèrent leurs têtes et s'entretinrent à voix basse en italien. Haas but une petite gorgée de la bière sans mousse. Il était évident que cette brasserie était un endroit où se traitaient des affaires louches ; il y trouverait sans doute ce qu'il cherchait. Mais sans relations ce ne serait pas si simple.

— Vous êtes *compagnon** de M. Atze, *n'est-ce pas** ?

C'était bien Serge qui s'était discrètement approché de la table. À la place du béret basque, il portait un

---

* En français dans le texte.

bonnet de laine bleu. Derrière lui, accoudé au comptoir, il reconnut le petit Français qui agitait une bouteille de vin rouge d'un geste qui montrait clairement qu'il avait l'intention de la boire aux frais de Haas. Il approuva d'un signe et se tourna vers Serge.

— Asseyez-vous donc ! Vous voulez boire quelque chose ?

— *Non – plus tard – peut-être**. Je peux faire quoi pour vous, monsieur ?

Serge approcha une chaise. Il glissa quelques mots inaudibles aux Italiens qui allèrent s'installer quelques tables plus loin.

— J'ai besoin de votre aide, Serge. Atze avait dit que je pourrais toujours me tourner vers vous, au cas où… Vous vous rappelez ?

— M. Atze, mort.

Le Français enleva son bonnet de laine et le posa sur la table.

— Arrêté, déporté à Buchenwald. Quatre semaines après, mort.

Il regarda Serge et pensa un instant qu'il avait mal compris à cause du fort accent. Atze Kulke, le Siegfried de Wilmersdorf, mort à Buchenwald, là où il avait été interné lui aussi, dans le même camp, les mêmes baraques, terrorisé par les mêmes crevures ? *Qui est la pute qui t'as chié au monde ?* Atze devait avoir dominé sa peur, Siegfried quoi. Il voyait son vieux copain debout dans la baraque, entendait les mêmes questions écœurantes, sentait le regard ferme d'Atze et espéra qu'il avait trouvé une réponse adéquate à balancer à la face de cette saloperie de SS : « La même pute, Sturmbannführer, que celle qui a tellement ri le jour où tu n'as pas réussi à bander devant elle avec ta petite queue. » Le Siegfried de Wilmersdorf a eu beau avoir le dernier mot, il n'a pas survécu à Buchenwald. Pour survivre, il fallait le heaume qui rend invisible, comme Alberich. Lui s'en était tiré.

Il prit conscience que le Français attendait une réaction de sa part. Sa main tremblait quand il saisit son verre de bière.

— Je ne savais pas, c'est terrible.

Il leva les yeux.

— Mais il faut bien qu'on continue à vivre, vous et moi, vous comprenez ?

— *Je comprends, oui**. Vous avez besoin quoi, monsieur ?

La voix de Serge était strictement commerciale.

— Essence ? Charbon ? Radiateur ?

Il secoua la tête.

— *Non** ? Alcool peut-être, cigarettes, viande, cartes d'alimentation ? – *Non** ? – Papiers ? Je veux dire carte d'identité, passeport, certificat de travail, carte de travailleur forcé ?

Il tendit l'oreille.

— Un jeu complet de papiers, ça coûterait combien ?

— Quatre-vingt-huit mille marks, jeu complet, *à peu près**. Authentique, *absolument**. Livrable une semaine.

Serge se pencha en avant, il semblait flairer une affaire lucrative.

Haas fit signe que non.

— Je n'ai pas tant d'argent que ça. Il me faut aussi autre chose.

— Étoile jaune ?

Le Français s'adossa de nouveau et haussa les épaules.

Encore ces étoiles jaunes.

— Qu'est-ce que vous voulez que je fasse avec une étoile jaune ?

— *Mon Dieu**.

Serge le regarda, étonné.

— Vous êtes idiot ? Étoiles juives se vendent comme petits pains. De plus en plus chères au marché noir.

Il cligna des paupières.

— Je ne comprends toujours pas.

— *Merde**, répliqua Serge en tapant sur son bonnet de laine. Plein de gens, pas Juifs, achètent étoiles jaunes, cousent sur leur manteau, quand la guerre finie… ont leurs raisons, veulent cacher leur vilain passé derrière étoile juive. Pour échapper à vengeance des vainqueurs.

— Ce n'est pas possible ! Et qu'on ne vienne pas me raconter plus tard que personne ne savait ou n'avait rien vu !

Il parlait à voix très basse, rien que pour soi. Mais Serge l'avait entendu.

— Exactement, dit-il et il respira, comme s'il se réjouissait que Haas eût enfin compris. La vérité a toujours l'air différente. *C'est la vie** !

Ils observèrent un moment la porte jusqu'à ce que Haas finisse par demander :

— Voulez-vous boire quelque chose maintenant ?

— *Oui, oui**. Allez chercher bouteille vin rouge.

Serge remplit les verres et ils trinquèrent.

— *À votre santé** !

Le Français se rejeta en arrière.

— Alors, vous avez besoin quoi ?

— D'une arme. D'un pistolet.

— Oh ! là ! là !

Serge siffla entre les dents.

— Un pistolet ? Et pour quoi faire, s'il vous plaît ?

— Je veux tuer la crevure de nazi qui m'a mené dans le camp de concentration, répliqua-t-il.

Le Français le regarda un moment droit dans les yeux. Puis il ricana.

— *Très bien**. Très raisonnable.

Ils ne purent s'empêcher de rire, trinquèrent de nouveau. Peu à peu, toute distance disparaissait entre eux ; le vin rouge y avait sa part.

— Je sais avoir un pistolet. Mais cher.

— Combien ?

— Mille, *à peu près... Et avance, naturellement**.

— Pas de problème. Levons nos verres. Affaire conclue.

Il partagea le reste de vin rouge et trinqua avec Serge.

— Au camp, il y avait aussi beaucoup de vos compatriotes.

— *Oui**. Beaucoup d'amis dans des camps. Ça va très vite. Si tu obéis pas, organises des trucs, tu es bon. Certains sont venus ici travailleurs volontaires...

Serge secoua la tête.

— Et vous ?

Le Français lui parla de son recrutement forcé. Il avait travaillé aux ateliers Fer-Kulke, mais depuis quelques mois, il était occupé dans un salon de coiffure, derrière lequel il avait aussi une petite chambre.

— Je vais très bien.

Serge éclata de rire.

— Quand les bombes tombent pas. Nous n'avons

pas droit au bunker. *Mais** les recrutés de force peuvent circuler librement dans la ville. Ceux des baraquements aussi. Avant *l'invasion**, pendant les congés, on pouvait même rentrer à la maison. On pouvait ramener des trucs, *très bien**. Interdit maintenant. Sinon, je serais parti depuis longtemps. Mais comme ça, il faut des petites affaires pour m'en sortir.

Il grimaça un sourire, mais reprit aussitôt son sérieux.

— *Mais c'est dangereux**, ça peut vite coûter la vie.

Haas l'approuva et dit :

— Il y a beaucoup de travailleurs étrangers dans la ville.

— *Oui**. Ne peuvent plus sortir maintenant. Même les Italiens, les Roumains, les Hongrois, ils avaient des *privilèges** avant, pouvaient se déplacer librement, même salaire qu'Allemands. Mais maintenant, peuvent plus sortir, plus rentrer. Autres ont pas intérêt à rentrer…

— Il faut savoir de quel côté on est, pour qui on travaille.

Serge tourna légèrement la tête.

— Pas si simple que ça, pas volontaire, impossible de choisir. Que signifie volontaire pour Allemands ? Quand Allemands disent recruter, ça veut dire déporter. Ou tu crois que pauvres types de Russie et Pologne cousent volontairement étiquettes marquées « Est » sur paquets de chiffons, dorment volontairement dans camps pleins de punaises, rien à manger, et bossent volontaires pour les Allemands ? *Non** !

Haas se recula un peu, tellement les paroles du Français étaient chargées de colère contenue. Et pourtant le petit homme restait calme extérieurement et sa voix avait à peine augmenté de volume.

— Je sais tout ça, répondit Haas. J'ai vu ça moi-même au camp. Tous les jours, les kapos tuaient des Russes et des Polonais, juste comme ça, pour s'amuser. Je voulais dire tout simplement que ceux qui se sont rendus complices de tout ça devront en répondre, et en rangs par six.

— Oui en rangs, ça plaît aux Allemands.

Il mit fin à la discussion d'un geste sec de la main.

— Encore du vin ?

Haas alla chercher une deuxième bouteille au comptoir et remplit le verre du Français. Sur ces entrefaites, Serge avait parcouru la brasserie d'un œil exercé. Il lui confia à voix feutrée :

— Beaucoup mouchards ici ce matin. Si nazis m'attrapent pendant ma contrebande, ils me tueront. Il faut je suis prudent.

— Mais comment vous faites pour vous procurer tout ce qui se trafique ici ?

Haas se rassit.

— Les travailleurs étrangers sont les seuls qui travaillent encore. Un peu de *sabotage** aux nazis, on met de côté tout ce qu'on peut. On veut seulement survivre à la guerre. Ici, taverne de l'Olympia, un raid aérien serait dangereux : une fête avec feu d'artifice, *compris** ?

— Je comprends.

Haas jeta un œil à la porte de sortie. La remarque de Serge concernant la présence de mouchards l'avait rendu nerveux. Et puis il était légèrement ivre et devenait moins prudent.

— Il va falloir que j'y aille tout doucement, mon ami. Comment fait-on pour le pistolet ?

Serge vida son verre d'un trait.

— *Avance** d'abord. Trois cents marks.

Haas hésita.

— Et qui me dit que je peux vous faire confiance ?

— Si vous voulez pistolet, pas le choix.

Haas regarda Serge qui se resservait du vin. Il sortit discrètement l'argent de sa poche en haussant les épaules et le compta. Il plia les billets et les fit glisser de l'autre côté de la table dissimulés sous sa main.

— Dans trois jours. Entrée principale gare Frie-drichstrasse. Cinq heures de l'après-midi. Si raid aérien, six heures, sept heures, chaque heure. Pas de problèmes, je suis là.

Serge empocha les billets d'un geste si impercepti-ble que Haas se rendit à peine compte que l'argent avait déjà disparu.

56

Ruprecht Haas n'était pas l'assassin de Karasek.

Il n'avait pu s'empêcher de penser sans cesse aux tampons d'étoffe que Haas avait enfoncés dans la gorge de ses victimes. Il était évident que le bâillon de Karasek n'entrait pas dans ce schéma. *L'acharnement d'un meurtrier en série détermine son* modus operandi. Un principe du manuel d'instruction.

Mais il ne faisait pas de doute que Karasek avait figuré sur la liste de Haas. Sa première victime, Angelika Frick, avait été tuée deux semaines à peine avant le meurtre de Karasek. À supposer que Haas ignorât la mort de Karasek, on pouvait en conclure qu'il avait dû essayer de lui rendre visite. Il s'était donc rendu le matin même Höhmannstrasse, avait présenté une photographie aux habitants de la villa et avait fini par apprendre d'une certaine Frau Sibelius que celui qu'il recherchait était effectivement venu sonner à sa porte. Mais à cette date Karasek était déjà mort depuis presque un mois.

Il venait juste de se caler en arrière dans son fauteuil, les pieds sur la table, le dossier Karasek sur les genoux, quand le téléphone sonna.

— Oui.

— Georg Buchwald à l'appareil, Sturmbannführer.

Buchwald, il l'avait complétement oublié, celui-là. Il changea l'écouteur d'oreille.

— Je voulais vous remercier de m'avoir aidé.

Il bredouilla quelques mots inaudibles pour donner le change car il n'avait aucune idée de ce que cet homme lui racontait.

— Je veux dire, parce que vous m'avez tiré du pétrin. J'ai été libéré trois jours après notre entretien.

Seul Bechthold ou Scholl avait pu s'occuper de ça, ils avaient dû avoir la trouille. Ou bien Heutelbeck s'était rétracté, tourmenté par un reste d'honneur. Personnellement, cela faisait des jours qu'il avait complétement oublié que l'innocent Buchwald était encore en prison.

— Ce n'est rien, Herr Buchwald.

— Mais je vous appelle aussi pour…

— Qu'est-ce que vous avez sur la conscience ?

Il ouvrit machinalement le dossier Karasek.

— J'ai vu Haas hier matin.

— Où ?

— Dans mon bistrot habituel, la brasserie Chez Irma, là où je l'avais déjà vu. Il était assis avec la propriétaire, Karine Bulthaupt ; ils avaient l'air de bien s'entendre tous les deux. Comme je l'ai dit, je considère qu'il est de mon devoir…

Il l'interrompit brutalement :

— Merci et Heil Hitler !

Depuis des semaines Haas avait disparu sans laisser de traces, et il resurgissait au moment précis où on ne pouvait plus le soupçonner du meurtre de Karasek. Même s'il n'avait pas de liens directs avec son enquête, il fallait tout de même qu'il lui mette la main au collet. Sa série de meurtres n'était pas banale. Arrêter un type comme lui ferait toujours gagner des points. En outre, Haas était le seul à avoir parlé à tous les habitants de la Sophienstrasse avant de les avoir supprimés. Peut-être avait-il appris pourquoi le nom de Ludwig Bideaux était écrit au dos des lettres que recevait sa femme.

Les freins grincèrent. Kruschke se retourna et dit :

— Ça devrait être ici, Herr Sturmbannführer. Vous voyez, là, l'enseigne ?

L'immeuble dans lequel se trouvait le bistrot avait l'air encore relativement intact, excepté les inévitables carreaux cassés. Les fenêtres étaient clouées avec des planches, et devant l'entrée des pavés avaient été arrachés du trottoir. Mais la porte était entière. Il y avait une carte épinglée dans un cadre en bois, et une lampe au-dessus de l'enseigne.

On était samedi matin et le bistrot était fermé. Il se faufila par l'étroite entrée du portail et entra dans la cour. La porte qui donnait sur la cuisine était ouverte. Il entra, passa la porte battante et se retrouva dans le local. Une femme entre deux âges était en train de laver le sol.

Elle leva les yeux.

— C'est fermé ! On rouvre à cinq heures.

— Vous êtes Frau Bulthaupt, la propriétaire ?

— Qu'est-ce que vous lui voulez ?

Elle se redressa, appuya son balai-brosse au comptoir et s'essuya les mains à son tablier.

Il se présenta et tendit son laissez-passer. Il remarqua que son corps se raidissait et qu'elle ne le quittait plus des yeux. Il tira de sa poche une photographie de Haas et la jeta sur le comptoir.

— Vous avez déjà vu cette personne ?

Elle y jeta un rapide coup d'œil.

— Non.

— Prenez votre temps.

— Je ne le connais pas. Jamais vu.

— Mais cet homme est déjà venu dans votre établissement. Il y a des témoins.

— Et alors ? Je ne peux pas me rappeler la tête de tous ceux qui viennent ici. En plus…

Ils furent interrompus par la scie monotone d'une préalerte.

Il n'avait pas l'air de vouloir suspendre l'entretien. La femme saisit son balai et regarda vers la porte.

— Il faut aller au bunker, dit-elle.

— Nous avons le temps, ce n'est que la première alerte. Répondez d'abord à mes questions. Et ne me racontez pas d'histoires ! Cet homme a été vu ici, pas plus tard qu'hier matin, et manifestement il vous faisait des confidences.

Elle risqua un pas vers la porte du fond. Il lui saisit le poignet.

— Laissez-moi tranquille.

Elle se libéra d'un mouvement brusque et courut vers la porte, balai en main.

Il la poursuivit, réussit à l'attraper. Elle se défendit, essaya de lui faire lâcher prise.

— Frau Bulthaupt, vous protégez un assassin. Vous vous êtes mise dans un sale pétrin.

— Lâchez-moi, il faut que j'aille à l'abri, ahana-t-elle.

L'alerte principale retentit très vite, sans avoir été annoncée. Quelques secondes plus tard, il entendait le vrombissement des quadrimoteurs. Et aussitôt les bombes tombèrent. La femme hurla, lâcha son balai qui heurta bruyamment le sol.

Il sursauta, tout en continuant à parler.

— N'ayez pas peur, c'est tombé loin, un kilomètre au moins. Venez, courons au bunker le plus proche.

— C'est trop loin, et on ne nous laissera plus rentrer ! Il faut que nous trouvions un endroit ici.

Ils dévalèrent un petit escalier, suivirent un couloir et se retrouvèrent dans une buanderie au plafond bas. Il ferma la porte, puis leva les yeux. S'il avait eu une tête de plus, il aurait dû la pencher de côté pour se tenir debout. Il toucha le plafond humide. Une dizaine de centimètres à peine le séparaient de la mort. De la terre glaise et de la paille, quelques poutres moisies. Il se tourna vers la femme, accroupie derrière une lessiveuse.

— Un sacré piège mortel, ce trou pourri ! lui hurla-t-il.

— Et alors ? Qu'est-ce vous voulez que j'y fasse, moi ?

On entendit de nouveau des déflagrations, bien plus intenses, plus proches que les premières.

57

La première alerte le surprit dans une petite rue adjacente où une maison sur deux exhibait déjà des dégâts très importants. Sa bonne humeur légèrement avinée disparut d'un seul coup au hurlement de la sirène. Il n'avait pas la moindre idée de l'endroit où il se trouvait. Les alignements de rues parsemées de ruines finissaient par se ressembler et il restait peu de repères précis.

Il leva la tête vers un ciel d'un bleu étincelant. Le soleil de midi l'éblouit et dans l'air froid il sentit la sueur sur sa peau. Il était pris au piège.

À cent mètres de lui, des gens se précipitaient hors des maisons et des trous de caves. Ils surgissaient des tas d'éboulis et de remblais, traînant derrière eux des enfants en pleurs qui rechignaient. Titubant sur les gravats, ils se hâtaient dans la direction où ils pensaient être en sécurité.

Haas voulut pédaler plus vite pour ne pas les perdre de vue, mais il n'y réussit pas. Zigzaguant, il parcourut à peine une vingtaine de mètres, puis la rue se rétrécit en un chemin montant jonché de pierres, impropre aux bicyclettes. Il dessella et mit le précieux engin au cadenas contre le lampadaire le moins endommagé qu'il trouva. Valise à la main, il voulut se précipiter sur les traces du groupe, mais celui-ci était déjà hors de vue, disparu derrière un monceau de décombres. Il ne savait absolument pas où se trouvait le bunker ou l'abri le plus proche. Il sentit la transpiration lui couler au creux des reins.

Il entendit une porte claquer derrière lui et se retourna. Au pied de la façade calcinée d'une maison bombardée, un vieil homme sortait d'un trou de cave que fermait une méchante porte en planches. Le vieux était en train de faire glisser avec peine devant son soupirail une lourde porte métallique arrachée de ses gonds quand Haas le rejoignit.

— Le bunker le plus proche ? s'écria-t-il tout essoufflé.

Des yeux éteints, humides dans un visage ridé.

— T'as qu'à demander à Albert Speer.

— Arrête tes conneries, ça va recommencer. Réponds-moi.

Tout en tirant sur sa porte, le vieux lui indiqua vaguement le nord.

— Dans la deuxième rue perpendiculaire, à gauche il y a un grand abri.

L'alerte principale retentit. Bien trop vite : la première venait juste de s'éteindre.

— Dépêchez-vous, venez ! hurla-t-il au vieux pour couvrir le mugissement des sirènes.

— Mais allez donc tous vous faire foutre !

La porte métallique semblait enfin là où le vieux la désirait. Il disparut dans sa cave.

Plus personne ne pouvait l'aider, celui-là, il était à bout, il n'avait plus envie de rien, ou plus la force de courir plusieurs fois par jour pour sauver les quelques années qu'il lui restait peut-être à vivre. Haas hésita devant la porte de la cave, puis il prit sa course vers l'abri. Il lui restait encore la force, l'envie de vivre quelque temps. Il tourna à gauche. Il entendait derrière lui le bourdonnement régulier des escadres de bombardiers qui arrivaient sur la zone cible. Il courut comme un dératé, longeant des murailles de ruines, franchissant tout un bric-à-brac, enjambant des bordures de trottoirs, écrasant des éclats de verre jusqu'à ce qu'il voie, peinte sur le sol, l'inscription blanche surmontée de la flèche.

Devant lui, quelques retardataires se pressaient encore dans la place. Il se précipita dans l'escalier à leur suite. Il avait réussi, il allait être en sécurité. En bas, il y avait des gens devant l'épaisse porte en métal qui menait à l'abri. Elle était fermée. Cinq ou six personnes tambourinaient contre le panneau avec les poings, mais il n'y avait plus rien à faire, on n'ouvrait plus. L'abri était complet. Des cris de peur et des voix en colère résonnèrent sous les voûtes des caves.

La respiration haletante, il s'adossa à un mur blanchi à la chaux, se laissa glisser lentement à terre et étendit les jambes devant lui sur le sol nu de la cave. D'autres l'imitèrent, s'assirent devant la porte où ils étaient arrivés quelques instants plus tôt, pleins d'espoir.

Le lugubre roulement s'enfla au-dehors, suivi du sifflement des premières bombes. Détonation après détonation, c'était un concert absolument insupportable d'explosions, suivies du vacarme d'immeubles crevés qui s'effondraient sur eux-mêmes, de morceaux de murs et de toits qui s'écrasaient pêle-mêle au sol. La cave tout entière vibrait comme lors d'un tremblement de terre, les murs vacillaient, se transmettaient les secousses. Un voile grisâtre de chaux et de ciment tomba en pluie du plafond, les recouvrit d'une épaisse couche de poussière, lui et les autres, tous accroupis dans un même désespoir. Le souffle de violentes déflagrations s'engouffrait dans les caves, levant des tourbillons de saleté et de poussière. Il se couvrit la bouche d'un mouchoir, eut de plus en plus de mal à respirer et n'arrêta plus de tousser.

Il lui sembla soudain qu'un coup à lui crever les tympans tonnait directement au-dessus de l'immeuble. Du verre explosa en éclats minuscules, une poussière de charbon microscopique surgit des fentes et des interstices des portes des caves et lui balaya douloureusement la peau du visage et des mains. Des tuyaux de plomb et des conduites d'eau se détachèrent brusquement de leurs fixations et de l'eau gicla de partout. Les petites trappes d'accès en terre cuite destinées au ramonage et situées au pied des cheminées furent arrachées et projetées au loin par l'immense souffle qui depuis les toits s'engouffrait dans les conduits. Elles éclatèrent en mille morceaux contre les murs, suivies d'épais nuages de suie qui jaillissaient des ouvertures comme de la bouche de gigantesques tuyères.

Il eut du mal à garder les yeux entrouverts dans cette fumée noire et piquante ; il n'arrivait plus à respirer, il suffoquait. Il vit des gens se couvrir la bouche et les oreilles avec des manteaux ou des écharpes, quelques-uns debout, errant à tâtons dans la cave, fantômes tout recouverts d'une épaisse couche de suie.

Il eut l'impression que les étages supérieurs s'écroulaient. Des blocs de pierre et des morceaux de rampes tombaient avec fracas dans les cages d'escaliers qui menaient aux caves. Peu de temps après, on entendit un léger crépitement et des craquements à peine audibles dans le vacarme infernal. Les nuages de suie qui tourbillonnaient furent aspirés dans les cages d'escaliers comme par une force magique, signe indéfectible qu'un puissant feu avait dû se déclarer en haut de l'immeuble. Et c'est alors qu'ils sentirent tous cette odeur étrange.

Le gaz !

— Le gaz ! Le gaz !

Ce fut un même hurlement de peur. La porte métallique craqua dans ses gonds et ce grondement sourd se mêla à celui des détonations des bombes.

— Sortez ! Il faut que vous sortiez de là ! Il y a une fuite de gaz ! Tout va sauter !

Il se leva d'un bond, chancela jusqu'à l'escalier de la cave. On le poussa de côté sans ménagements. Derrière lui, la porte métallique de l'abri avait été arrachée. Une masse de gens qui jouaient des coudes et appelaient à l'aide se précipita par l'étroite ouverture, piétinant les premiers qui étaient tombés, écrasés, étouffés, et se ruèrent vers l'escalier.

Haas fut parmi les premiers à s'échapper de ce piège mortel. Il se retrouva dans la rue, noir de suie et de poussière, à quelques mètres de l'entrée de l'abri, cherchant son souffle. En plein milieu de l'enfer...

58

La maison tremblait sous les déflagrations qui se succédaient à intervalles de plus en plus rapprochés. Kalterer inspecta l'étroite buanderie.

— Où mène cette deuxième porte ?

— Dans la cour.

Elle était recroquevillée, assise sur un tabouret en bois près de la grande lessiveuse.

Il vint près d'elle, s'assit sur le ciment froid.

— Le cercueil a donc deux issues.

Elle ne répondit pas. Il se concentrait sur la puissance des impacts, essayant de deviner s'ils se rapprochaient ou s'éloignaient. On pouvait faire la différence entre les bombes explosives, les bombes incendiaires au phosphore, les bombes à tige ; les unes, stridentes, sifflaient jusqu'au sol, les autres bourdonnaient de plus en plus fort jusqu'à ce qu'on en sente l'impact. Mais il n'était pas toujours capable de les distinguer au son. Il leva les yeux vers la femme.

— Ne craignez rien, dit-il, si vous les entendez, c'est qu'elles ne sont pas pour nous.

— Vous avez encore autre chose à m'apprendre sur les raids aériens ?

Elle était plus calme, paraissait s'être faite à la situation.

— Je les ai tous vécus. J'ai arrêté de compter au vingtième.

— Où est la direction du nord ?

Elle le renseigna. Il crut percevoir une légère moquerie dans sa voix.

— Ils bombardent le centre et peut-être des quartiers ouest, le Kurfürstendamm par exemple. Vous avez encore le temps de vous faire dessus.

Les détonations ne dépassaient pas une certaine intensité.

— Bon, maintenant que vous voilà plus calme, Frau Bulthaupt, nous allons reprendre notre petite conversation.

— Je vous en prie, si vous y tenez.

— D'où connaissez-vous cet homme ? Qu'est-ce qu'il voulait ?

Elle ne répondit pas, ne fit pas un geste, pas le moindre mouvement. La maison fut secouée d'un fort tremblement. Ils rentrèrent la tête dans les épaules sans même s'en rendre compte. Quand les choses se furent calmées, il reprit :

— Cet homme a tué deux personnes. Dont une femme. Et une troisième a eu de la chance, il l'a laissée pour morte.

Elle lui jeta un regard bref, puis se détourna et regarda par-dessus la lessiveuse, vers la porte.

— Ça ne vous servira à rien de vous taire. Je sais que vous connaissez bien cet homme, je vous ai déjà dit qu'il y avait des témoins. Vous ne faites que vous enfoncer de plus en plus. Ça s'appelle complicité de meurtre. Ça pourrait mal finir pour vous, si vous refusez de collaborer avec moi.

— C'est pas le bon, rétorqua-t-elle violemment. Ruprecht ne ferait pas ça ! En ce moment il est un peu chamboulé, c'est vrai ; au pire, il aurait des envies de tuer, comme tout le monde.

Il la tenait. Elle aimait cet homme. Le tuyau de Buchwald valait de l'or.

— Donc, vous le connaissez ?

Elle haussa les épaules.

Il regarda sa montre. Depuis vingt minutes déjà, vague après vague, les escadrilles lâchaient leur cargaison de bombes sur le centre de la ville. Et rien n'indiquait que cela allait s'arrêter. Ils bombardaient Berlin pour préparer l'assaut. La décapitation. C'était la fin. Tout à coup, il ne sut plus pourquoi il interrogeait cette malheureuse femme dans cette maudite buanderie alors qu'ils étaient peut-être en train de bombarder la Kantstrasse. Il se leva, s'assit sur le bord de la lessiveuse, face à la femme.

— Ruprecht Haas assassine aveuglément toute personne qu'il rend responsable de son arrestation et de sa déportation. Vous trouvez ça bien ? Il faut l'enfermer, ce type, il est fou. Sinon, il continuera à tuer.

— Je ne crois pas un mot de ce que vous racontez. Ruprecht est quelqu'un de correct. Le seul problème, c'est qu'en ce moment il a un compte à régler avec quelqu'un, ce que je comprends très bien.

— Écoutez-moi, Frau Bulthaupt, que vous me croyiez ou pas, je m'en contrefous. Dites-moi simplement où je peux le trouver, ou donnez-moi le nom de la personne qu'il recherche. Parce que c'est sa prochaine victime.

Deux puissantes explosions secouèrent la maison. Il se jeta sur le sol, se rencogna entre la lessiveuse et le mur. Trois dangereux impacts suivirent, tout proches. Des morceaux de crépi humides, des plaques de ciment se détachèrent du plafond et lui tombèrent dessus. Il rentra la tête dans les épaules et ferma les yeux.

Quand il les rouvrit, le tabouret était vide et renversé. La femme s'était collée à côté de lui contre le mur, tremblant de tous ses membres.

— C'est fini, dit-elle. On va tous mourir. Les prochaines bombes vont déchiqueter la maison en mille morceaux. On va crever dans ce trou.

Elle s'éloigna un peu de lui et le pointa du doigt. Elle hurla :

— Et tout ça, c'est de votre faute !

Kalterer la prit par les épaules et la secoua.

— Le nom de l'homme que Haas recherche !

La réponse ne lui parvint pas, engloutie par une explosion assourdissante qui leur déchira les tympans. Ils se terrèrent, se plaquèrent davantage contre le mur, voulurent s'y fondre, bouche ouverte.

Gare de Stettin, Bernau, Biesenthal, descendre, rentrer à la maison, embrasser sa mère, ne pas déranger son père, félicitations, croyance, espoir, reprendre tout à zéro, tout recommencer depuis le début, faire à nouveau connaissance avec Merit, rentrer à la maison comme si rien ne s'était passé. Pas de Russes à proximité, pas d'épée de Damoclès sur la tête. Soupe aux pois cassés chez Aschinger, servie avec un petit pain gratuit.

Un grondement de tremblement de terre ébranla la maison. Des tuiles s'écrasèrent sur le sol de la cour où elles éclatèrent en mille morceaux, de grosses poutres s'abattirent sur le pavé avec un bruit sourd. Il n'avait encore jamais vécu à Berlin de déflagration si rapprochée. Il n'y avait probablement qu'une largeur de rue entre la mort et lui, entre ce trou pourri et la fin. Terminus. Finies les questions, finies les réponses. Ils bombardaient les quartiers ouest, avait dit la femme. L'ouest, la Kantstrasse, Merit.

La femme l'avait agrippé à l'épaule, s'était serrée contre lui, penchait la tête vers lui.

— Il cherche un homme qui avait eu une liaison avec sa femme. Il voulait se débarrasser de Ruprecht et l'a dénoncé. Probable qu'il voulait son magasin…

Il s'entendit demander :

— Le nom de cet homme ?

— Je ne sais plus. Avec la meilleure volonté du monde.

Cela n'avait pas d'importance. De toute façon, il savait qui Haas recherchait.

Les explosions s'éloignaient. Ils respirèrent profondément tous les deux, sortirent peu à peu de leur abattement. Il repoussa la femme et se leva. L'ouest de la ville était encore sous les bombes.

— D'où tenez-vous tout ça ?

— Ruprecht me l'a raconté. Il est tombé sur des lettres que ce type a envoyées à sa femme.

Il fallait qu'il aille tout de suite chez Merit, maintenant, aussitôt que ce serait terminé ici.

— Où puis-je trouver Haas ?

Elle ne répondit pas.

— Vous l'avez aidé ? Vous l'avez caché ?

Il écoutait le bruit des détonations qui continuaient à éclater dans le lointain avec la même intensité.

Depuis quarante minutes les formations de bombardiers étaient sur la ville. L'ouest, avait-elle prétendu. Mérit n'était peut-être pas à la maison. Il fallait qu'il sorte de là.

— Allez, dites-moi où il est, demanda-t-il machinalement.

Elle ne bougea pas. Elle était toujours assise par terre, adossée au mur, les yeux fermés, genoux au menton. De toute façon, tout cela n'avait plus d'importance. Il voulait rejoindre Mérit.

Il alla à la porte et écouta, guettant la fin de l'alerte. Haas ne l'intéressait plus, Haas n'avait pas assassiné Karasek. Et il fallait qu'il aide Mérit. Et elle l'aiderait aussi. Il devait la rejoindre. Il y avait bien un moyen pour eux de s'en sortir. Ensemble, on pouvait résister à tout.

Il n'entendit plus d'impacts. Il attendit, compta jusqu'à soixante et soudain ne supporta plus de rester là. Il abandonna la femme dans la buanderie et monta les marches encombrées de débris en direction de la cour. Par le portail à présent ouvert, il déboucha dans la rue couverte de nuages de fumée.

59

Il ne reconnut plus la rue. Pendant qu'il était assis tout tremblant, recroquevillé devant la porte de l'abri, elle s'était métamorphosée en un paysage labouré de cratères.

À droite, il fallait qu'il se tienne à droite. Pour venir, il avait longé un assez grand espace herbeux avec sa bicyclette, un parc public. Il fallait qu'il le retrouve. Ce serait un bon point de repère. Il courut. Des débris fumants de toutes tailles furent projetés dans la rue, percutant des gens qui hurlaient. Sur la chaussée en feu mouchetée de milliers de gouttelettes de phosphore, des flammes montaient à hauteur de genou jusqu'au carre-four. Du côté opposé, les immeubles n'étaient plus qu'un immense brasier. Le ciel était rouge, des flam-mèches virevoltaient comme des flocons de neige, des poutres enflammées s'écrasaient pêle-mêle les unes sur les autres, l'atmosphère retentissait de vacarme et de cris. Une odeur désagréable, suave et veloutée lui encombra le palais.

L'immeuble qu'il venait à peine de quitter sauta sou-dain sous une violente explosion de gaz. Deux ombres sortirent en trébuchant du bâtiment en flammes. L'une d'elles s'effondra, demeura au sol, les habits fumants. Il devina que cette forme allongée était une femme. L'autre silhouette s'agenouilla auprès d'elle et tenta de la remettre sur ses pieds. Il allongea le pas.

L'attaque aérienne se poursuivait dans un ciel obscurci d'épaisses fumées. Il entendait le vrombissement des bombardiers sans en distinguer aucun. Vers le nord-est, une étrange tache de soleil reflétait la chute d'innombrables bombes incendiaires à tige. Sifflant à travers les toits crevés quelques immeubles plus loin, elles avivèrent une mer de flammes. La fumée qui s'en échappa rougeoyait sur ses rives comme si le ciel déversait du feu. La voie était coupée. Il traversa la rue, s'efforça de sauter par-dessus des plaques de goudron visqueux et fumant qui collait aux semelles, tituba le long de carcasses de voitures aux réservoirs explosés, longea des soupiraux grillagés qui vomissaient une épaisse fumée noire et d'où sortaient des hurlements, évita des cadavres carbonisés, recouverts de poussière et de cendre.

Il perçut de nouveau plusieurs explosions proches, chercha à s'abriter contre un mur d'immeuble chauffé par l'incendie. Des tuiles s'abattaient dans la rue, des gouttières se détachaient en grinçant des toits pour se fracasser sur le sol fumant. Il déboucha enfin dans la rue où l'alerte l'avait surpris. Il trébucha sur les restes en charpie d'un cheval dont la tête arrachée, encore harnachée, pendait entre les brancards tendus vers le ciel d'un tombereau à moitié calciné.

Des silhouettes noires, couvertures humides sur la tête, vinrent à sa rencontre. Il n'y avait plus aucun espoir de continuer à avancer dans cette rue. Il vit un mur de flammes grondantes lui barrer le chemin, se détourna du violent souffle d'air qui lui coupa la respiration, menaçant de l'aspirer. Quelque part dans ce brasier son vélo était en train de fondre et le vieil homme brûlait dans le trou de sa cave...

Il fit demi-tour, rejoignit le groupe de silhouettes noires, eut du mal à lutter contre la force d'aspiration du feu. La perpendiculaire suivante serait peut-être praticable. Il gravit des ruines qui se consumaient lentement, buta contre des éclats de verre et des tessons de bouteilles fondus. Il avait vendu les mêmes services à thé dans son magasin. Le verre d'Iéna fond à sept cents degrés environ.

Une nouvelle flottille de bombardiers passait au-dessus de lui, à moitié dissimulée derrière des lambeaux de nuages de fumée tourbillonnante. Il leva les yeux, se laissa glisser dans un cratère de gravats, se couvrit d'éboulis et de décombres comme un enfant qui cherche à se protéger. Il vit la cargaison mortelle prendre son essor, en parabole d'abord, suivant la direction de vol, puis perpendiculairement au sol : un tapis de bombes !

Les toits disparurent à l'horizon, soufflés par les explosions. Des nuages gris foncé s'élevèrent et les centaines de détonations qui se superposaient les unes aux autres roulèrent à travers les défilés creusés par les immeubles qui s'effondraient. De gigantesques flammes dévoraient les deux tours d'une église.

Il atteignit la rue suivante où des canalisations s'étaient rompues. L'eau et des déjections avaient envahi les jardinets devant les maisons. Des petites pyramides de gravats émergeaient d'un jus sale. Une chaîne humaine s'était formée d'un côté de la rue pour tenter d'éteindre avec des seaux d'eau un rez-de-chaussée en flammes. Là aussi, le passage était bouché.

Il courut au carrefour suivant. Une large allée croisait sa route. De chaque côté, les arbres brûlaient comme des torches jusqu'aux plus hautes branches. Il subsistait juste une voie étroite pour passer au milieu. Un convoi entier de réfugiés avait dû se laisser surprendre dans ce passage exigu, encombré de carrioles, de chariots à ridelles, de tombereaux, de charrettes à bras, certains à moitié consumés, d'autres entièrement calcinés. Les restes de chevaux morts et d'autres animaux de trait déchiquetés étaient éparpillés sur le pavé soulevé. Mais il ne vit pas de cadavres humains.

Il zigzagua entre ces dépouilles, enjamba des fils électriques arrachés de l'éclairage municipal dont les lampes gisaient brisées sur le sol, et fit un détour pour éviter un tuyau à gaz rompu d'où sifflait une longue flamme bleuâtre et qui se balançait comme la queue d'un chien qui frétille.

C'est alors seulement qu'il prit conscience qu'il n'était pas le seul être vivant en train de courir dans cette rue pour sauver sa peau. Vêtements déchirés, sales et roussis, plusieurs personnes se hâtaient dans l'allée constellée de fondrières et d'obstacles. D'autres, choquées, débouchaient de rues adjacentes en flammes. Après avoir gravi des monceaux de ruines, on se laissait glisser sur les fesses dans ce qu'il restait de la chaussée pour vite se joindre au flot des fugitifs épuisés. Il se retrouva lui aussi parmi eux. Pour un temps, on n'entendit que le ronflement des flammes, le frottement et le râclement des pieds sur le sol, la respiration asthmatique de personnes âgées, les gémissements et les sanglots de femmes et d'enfants, les hurlements de blessés allongés le long de l'allée, les appels étouffés de victimes ensevelies, les cris des mourants qui s'échappaient des entassements de ruines.

Il parvint au parc. Partout des gens étaient étendus sur le sol, enroulés dans des couvertures, adossés à des arbres. Des infirmiers et des bénévoles de la Croix-Rouge s'occupaient des blessés graves, distribuaient couvertures et boissons. Rescapés des mers de flammes, surgis de tous côtés, des survivants débouchaient sur cette prairie, qui allait certes les protéger du feu, mais pas des bombes qui continuaient à tomber, car la ville tremblait encore sous les puissantes explosions.

Il s'assit dans l'herbe fraîche, essaya de reprendre souffle et de retrouver son calme, ferma ses paupières brûlantes. Berlin était transformé en un tas de cendres et de ruines...

Toutes les bombes de la terre sur leurs toits et leurs têtes.

Non, ce qu'il avait pensé jadis ne valait plus. Pas depuis qu'il avait été dans les bras de Karine, depuis qu'il avait rencontré dans la soupente cette femme avec son enfant. Beaucoup de gens dans cette ville n'avaient pas mérité ces bombes, des gens qu'il n'avait malheureusement pas eu l'occasion de connaître au cours de ces années vécues pour rien.

Mais il n'était pas trop tard. Il fallait qu'il survive à ces saletés de grêles de bombes – ne serait-ce qu'à cause de ce Bideaux. Il espéra de tout son cœur que cette crevure échapperait à ce bombardement, qu'il puisse enfin lui régler son compte. Sinon tout aurait été vain – et tout nouveau départ dans la vie serait condamné. Quand il en aurait fini avec ça, il pourrait se présenter devant Karine, lui montrer qu'il était un homme comme les autres, construire une vie nouvelle, avoir des enfants...

Il voulut la serrer contre lui, sentir son corps. Pendant les raids, elle n'avait jamais autant peur que lui. Les bombes ne pouvaient pas l'atteindre.

60

Il longea le trottoir. La voiture n'était plus là où il l'avait garée. Elle avait été projetée quelques mètres plus loin contre un mur et gisait retournée sur le toit. Le buste lacéré de Kruschke pendait par la vitre de la portière. Pour lui la guerre était finie.

La rue était encombrée de blocs de pierre et de morceaux de bois que les explosions avaient catapultés par les airs. Quoiqu'il n'y ait pas eu un seul arbre qui bordât la rue, des branches brisées gisaient sur le pavé déchaussé. Des êtres humains isolés couraient en tous sens dans la fumée irritante qui balayait la rue, s'échappant en tourbillons d'une maison en flammes.

Il fallait qu'il aille chez Merit. Après un bombardement aussi violent, leurs querelles étaient secondaires, ils devaient se soutenir pour survivre. Il courut vers la gare de Görlitz, espérant que le métro fonctionnait encore. Des grappes humaines apeurées s'étaient agglutinées en rangs serrés sur les marches de la station.

— La prochaine rame, c'est pour quand ? demanda-t-il à un employé en train d'actionner la manivelle d'un téléphone, l'oreille collée à l'écouteur.

L'homme le regarda à travers ses paupières rougies.

— Il faudra des heures avant que ça reparte, si toutefois ça repart ! Pas de courant. Vous ne savez donc pas tout ce qui vient de tomber, surtout dans le centre ? Je n'arrive même pas à obtenir la ligne.

Il avait à peine entendu la réponse qu'il faisait volte-face et se hâtait vers la sortie.

Il lui fallait coûte que coûte rejoindre la Kantstrasse. Il reprit sa course vers l'ouest dans la Skalitzerstrasse. Plus il se rapprochait du centre, plus il y avait d'immeubles en feu. Des flammes dégorgeaient d'embrasures de fenêtres, l'air était de plus en plus chaud. Des nuages de toutes les couleurs d'explosifs – jaunâtres, bleuâtres, verdâtres – s'unissaient en gros champignons de fumées qui obscurcissaient le ciel, voilaient un soleil qui le matin même avait débarrassé les toits de leur givre. Une lueur falote passait à travers la couverture de plus en plus épaisse de nuages et de fumée qui plongeait la rue dans une lumière couleur de soufre. La fumée embarrassait les bronches et les poumons. Il ne put s'empêcher de tousser, s'arrêta, regarda autour de lui.

Une femme lui attrapa l'épaule, sans doute sortie d'un des immeubles en ruines.

— Au rapport, *mein Führer* : ils sont tous morts.

Elle l'agrippa brutalement à la veste.

— Il faut le dire au Führer ! Moritzstrasse 17 ! Tous les habitants, morts ! Mon enfant, mort, toute ma famille, morte ! Il faut le dire au Führer !

— Mais calmez-vous donc !

Il la saisit aux poignets et essaya de lui faire lâcher prise.

— Il faut faire un rapport au Führer.

— Mais je ne suis pas le Führer !

Elle le lâcha, tituba en direction du tas de ruines fumant.

Il la suivit des yeux et c'est alors seulement qu'il remarqua les petites poussières de suie qui voletaient partout. Il toussa de nouveau, se couvrit la bouche d'un mouchoir et continua à courir.

Quelques carrefours plus loin, il découvrit une voiture aux vitres brisées garée le long d'un trottoir. Le propriétaire était vraisemblablement encore dans un abri. Il la démarra sans problèmes, la manœuvra dans le chaos, dut contourner des rues rendues impraticables par les amas de décombres. La chaleur térébrante qui entrait par les portières était presque insoutenable.

Traverser la ville semblait impossible. À la porte de Halle et plus loin au nord, ce n'était qu'un océan de fumée et de flammes. Impossible de progresser vers le centre. Il fallait qu'il fasse un détour par le sud. Il eut de la chance et trouva un pont à peu près intact sur la Spree. Mais sur l'autre rive il fut confronté au même paysage de désolation. Partout des immeubles dévorés par des flammes, des rues entières détruites, partout des nuages de poussière et de suie, des êtres humains en fuite. C'était le coup de grâce. Berlin ne s'en relèverait jamais. Le Berlin des organes gouvernementaux n'était plus. Le moment était venu de prendre congé. Il était désormais maître de son destin.

Il fallait absolument qu'il rejoigne Merit, qu'il trouve avec elle le moyen de continuer ensemble. Il la supplierait de l'aider, de le cacher au besoin. Il lui fallait rejoindre la clandestinité. La solution était là. Naujocks, Nebe et consorts s'étaient déjà engagés dans cette voie, avaient retourné leur veste, un peu trop tôt même. Mais après ce bombardement il n'était plus question d'attendre, de tergiverser.

Il croisa les premières voitures de pompiers et trouva ridicule qu'avec tous ces incendies on cherche encore à éteindre quoi que ce soit.

La seconde vague de bombardements le surprit dans Schöneberg. Il n'y avait pas d'abri officiel dans les environs. Il freina, sauta de la voiture et se précipita dans la cave de la première maison. Il tira un loquet et se retrouva derrière une porte au milieu d'étagères pleines de bouteilles et de bocaux de confitures.

Il entendit le bourdonnement monotone des bombardiers, escadrille après escadrille. Les premières explosions secouèrent le bâtiment et les verres s'entrechoquèrent. Le grondement des impacts s'amplifia, se rapprochant de plus en plus. Il crut à tout instant que la cargaison mortelle allait s'abattre sur lui pour le broyer. Il se rencogna derrière une étagère, tremblant de tous ses membres. De la chaux ruisselait en pluie fine du plafond.

Il blottit sa tête entre ses genoux. Le vrombissement devenait de plus en plus intense. Il essuya son front couvert de sueur contre sa cuisse. Le bruit des impacts se prolongeait en roulant comme des coups de tonnerre sans fin. Les vagues successives passaient au-dessus de lui, lâchaient leurs bombes un peu plus loin. Il respira profondément. Ils l'avaient oublié, il n'avait plus aucune valeur à leurs yeux. Il resta assis sans bouger sur le sol glacial de la cave jusqu'à ce que les sirènes annoncent la fin de l'alerte.

La voiture marchait encore. Mais la seconde vague avait ajouté Schöneberg à la spirale des destructions. Berlin brûlait. Il dut faire de plus en plus de détours :

des rues entières étaient devenues infranchissables. Des voitures de pompiers le doublaient au ralenti, sirènes hurlantes. Des silhouettes grises ou jaunâtres, saupoudrées de ciment, sortaient des bunkers, d'autres descendaient des éboulis en titubant, toutes couraient dans les ruines sans but, affolées. Des soldats, des Jeunesses hitlériennes et des prisonniers de guerre commençaient à rechercher des survivants sous les monceaux de décombres.

Les environs de la Kantstrasse avaient été très touchés. Les carrefours, les immeubles qu'il prenait toujours comme points de repère avaient disparu, comme si aucun bâtiment ne s'était jamais dressé là. Il dut s'arrêter. Il descendit de voiture, parcourut les derniers cent mètres au pas de course, sautant par-dessus des solives, enjambant des poutres éclatées et calcinées, gravissant des tas d'éboulis. Il toussait, avait du mal à respirer. Il essuya la poussière et la saleté de ses yeux brûlants, reprit sa course vers son immeuble.

Il allait enfin le voir dans la première rue à gauche, cet immeuble, les fenêtres de son appartement. Au prochain carrefour.

Numéro 22, 24, 26.

Il se plia en deux, comme si on lui avait plongé un couteau dans le ventre. Le numéro 28 s'était effondré sur lui-même comme un soufflet d'accordéon, les étages supérieurs s'étaient affaissés et gisaient sur le rez-de-chaussée. Restaient debout les murs des immeubles mitoyens. Il recula, trébucha, tomba en arrière sur un tas de gravats, se redressa et demeura assis dans la rue, stupéfait.

Peut-être avait-elle trouvé refuge dans un bunker quelques rues plus bas. Il vit alors, dépassant des décombres, le bout de la grosse flèche blanche peinte sur le trottoir. Elle pointait vers un trou là où, auparavant, il y avait la porte d'entrée de l'immeuble et l'abri. Mais peut-être avait-elle été absente, en route quelque part en ville, surprise par le bombardement, ou dans l'église…

— Dégagez, laissez la voie libre aux véhicules de secours ! Vous feriez mieux de nous aider.

Un pompier se dressait au-dessus de lui, hache en main.

— Allez, venez, on va passer par la maison voisine pour atteindre l'abri enseveli.

Évidemment : les abris des caves d'immeubles étaient sûrs, ils résistaient aux bombes, la défense aérienne et le parti l'avaient toujours dit. Car le parti voulait veiller à la sécurité des camarades du peuple en cas d'attaque aérienne. On pouvait tenir le coup longtemps dans un tel bunker, jusqu'à l'arrivée des secours. Encore quelques minutes, quelques heures tout au plus, et il pourrait serrer Merit dans ses bras. Ça ne posait aucun problème. Ce n'était qu'une simple question d'organisation. Et tout ne marchait-il pas toujours comme sur des roulettes ?

Ils se précipitèrent dans la cave voisine où quelques hommes s'étaient déjà attaqués au mur mitoyen à l'aide de pioches et de pics. Ils avaient le souffle court et dégageaient les pierres, les poussaient péniblement sur le côté à l'aide de pelles. Il remplaça un homme au pic.

— Silence ! cria quelqu'un à côté de lui, je crois que j'entends frapper !

Ils tendirent tous l'oreille, puis cognèrent encore plus fort, atteignirent le mur pare-feu de l'immeuble voisin et le percèrent. Ils se trouvèrent devant une cavité noire.

— Écartez-vous maintenant, commanda un pompier avant de disparaître par l'ouverture.

Des secondes insupportables s'écoulèrent jusqu'à ce qu'une tête de femme, sale, aux cheveux ébouriffés, s'encadre dans l'ouverture. On l'aida à sortir et on la soutint. Elle fixa d'un air perdu la lumière diffuse des lampes à carbure sans réagir à cette soudaine clarté.

— Tout s'est écroulé, aucun survivant, parvint-elle seulement à dire.

Le pompier sortit du trou à quatre pattes.

— Plus rien à faire. Elle a eu de la chance, elle était coincée sous deux poutres enchevêtrées. Mais les autres ont été écrasés. On ne les sortira de là-dessous que morts.

Il se précipita vers la rescapée et la secoua aux épaules :

— Frau Kalterer était-elle dans le bunker ?

— Oui, elle était assise tout au fond, répondit-elle en gémissant.

— C'est impossible, vous vous trompez ! s'écria-t-il tellement fort qu'un pompier s'interposa, le repoussa et accompagna la femme vers la lumière.

Il sortit lentement et s'assit sur un tas de gravats. Plus de réconciliation, impossible de se parler désormais, impossible de la toucher...

Il fut pris de vertige. Il pressa ses genoux entre les mains pour dominer le tremblement qui l'agitait. Son visage était trempé de larmes au goût de salpêtre et de vieux ciment. L'odeur du cercueil où elle était ensevelie. Il s'essuya le visage avec sa manche de veste.

Deux sauveteurs passèrent avec un premier cadavre

qu'ils étendirent sur ce qu'il restait du trottoir. Le corps de cette morte toute disloquée était entièrement couvert de poussière de chaux et de ciment. Ce n'était pas Merit.

Il ne lui restait plus que les souvenirs. Ses boucles brunes, ses lèvres, tout avait volé en éclats dans une explosion.

Les hommes déposèrent soigneusement un deuxième cadavre à côté du premier. Il le regarda. Ce n'était pas elle. Ils en apportèrent un troisième. Ils se ressemblaient tous : recouverts de ciment et de chaux. Il connaissait ces corps gris-blanc. Il en avait vu des milliers. Il en avait été. Il savait. Il connaissait les ordres. *Les hommes dos à la fosse, tirer, recouvrir de chaux et tourner la page.*

Il n'aurait pas pu lui avouer tout. C'était trop tard, de toute façon… Il avait la gorge serrée, il sanglota. Tout s'effondrait et disparaissait dans les flammes, comme toute la ville.

Le tas de cadavres augmentait. La douleur ne servait à rien. Merit était morte. Il fallait qu'il pense à ce qui pourrait lui arriver. Il se passa la main sur les yeux et se barbouilla le visage de larmes.

Il ne fallait pas baisser les bras. Le monde continuerait à tourner. En fin de compte, on ne dépendait que de soi, on devait se forger soi-même son destin. Il fallait baratter le lait pour obtenir du beurre. « … *et si le monde entier est transformé en un tas de ruines pendant nos combats, que le Diable l'emporte, on le reconstruira.* » Les poètes du mouvement avaient bien raison de ne pas prendre les choses trop au tragique.

Il fallait qu'il pense à lui à présent. Sans Merit, il ne lui restait plus qu'une possibilité. Ce n'étaient pas les apôtres de la morale qui guidaient le monde. Au contraire, ils restaient sur le carreau, finissaient morts sous les ruines.

Un pompier déposa la dépouille du gamin sur les autres. Il avait pourtant monté courageusement la garde avec son bâton, mais n'avait pas réussi à défendre l'immeuble contre les bombes.

Kalterer se leva, secoua la poussière de son manteau et retourna à sa voiture. Non, décidément, il ne voulait pas la voir morte.

61

Le chemin du retour lui fut une marche de l'horreur. L'air chaud, étouffant, chargé d'une odeur d'incendie, vibrait au-dessus du désert de ruines. Partout régnait un silence affreux, oppressant. Plus qu'un silence, un mutisme. Les gens se confiaient à peine le strict nécessaire, toute la ville était frappée de stupeur. Des camions amenaient de l'extérieur des renforts en hommes, des autobus conduisaient les sans-abris aux lieux de rassemblements, des bombes à retardement explosaient, les flammes crépitaient toujours, des murs s'écroulaient encore avec des grondements sourds. Mais tous ces bruits étaient noyés dans le mutisme de cette journée, dans le silence qui recouvrait Berlin comme cet immense nuage de fumée noire dont le ventre pesait sur la ville.

Il était continuellement obligé de demander sa route. Il faisait face à des visages sans expression, impavides, apathiques, qui le renseignaient sans exprimer la moindre émotion, sans arrêter de fouiller les gravats. Des femmes et des hommes épuisés sanglotaient, assis sur des chicots de murs, les yeux dans le vide, serrant à pleines mains contre leur poitrine les maigres biens qu'ils avaient pu sauver. Il passa à côté de monceaux de cadavres, entassés pêle-mêle ou soigneusement allongés l'un à côté de l'autre, des corps démembrés, désarticulés et calcinés, des morts sans blessures aussi, dont les poumons avaient éclaté sous les ondes de choc. Des slogans tout fraîchement peints incitant à lutter jusqu'au bout brillaient sur des facades en ruine : « Capituler – jamais » ou « Maintenant ou jamais » ou « Le Führer ordonne, nous obéissons ». Il vit les voitures de pompiers, les ambulances et les infirmières de la Croix-Rouge, les cantines mobiles organisées à la hâte, que le populaire appela vite des canons à goulasch, les points d'enregistrement, les lieux de rassemblement et ceux prévus pour les pansements. Personne ne faisait attention à lui au milieu de ce chaos, il faisait simplement partie du peuple errant des ruines.

Devant la gare de Görlitz touchée par les bombes, il fut arrêté par deux SA.

— Allez, avec les autres, là, donnez un coup de main. Ils lui désignèrent brutalement un groupe de civils requis au dégagement des voies. Soulagé qu'on ne lui ait pas demandé ses papiers, il suivit le groupe à travers les lieux saccagés. Des wagons à bestiaux, dont beaucoup réduits à l'état de squelettes et calcinés, étaient couchés sur le ballast ou stationnés sur des rails tordus par la chaleur.

Un officier SS donnait les ordres. Il ne s'attendait absolument pas à ce qu'il vit brusquement : des dizaines de cadavres d'enfants – qui leur dégringolèrent dessus quand ils firent glisser les portes des wagons encore à peu près intacts, des membres coincés dans des parois de bois éclatées, des visages livides et ensanglantés aux bouches grandes ouvertes pris dans les lucarnes grillagées. Calcinés, étouffés, gelés. Des centaines de cadavres d'enfants.

— Jetez-moi ça sur les camions, commanda l'officier SS.

Il lut la destination des wagons. Bergen-Belsen.

— Ils viennent certainement des camps de l'Est, lui souffla un jeune homme.

Les gardiens ne s'étaient absolument pas préoccupés du sort des enfants pendant le transport et à la première alerte, ils s'étaient tout simplement sauvés, abandonnant les wagons et les laissant mourir de faim et de froid. C'étaient bien tous les mêmes ordures. Il serra les dents. Lui sauter à la gorge, tout simplement, à cette crevure qui donnait des ordres. Ce serait si facile, ça irait si vite. Mais il continuait à porter dans ses bras des corps d'enfants, à les déposer dans les camions, l'un après l'autre, sans cesser de penser à celui qu'il voulait attraper.

Après deux heures de ce travail, on le laissa partir. Il se dirigea en titubant vers la place de la gare. Il avait à peine passé le portail qu'il eut la nausée. Il vomit les restes de vin rouge. Il tremblait, hoquetait et sanglotait comme un enfant. Il s'affaissa sur le bord du trottoir, se pencha en avant et enfouit son visage dans ses mains. Ses larmes coulaient à travers ses doigts sales. Comme dans un brouillard, il vit défiler des gens chargés de lourds sacs à dos et de valises.

Il finit par reprendre sa route, gravit des décombres fumants et des alignements de rues aux chaussées soulevées par les déflagrations jusqu'à ce qu'il parvienne enfin devant les ruines calcinées de la maison qui lui avait offert protection et abri. Il y avait énormément de monde pour tenter d'éteindre des flammèches qui reprenaient aussitôt. D'autres essayaient de déblayer les gravats avec des pelles, dégageant des meubles ou des cadavres.

Il la découvrit tout de suite non loin du portail. Elle attendait d'être identifiée, allongée avec d'autres morts. Ses cheveux blonds lui couvraient en partie le visage. Ses vêtements étaient à peine salis, on aurait pu la croire endormie. Il s'approcha, demeura debout à ses pieds. Une saute de vent retourna le bas de sa robe à fleurs. Son regard erra un instant sur le liseré de sa combinaison. Le coup de vent suivant lui rabattit la robe sur les mollets. Il lui serra les jambes, prit deux tuiles qu'il déposa sur l'étoffe de chaque côté des cuisses.

Il fit volte-face, tituba quelques mètres plus loin et s'assit sur une commode renversée. On déposait toujours de nouveaux cadavres sur le pavé. Des voisins, des familiers et des amis arrivèrent, firent cercle autour des morts et pleurèrent. Il était incapable de pleurer. Il tenait en main un fragment de cloison plein de suie sur lequel était collé un lambeau de papier peint sale avec des fleurs. Il suivit le dessin du doigt tandis que des idées de vengeance lui bourdonnaient dans la tête. Il n'en avait pas encore fini. Et la guerre n'était pas finie non plus.

De l'autre côté de la rue, deux recrues des Jeunesses hitlériennes descendaient des éboulis, armées d'un seau de peinture et de pinceaux. Un vieil homme en train de fouiller dans des gravats se releva et cria quelque chose aux deux adolescents. Le plus âgé posa son seau de peinture et marcha sur lui. Haas entendit la voix juvénile portée par le vent :

— Encore une remarque comme ça, et je vous signale…

Le vieil homme secoua la tête, se détourna et se remit à fouiller les décombres.

Les deux jeunes s'arrêtèrent devant une façade encore debout, plongèrent leurs pinceaux dans la peinture et barbouillèrent sur le crépi noirci : « Peuple, debout, lève-toi, ouragan ! »

62

La voiture hoqueta, avança par soubresauts, cala et il ne put la remettre en route.

Sans égards envers la carrosserie, les pneus ou le pot d'échappement, il avait roulé en direction du centre sur des chaussées défoncées, vers le quartier du gouvernement, au milieu de nuages de fumée qui s'épaississaient de plus en plus. Il abandonna la voiture et se fraya un chemin à pied. Il passa le Landwehrkanal en équilibre sur les poutrelles d'acier d'un pont détruit, puis il perdit l'orientation. Il croisait des flots de plus en plus importants de gens traînant les restes de leurs biens avec eux, poussant des landaus ou tirant des charrettes. Il demanda sa route à l'un de ces visages égarés, n'obtint pas de réponse, arrêta le suivant qui lui fit un vague signe de la main sans s'arrêter.

Tous ces visages avaient l'air de le regarder fixement à travers les nuages de fumée, les yeux pleins de reproche. Et pourtant tous avaient hurlé « Heil ! », tous ces visages hébétés qui espéraient trouver un train de banlieue capable de les emmener dans les quartiers ouest où la sécurité était plus assurée. Ils avaient crié « Heil ! » à tout propos. Mais maintenant que tout allait mal, seuls ceux de là-haut étaient responsables. Le Führer vous offre du travail, le Führer vous fait cadeau de la « voiture pour tous », le Führer construira des logements pour les camarades du peuple. Vous y avez tous cru. Et à présent, il faut en supporter les conséquences et régler l'ardoise.

Pendant deux heures, il se fraya un passage dans le quartier du gouvernement en ruine. Les centres de commandement et les centres nerveux du Reich en avaient pris un sérieux coup, l'Allemagne luttait contre son agonie. L'intensité du raid avait été inouïe, les Alliés avaient voulu affirmer leur puissance. Mais malgré l'étendue imprévue des dégâts, il vit partout des soldats et des pompiers, des secouristes, des techniciens et des Jeunesses hitlériennes qui tentaient une fois encore de recoller les nerfs déchirés du Reich.

Il erra dans ce paysage de ruines qui se consumaient lentement jusqu'à ce qu'il se retrouve dans la Kochstrasse. Des flammes dansaient dans des embrasures de fenêtres calcinées, léchaient des poutres couchées dans la rue. Tombant de tout leur poids sur la chaussée, d'énormes blocs de pierre se détachaient de la façade de l'immeuble de l'éditeur Ullstein.

Il courut vers l'entrée des bureaux. Une explosion retentit soudain à quelque distance, si violente que le souffle de la détonation le projeta en arrière. Quelques secondes plus tôt, quelques mètres de plus, et il était mort. Bouche ouverte, se protégeant la tête avec les mains, il se jeta dans une entrée d'immeuble. Les déflagrations se succédèrent, tandis que des morceaux de tuiles et de crépi s'écrasaient dans la rue. Il se releva, attendit, reprit sa course dès que tout se fut calmé.

Une secrétaire venait dans sa direction. Il la retint par le bras.

— Que s'est-il passé ?

— En face, le bureau du parti a explosé. Ils y avaient entreposé des armes, des lance-roquettes anti-char et des choses comme ça, débita-t-elle. Et c'est pas fini, c'est pas fini !

— Les bureaux de la cave existent encore ?

Elle opina.

— Les dossiers ont été évacués ?

— Bien sûr que non !

Elle se libéra.

— Tout brûle, et puis cette explosion maintenant ! Je veux sortir d'ici.

Elle s'enfuit.

Les étages supérieurs de l'immeuble étaient en feu. La chaleur avait déjà fait exploser les vitres des fenêtres. Des éclats de verre crissèrent sous ses pas quand il pénétra dans le bâtiment.

Les bureaux étaient vides, il n'y avait plus personne. Manifestement, les employés avaient quitté leurs postes, surpris en plein travail. Un sandwich entamé gisait sur une assiette, un écouteur reposait à côté d'un téléphone désormais muet. L'armoire en acier qui contenait les dossiers les plus importants était ouverte, clé sur la serrure.

Il trouva tout ce dont il avait besoin. Carte d'identité en blanc, formulaires, livret militaire, carte de travailleur forcé pour le Volkssturm, cartes d'alimentation. Il prit dans les tiroirs les tampons qui lui seraient utiles, bourra ses poches avec tout ce qu'il avait ramassé et se trouva ainsi armé pour tous les scénarios imaginables de la fin de la guerre. En sortant, il se dit qu'il valait mieux qu'il emporte aussi les dossiers de son enquête. Langenstras était certainement encore en vie et il était possible que la guerre dure plus longtemps qu'il le pensait.

Il entendit quelques poutres ou des blocs de pierre tomber avec fracas aux étages supérieurs. Instinctivement, il rentra la tête dans les épaules. Il se hâta vers son bureau, sortit l'un après l'autre les tiroirs du compartiment à cylindre, les retourna sur le sol, empila des papiers sans chercher à les trier. Il se baissait pour ramasser le petit tas quand il vit quelques feuilles volantes qui traînaient au fond du logement du dernier tiroir, sur le socle du bureau. L'arrière du tiroir du dessus manquait et elles avaient sans doute glissé par cette ouverture. Il se baissa, tendit le bras pour ramasser les quelques pages. C'est alors qu'il vit le petit calepin noir.

63

Le métro direction gare de Friedrichstrasse remarchait. Il se plaqua contre la paroi du wagon encombré. Il prenait un gros risque, le danger d'un contrôle était grand, mais c'était la seule solution pour parcourir de grandes distances sans bicyclette.

Le raid aérien qui avait eu lieu trois jours auparavant avait coûté la vie à vingt mille personnes environ. Et la nuit passée les Anglais étaient revenus. Il avait survécu à ce dernier bombardement dans un trou de cave humide et froid qui lui servait depuis quelque temps de cache et d'abri. Bien qu'à grands coups de plat de la main il ait brossé au mieux la suie et la saleté de ses manteau et pantalon, il donnait une impression de négligence et de déchéance. Il est vrai qu'il n'était pas le seul, beaucoup avaient l'air de ne pas avoir changé de vêtements depuis des semaines parce qu'ils n'avaient pu sauver que ce qu'ils portaient sur eux. Il était un parmi d'autres.

Il avait lu dans le *Völkischer Beobachter* que les Russes étaient sur la rive de l'Oder, à quelque quatre-vingts kilomètres à peine de Berlin, et qu'ils marchaient sur Francfort-sur-l'Oder. Mais l'Armée rouge faisait manifestement une petite pause afin de reprendre haleine avant de monter à l'assaut de la capitale du Reich. La Prusse-Orientale était déjà coupée du reste du front. Les bateaux *Force par la joie*, le *Robert Ley*, *Der Deutsche* et le *Wilhelm Gustloff* avaient été réquisitionnés pour transporter vers l'ouest les réfugiés des villes portuaires surchargées de Pillau, Dantzig-Neufahrwasser et Gotenhafen. À peine une semaine auparavant, le jour anniversaire de la prise de pouvoir par Hitler, un sous-marin russe avait coulé le *Gustloff* dans le golfe de Dantzig et plus de cinq mille réfugiés, principalement des femmes et des enfants, avaient péri dans les eaux glacées de la Baltique.

Entre-temps, Berlin était devenu la plaque tournante de flots ininterrompus de réfugiés. Tous ceux qui le pouvaient marchaient vers l'ouest pour se mettre en sécurité, une sécurité même précaire, avec leur famille. Loin des bolcheviques qui avançaient, le plus loin possible de leur soif de vengeance. Les réfugiés de Prusse-Orientale et de Poméranie se précipitaient dans la ville bombardée, à pied, dans des wagons bondés de la Reichsbahn ou en longs convois de charrettes tirées par des chevaux, des bœufs ou des êtres humains. Les rumeurs les plus incontrôlées sur des atrocités commises par les Russes augmentaient la peur de l'Armée rouge qui se rapprochait inexorablement.

Tout cela ne l'intéressait pas beaucoup, à dire vrai. Le destin des autres ne le touchait pas, seuls les enfants lui faisaient pitié, sinon tout cela ne le concernait pas. Le vent avait tourné. C'en était fini de la douceur aryenne pour les camarades du peuple. On leur présentait l'addition pour toutes les horreurs commises en leur nom. Ils ressentaient à présent dans leur propre chair ce qu'était un pays en proie à la guerre totale. Il n'avait plus rien de commun avec l'Allemagne, avec un commerçant du nom de Ruprecht Haas. Il avait déjà payé, et il avait tout perdu. Il ne lui restait que la valise qu'il portait attachée à l'épaule par une cordelette, et cette idée fixe qui le maintenait encore en vie. Tirer vengeance de Ludwig Bideaux le poussait vers l'avant, l'animait, donnait encore un sens à son existence perdue.

Il descendit la Friedrichstrasse et se laissa porter par la foule jusque dans le hall de la gare. Chargés de bagages impossibles, de sacs à dos et de biens transportables, un flot humain gravissait les marches des quais et roulait vers les sorties. D'autres luttaient à contre-courant, cherchant l'escalier pour descendre, d'autres encore faisaient la queue devant des guichets ou se pressaient autour d'employés du métro. De très jeunes recrues de la Wehrmacht se rassemblaient avec leurs armes et des hommes en uniformes de toutes sortes fendaient la foule. Dans les salles d'attente, des voyageurs prenaient leur mal en patience, assis sur leurs valises ou des cartons que ceinturaient des ficelles.

Il resta à côté de l'entrée principale et soudain il vit Serge. Le Français l'entraîna à l'écart de la foule.

— Prudence, lui murmura-t-il. Beaucoup de mouchards, d'indicateurs. L'homme veut mille deux cents marks pour l'arme. Donnez-moi l'argent ici, faut que je descends vite. D'accord ? Alors, allons-y !

Ils se frayèrent un chemin à travers la foule compacte, jouant des coudes jusqu'au large escalier qui descendait aux quais. On prétendait que le métro était à l'épreuve des bombes, et c'est ainsi qu'y campaient des sinistrés, ou des individus particulièrement craintifs. Ils s'étaient aménagés une place qu'ils ne quittaient qu'en cas d'extrême nécessité, assis sur des chaises pliantes, des lits de camp, au milieu de valises et de paquets, entourés de voyageurs, de soldats et de réfugiés. La scène ressemblait au campement souterrain d'une armée en déroute.

En compagnie du Français, Haas parvint à un niveau presque uniquement occupé par des étrangers. Des jeunes gens bavardaient avec des filles habillées et fardées de manière voyante, des êtres qui ressemblaient à des Slaves flânaient en vestes ouatées. Des Français, des Italiens, des Polonais, des Danois et des Ukrainiens faisaient les cent pas sur les quais ou stationnaient en groupes, fumaient, riaient. Ils semblaient tous se connaître.

À la devanture d'un kiosque, plusieurs individus aux cheveux bruns regardaient un homme seul, adossé à un mur qui, ne paraissant pas s'occuper de ce qui se passait autour de lui, feuilletait un journal.

Serge s'arrêta derrière un pilier, se pencha vers l'oreille de Haas et lui souffla :

— Vous voyez, là-bas ? Peut-être mouchard ou flic. Attendez, je reviens tout de suite.

Le Français alla au kiosque, salua quelques hommes et disparut derrière la porte. Peu de temps après, il ressortit en compagnie d'un individu corpulent, aux cheveux noirs bouclés, vêtu d'un élégant manteau au col de fourrure. En passant devant Haas, Serge lui fit comprendre de les suivre sans se faire remarquer.

Il monta l'escalier derrière eux en gardant ses distances jusqu'à des toilettes pour hommes non signalées. Quelques secondes après eux, il se retrouva dans la pièce carrelée. Ils étaient seuls, mais Serge mit un doigt sur les lèvres, se pencha et jeta un œil sous les portes des toilettes. Il leva le pouce pour signifier que tout allait bien.

Sans un mot, l'homme aux cheveux noirs mit la main dans la poche intérieure de son manteau, en sortit un objet enveloppé dans du papier huilé, tout en lui présentant l'autre main, paume ouverte. Haas y déposa l'argent et il l'empocha sans même le recompter. Haas prit le petit colis et l'individu sortit rapidement des toilettes après un petit signe de tête à Serge.

Haas déballa le pistolet et contempla l'arme aux reflets mats. Il lança un regard interrogateur à Serge, penché en avant pour examiner l'arme.

— Je n'y connais absolument rien. Comment ça marche, ce truc ?

Le Français prit le pistolet, le soupesa et l'examina.

— C'est un 6,35, un Lignose calibre 25. Pour tirer, enlevez cran de sûreté, tirez glissière vers l'arrière, comme ça.

Il lui fit une rapide démonstration.

— Maintenant, une balle dans le canon, monte automatiquement du *magasin**...

Serge tenait le pistolet par le canon.

— ... là dans la crosse. *Attention**, chargé maintenant.

Il remit la sûreté et tendit l'arme à Haas. Celui-ci l'enfouit avec précaution dans la poche droite de son manteau, roula en boule le papier qu'il jeta dans un coin.

Ils sortirent des toilettes pour se rendre à l'entrée principale. Serge le salua.

— Beaucoup de chance, *mon ami**. J'espère que votre plan réussit.

436

— Moi aussi, répliqua Haas en tendant la main au Français. J'avais peur que vous m'ayez oublié. Merci beaucoup.

— Nous sommes cheval de Troie en pleine capitale du Reich ! *Adieu**.

Il disparut dans la foule. Un train enveloppé de vapeur et de fumée passa en grondant. Le hall de la gare était toujours aussi plein et il perdit du temps avant d'atteindre enfin le guichet de la Reichspost devant lequel il y avait foule aussi. Tous attendaient une liaison interurbaine.

Il se fraya un chemin jusqu'au guichet des renseignements, saisit un annuaire téléphonique en lambeaux datant de 1943 et le feuilleta. B… Bi… da, enfin : Bideaux, Ludwig, Barbarossastrasse 10.

Il quitta la gare par la sortie de la Friedrichstrasse. Il faisait sombre à présent. Des ombres fantomatiques passaient à longues enjambées en direction du centre ou de la Oranienburgstrasse. Il tourna sur la gauche, flâna le long du muret qui bordait la rive obscure de la Spree jusqu'au pont réservé aux piétons dont les poutrelles de fer se découpaient dans le ciel gris du soir.

Il s'arrêta au milieu. Il entendait derrière lui des pas résonner sur les plaques de métal. L'arme pesait dans sa poche. Il tâta prudemment la crosse du pistolet. Puis il s'accouda sur le garde-fou, se pencha et contempla l'eau. Il cracha dans la Spree aux flots noirs. Il était armé pour le dernier acte.

64

Il se tenait devant le squelette calciné du 10 de la Barbarossastrasse. Les étages supérieurs démolis formaient des marches d'escalier géantes jusqu'à la chaussée. Un seul appartement semblait encore occupé au premier étage gauche de l'immeuble. Pour le protéger des intempéries, des tôles avaient été fixées au-dessus des plafonds et les fenêtres étaient obstruées par des planches. Un tuyau de poêle rouillé qui laissait s'échapper une maigre fumée dépassait d'un trou dans le mur. On pouvait atteindre l'étage en gravissant un tas de ruines qui aboutissait à un palier où une porte n'était éloignée que de quelques marches de l'escalier qui se prolongeait encore quelques degrés, mais s'arrêtait brusquement et pendait dans le vide. À hauteur du troisième étage, une cheminée complète semblait accrochée au mur du fond, surplombant l'excavation.

Il escalada les décombres et frappa à la porte de l'appartement. Une petite fille ouvrit. Elle le contempla avec de grands yeux jusqu'à ce que sa mère apparaisse derrière elle.

— Que puis-je pour vous ?

La jeune femme le regardait amicalement.

— Que désirez-vous ?

— Je cherche Herr Bideaux, Ludwig Bideaux. Il a bien habité ici, n'est-ce pas ?

— Oui.

La femme éloigna sa fille de la porte, sortit sur le seuil.

— Le Hauptsturmführer Bideaux a effectivement habité là-haut.

Elle désigna le ciel du doigt.

— Juste au-dessus de nous, au deuxième. Mais vous voyez, il n'y a plus rien. Par quel miracle notre appartement est-il encore debout, seuls les Ricains le savent !

La femme esquissa un sourire pâlot.

Il se sentit défaillir.

— Vous dites qu'il a habité là. Il serait donc mort dans le bombardement ?

Il ne put contenir le tremblement de sa voix.

La femme sembla remarquer l'importance de sa réponse et hocha tout de suite la tête :

— Non, non ! C'est arrivé en plein jour. Il n'y avait personne dans tout l'immeuble. Tout le monde était au travail ou au bunker.

— La maison a été bombardée quand, alors ?

— L'année dernière, fin juin.

— Est-ce que vous sauriez où Herr Bideaux habite maintenant ?

La femme haussa les épaules.

— Non, je suis désolée, aucune idée. La dernière fois que je l'ai vu, c'était ce jour-là. Il s'est précipité ici en voiture pour évaluer les dégâts. Personne n'avait enfin plus de soucis à se faire pour son appartement, qu'il a encore dit.

Elle tordit la bouche.

— Il avait toujours le mot pour rire, ce Bideaux.

— Vous ne l'aimiez pas particulièrement ?

— Ça allait. On l'aimait bien dans la maison, les femmes surtout. Pour moi, il était toujours trop policé, trop lisse. Je préfère le genre rude, naturel, si vous voyez ce que je veux dire.

Il échappa à son regard direct et se tut.

— Mais qu'est-ce que vous lui voulez, à Bideaux ? questionna-t-elle en reculant d'un pas vers la porte de son appartement.

— J'ai encore un compte à régler avec lui.

— Renseignez-vous donc à l'Office central pour la Sécurité du Reich, c'est là qu'il travaille, vous l'y trouverez certainement...

Elle s'interrompit, le toisa de la tête aux pieds et ajouta :

— Mais c'est peut-être pas la meilleure idée.

65

Il se retournait nerveusement sur le matelas déchiré qu'il avait déniché sur un tas de décombres. Il avait passé les deux derniers jours au-dehors, avait fouillé des maisons en ruine à la recherche d'objets qui pourraient lui être utiles. Pendant qu'il furetait partout, des gens qui comme lui habitaient des caves aménagées avaient quelquefois surgi de leurs trous pour le chasser en proférant les pires menaces. Il avait tout de même réussi à traîner ce matelas dans son réduit, puis deux chaises intactes, une petite table, plusieurs couvertures avec des trous de brulûres, un seau, un tuyau de poêle cabossé et enfin un petit fût d'huile vide qu'il avait transformé en brasero en perçant deux trous dans la paroi de tôle. Un en bas, pour y enfourner le combustible, et un en haut, derrière, pour le conduit qui sortait par un soupirail protégé du froid avec un épais morceau de carton. Le fourneau improvisé fonctionnait parfaitement et quand on y mettait beaucoup de bois, on pouvait même faire cuire quelque chose sur le couvercle. Il y avait du combustible en suffisance dans les ruines et il avait déjà fait une grosse provision de bois, entreposée dans la cave voisine.

Son trou de cave se trouvait dans l'ancien immeuble d'une arrière-cour de maison de rapport entièrement détruite. Personne n'habitait les restes des deux bâtisses si bien que Haas se sentait en parfaite sécurité dans son logis. Outre un escalier à moitié enseveli sous des décombres et qui menait à une première cave, la construction en voûte comprenait environ une douzaine de petits celliers de différentes tailles, dont certains impraticables ou bouchés par des gravats.

Il avait choisi le plus grand. Tout en gardant une étagère branlante pleine de bocaux de fruits, il avait débarrassé cet espace d'environ quatre mètres carrés de tout son bric-à-brac qu'il était allé entasser dans un coin de la grande cave. Il avait bien entendu fouillé l'ensemble des lieux à la recherche d'objets utilisables et, outre quelques outils et bouts de chandelles, il avait mis la main sur son trésor : une petite batterie de cuisine de campagne comme en utilisent les soldats ou les campeurs.

Il prenait pour latrines la caisse à pommes de terre d'un cellier plus éloigné. Pour cuisiner et se laver, il allait chercher de l'eau dans son seau à un carrefour situé à quelques centaines de mètres où il y avait encore un abreuvoir en grès en état de marche.

Il était satisfait de son logement, quoiqu'il fût plein de poussière, qu'il sentît le moisi et qu'il restât sombre même en plein jour parce que la lumière ne pénétrait que très faiblement d'un soupirail calfeutré. Il ne faisait jamais assez chaud à cause d'un courant d'air permanent, même quand la tôle du brasero était chauffée au rouge.

Mais tout cela lui était bien égal. La recherche de cette nouvelle cache et son aménagement n'avaient été qu'une courte interruption, pénible mais nécessaire, dans l'exécution de son plan. Après sa visite infructueuse Barbarossastrasse, il avait compris qu'il aurait besoin de beaucoup de temps dans sa quête de Bideaux. Il ne pourrait trouver ce chien teigneux et le descendre que s'il survivait lui-même à la guerre. Ce qui signifiait qu'il devait se cacher encore dans les ruines de Berlin, ne pas se faire remarquer, trouver de quoi manger jusqu'à ce qu'il abatte ce Bideaux ou que cette guerre prenne fin, et avec elle le danger qui le guettait jour après jour.

Il était allongé sous ses couvertures pleines de trous et se demandait comment il pourrait retrouver son homme. Il ne savait même pas à quoi elle ressemblait, cette crevure. Théoriquement, il pouvait bien sûr se rendre à l'Office central pour la Sécurité du Reich et s'informer à son sujet. Mais il avait bien trop de danger à se jeter ainsi dans la gueule du loup. Et sans motif valable, on ne lui donnerait certainement aucun renseignement.

Un léger frottement le fit sursauter. Il se redressa et épia dans l'obscurité. Les crissements venaient du mur, comme si on grattait une ardoise avec les ongles. Il alluma une bougie et la leva au-dessus de sa tête. Dans la lueur vacillante il aperçut un énorme rat. Il s'attaquait aux conserves à quelques pas de lui et son ombre gigantesque se projetait sur le mur chaulé de la cave. Debout sur les pattes arrière, l'animal se mit à ronger l'élastique d'un pot de marmelade. La lueur de la bougie ne paraissait pas l'impressionner.

Il tâtonna prudemment en direction de son pistolet caché sous le matelas. Il leva le cran de sûreté avec le pouce et visa le rat, bras tendu, de sorte que la gueule du canon ne se trouvait qu'à un mètre de lui. Le poids de l'arme dans sa main, sa fraîcheur. Il visait lentement le rat qui soudain ne bougea plus, tourna la tête vers lui, si bien qu'il vit les petits yeux noirs dans lesquels se reflétait la lumière de la bougie. L'ombre du rat sur le mur lui parut ressembler à celle d'un être humain. La queue nue était secouée de mouvements brusques et serpentins, les longs poils des moustaches vibrèrent. Il appuya sur la détente.

Il sentit le recul dans son bras et l'arme manqua lui sauter de la main. Le corps déchiqueté de l'animal fut propulsé dans le coin du cellier, la balle s'enfonça dans le crépi du mur, le bocal cassé s'écrasa au sol et recouvrit la douille de compote et de tessons de verre. Il s'attendait à une détonation plus forte : même le cri bref et perçant du rat l'avait couverte.

Il se leva et balaya les saletés. Il sortit avec le corps du rat sur la pelle à charbon et jeta le cadavre dans la nuit, par-dessus un tas de gravats.

66

Les bombes explosaient non loin au-dessus de leurs têtes. Le bunker du mess du Tiergarten vibra. Une batterie de DCA répondit énergiquement. Bref silence des convives, tête entre les épaules, puis la fanfare continua bravement à jouer.

Ambiance de fin du monde. Le fatalisme se répandait de plus en plus. Il s'était rendu à cette fête en compagnie d'un jeune capitaine dont il avait fait la connaissance à l'hôtel. Ils avaient apporté avec eux quelques bouteilles de schnaps.

Des connaissances saluèrent gaiement le capitaine. L'endroit était plein à craquer d'officiers de passage, de coureurs de jupons, de permissionnaires, de femmes trop voyantes. Manifestement, nul ne voulait se laisser gâcher son plaisir. L'air était chargé de volutes de fumée bleue, épaisses à vous couper le souffle. L'alcool coulait à flots. Les tables étaient chargées de bouteilles de cognac, de plats de tranches de veau froides et autres douceurs rares. Étroitement enlacés et s'embrassant à pleine bouche, des couples tournaient sur la piste de danse cernée de visages grimaçants aux nez rouges.

Il transpirait. Comme la majorité des Berlinois qui

souffraient du manque de charbon et des coupures d'électricité, il y avait longtemps qu'il n'avait pas suffoqué dans une telle chaleur. Il jeta sa veste sur celles qui encombraient déjà des dossiers de chaises, parmi des tuniques de toutes les armes, de la Gestapo, de la police, aux épaules piquées de galons de croix de guerre première classe, de croix de guerre deuxième classe, de décorations de combattants de l'Est, dites « Ordres de cul gelé », d'écussons pour actes d'héroïsme en combat rapproché, d'insignes du parti en or, de beaucoup de médailles diverses de blessés.

— Des mouchtiques !

Une Croix de chevalier amputée de la jambe droite le bouscula et lui tendit son verre.

— Mais ils ne piquent pas vraiment, je crois.

Il but, continua à zézayer et à lui postillonner dessus comme s'il le connaissait.

— Les Ruches auchi chont à bout de forches, chinon ils cheraient là depuis longtemps, et ch'est eux qui mèneraient le bal. (Il rit à haute voix de sa blague.) On a repris Lauban ; la Poméranie, Kolberg tiennent, à Königsberg, à Breslau, on régiste partout. Il y a une contre-offensive sur le Plattensee. Les Ruches n'ont prechque plus que des enfants comme choldats, et maintenant nous nous battons dans notre propre pays, nous chavons che qu'ils veulent, plus aucune offensive ne peut nous churprendre.

— Je laisse au lieutenant-colonel le soin de juger de la situation générale.

Ils trinquèrent. La Croix de chevalier se rapprocha de son oreille.

— La tête de pont des Américains, hurla-t-il pour lutter contre la musique, ne peut que nous rendre cherviche. Vous allez voir, on marchera bientôt enchemble contre les Ruches. Nous, les Allemands, chommes partie intégrante de l'Occhident. Ils ne vont tout de même pas nous livrer aux Mongols et aux communichtes, nous chommes un peuple de culture !

Kalterer se demanda un instant s'il n'avait pas mal compris. Tout le monde se berçait d'illusions à présent.

— Non, non, vous verrez, on va remettre cha, et avec enthougiasme ! On les laiche rentrer et puis, avec les Ricains, on r'chante en chœur. Et les armées marchent vers l'est, s'enfoncent profondément en territoire ruche, claironna l'officier, le regard vitreux, en marquant la cadence.

Kalterer le quitta en bredouillant une excuse, se fit jour à travers la foule des danseurs et chercha une chaise libre. Tout le monde savait pourtant qu'il ne restait plus que le choix entre mourir en héros ou décamper. Des soldats désarmés rôdaient dans les rues, le nombre d'actes d'indiscipline augmentait malgré les nombreuses et expéditives cours martiales mobiles à procédure accélérée, les premiers officiels abandonnaient la capitale du Reich. La débandade était inévitable. Et dans le même temps, on râclait les fonds de tiroir pour rassembler les dernières troupes de réserve.

Ils l'avaient oublié. Ils ne se rappelaient certainement même plus qu'il existait. Mais il ne leur faisait pas confiance. Quand ça barderait vraiment, il se signerait un ordre de mission pour l'Ouest, loin des Russes. Mais pour l'instant le système était encore intact et au cas où Langenstras regretterait son absence, il était encore capable de lâcher ses sbires à ses trousses. La première chose à faire était donc d'attendre, de mettre à jour ses dossiers pour être prêt à se présenter au rapport au cas où Langenstras le convoquerait.

Il s'assit dans un coin avec une bouteille, un peu à l'écart des turbulents fêtards qui saluaient chaque impact de bombe en braillant comme si c'était une fusée de feu d'artifice du Nouvel An.

Langenstras n'avait qu'à l'appeler. Il pourrait lui détailler presque toute l'histoire, il la connaissait de bout en bout, y compris peut-être même avec les mobiles. Toutes les affaires illégales de Karasek étaient consignées dans le calepin qui avait coûté la vie à Inge. Il savait qui avait tué Karasek, mais n'arrêterait le coupable que si Langenstras le lui ordonnait.

Au cours de son enquête, par hasard pour ainsi dire, il avait croisé la route de ce cinglé de Haas. Les affaires étaient très étroitement liées. Si toute cette racaille habitait le même immeuble, tous étaient aussi impliqués dans cette histoire de contrebande dont le beau-frère de Stankowski lui avait naguère parlé. Si Langenstras le convoquait au rapport, il pourrait ainsi lui faire cadeau du dénouement de deux affaires.

— Je n'ai pas encore dansé avec vous.

Une jeune femme en uniforme lui prit la main et l'entraîna sur la piste. Il se coula machinalement dans les pas d'une valse. La femme était légèrement ivre et bousculait d'autres couples tout en se serrant étroitement contre lui.

— Ne faites pas cette tête, lui murmura-t-elle. C'est la fête, aujourd'hui.

Il accéléra l'allure. Ils tournaient et tournaient, elle gloussait et riait. Ils s'accrochèrent avec un autre couple et tous quatre se retrouvèrent par terre.

La femme se releva en titubant, lissa sa blouse, tapota sa robe et dit en grimaçant un rictus :

— Jouis de la guerre, la paix sera terrible.

Il la regarda fixement. Ceux qui ne se faisaient pas d'illusions étaient donc devenus cyniques.

— Mais uniquement pour ceux qui sont complètement idiots, ajouta-t-il à voix basse, cherchant à quitter la piste de danse.

Le bunker fut secoué par les déflagrations d'une roulade de bombes explosives, la lumière vacilla. Un homme en civil, qui pouvait à peine encore tenir sur ses jambes, fixa le plafond de l'abri d'un air de défi, perdit l'équilibre et tomba à la renverse dans les jambes de Kalterer.

— Bande de misérables, hurla-t-il. Vous voulez nous écraser sous vos bombes, hein, bande de lâches ?! Mais ne vous faites pas trop d'illusions !

Il sortit son arme et tira dans le plafond à plusieurs reprises. Les danseurs s'écartèrent, les buveurs cherchèrent refuge sous les tables et les chaises avec des gestes encombrés. Des éclats de béton volèrent à travers le bunker. On entendit un cri.

Kalterer chercha la femme, mais elle avait disparu. Le jeune capitaine s'approcha et lui dit :

— Quelqu'un a été touché au bras. Venez, filons d'ici avant que ça se gâte. Dehors, il y a un major avec une voiture qui va dans notre direction.

Le major conduisait lui-même. Il roulait par à-coups, à vive allure. Kalterer était assis à côté de lui. Le capitaine avait pris place derrière avec une femme. « Une vieille connaissance », avait-il prétendu, une actrice.

Ils fonçaient sur l'axe est-ouest en partie dégagé sans tenir compte des éventuels projectiles perdus ou des bombes à retardement. Le major sifflait une marche et sur la banquette on avait trouvé à s'occuper. Un incendie faisait rage du côté de Kreuzberg.

Ça faisait longtemps que les rues n'avaient pas été aussi bien éclairées. On pouvait vraiment appuyer sur le champignon. Le major grimaça et accéléra encore.

Ils étaient tous devenus fous, jouaient avec le feu et ne pensaient pas plus loin que les deux semaines à venir, croyant peut-être qu'ils ne couraient aucun risque. Il ne pouvait se laisser aller à ce genre de sentiment, il devait prendre ses précautions, se préparer une nouvelle identité. Il devait être possible, sans trop de problèmes, de devenir un simple civil.

La voiture vira dans la Friedrichstrasse en grinçant des pneus. L'actrice gloussa sur la banquette arrière. Il dut s'agripper à la poignée de la porte et grogna.

— Qu'est-ce qu'il y a ? s'étonna le major. Demain matin, je pars pour Francfort-sur-l'Oder, ce sera bien plus dangereux que les rues de Berlin.

Kalterer ne s'occupa plus du conducteur. Les Alliés exigeaient une capitulation sans conditions. Il pouvait s'attendre à figurer sur les listes des personnes recherchées, présumer que les vainqueurs demeureraient longtemps dans le pays. À la longue, s'il ne pouvait justifier d'un passé, même une fausse pièce d'identité ne lui serait d'aucun secours. Il lui fallait trouver une histoire qui tienne la route, si possible avec beaucoup de papiers officiels tamponnés. Mais dans un laps de temps si court, c'était quasiment impossible à trouver. Seuls des types comme le Gruppenführer Langenstras

ou ses supérieurs pouvaient régler ce genre de problème, il leur restait certainement encore les relations
nécessaires.

— Tout le monde descend, mesdames messieurs, il
faudra faire le reste à pied.

— Où sommes-nous ? demanda le capitaine en
s'extrayant des bras de sa compagne.

— Orianenburgerstrasse.

Peut-être pourrait-il se cacher quelque part, à la campagne ; il pourrait peut-être mettre des gens dans la
confidence. Non, c'était trop risqué. Il y avait tellement
de mouchards avides de récompense. Sans oublier les
fanatiques de justice…

Ils titubaient dans la Auguststrasse réduite à un
champ de ruines depuis le dernier bombardement.
Mais l'hôtel n'avait presque pas été touché, excepté
les vitres soufflées par les explosions. Le capitaine
écarta les bras devant la porte d'entrée et s'écria :

— Eh bien, nous y voilà !

La jeune femme contemplait la façade endommagée.

— C'est pas comme ça que je m'imaginais le logement de jeunes officiers allemands !

Le capitaine la saisit aux hanches et la poussa dans
l'escalier.

— Qu'est-ce que ça peut faire ; l'essentiel, c'est
qu'on aille s'installer confortablement.

Il disparut dans sa chambre avec son actrice qui
gloussait, étroitement serrée contre lui. Kalterer ferma
sa porte et voulut allumer la lumière. Rien ne se passa.
Il traversa la pièce à tâtons et se laissa tomber à la
renverse sur son lit, épuisé. Le matelas ne répondit pas
avec sa mollesse habituelle. Il alluma une bougie et

vit ses notes et ses dossiers d'enquête éparpillés sur le couvre-lit. Il les avait jetés par terre avant de sortir. La femme de chambre avait dû les ramasser. D'un revers de main, il balaya le tout sur le sol. Une mince chemise s'ouvrit en tombant.

Sur le plancher, éparpillés à ses pieds, il y avait tous les papiers et les documents personnels de Haas.

67

La pleine lune était bas sur l'horizon. Phares de camouflage en œil de chat allumés, des véhicules militaires, des camions et quelques voitures privées cahotaient sur les chaussées étroites dont seul le centre avait été déblayé, doublaient en cornant des colonnes d'hommes et de femmes portant pelles et pioches à l'épaule, ou essayaient de dépasser au pas des attelages hétéroclites ou des convois de réfugiés. Des gens se hâtaient de gravir des éboulis escarpés, disparaissaient dans des trous à peine habitables ou marchaient tête baissée, résignés à leur sort.

Il évitait autant que possible les rues encore praticables et empruntait d'anciennes voies adjacentes, suivait les pistes entre les ruines ou des passages étroits qui s'étaient formés spontanément par piétinement. Il avait fini par repérer des chemins détournés qui coupaient par des terrains ravagés, des raccourcis qui passaient par des arrière-cours bombardées. On y croisait bien quelqu'un de temps en temps, mais il y avait peu de risques de tomber sur un contrôle.

Il était légèrement ivre, titubait sur les sentiers accidentés. En réalité, il ne voulait rester dans ce bistrot dangereux que le temps de conclure son affaire, mais il s'était laissé entraîner par Serge à commander encore une bouteille de vin rouge.

Il s'était rendu à l'Olympia pour demander au Français de lui trouver des conserves et de la nourriture en échange de ses couverts en argent. Ils étaient convenus de se revoir le jour même et Serge était venu avec un lourd sac à dos, plein de corned-beef, de boîtes de soupe et de conserves de poissons, le tout volé dans des cantines. Il y avait même un morceau de jambon fumé et une bouteille de bourbon. Dans l'arrière-cour du café, il n'avait pas osé lui demander comment il s'était procuré ces douceurs ; sans un mot, il avait échangé sa valise contre le rucksack.

Ils étaient ensuite entrés dans le local, avaient discuté et bu, une bouteille en avait appelé une autre, puis la suivante. Serge écoutait clandestinement les émetteurs étrangers. Budapest était tombée, Dresde avait été entièrement rasée par des bombardements. La capitulation sans conditions de l'Allemagne n'était plus qu'une question de quelques petites semaines. Ce n'est qu'à la nuit tombée qu'il s'était levé en chancelant et avait repris le chemin du retour chargé de son lourd sac à dos.

Il allait traverser une rue calme quand son regard fut attiré par un kiosque sur lequel on avait placardé un nouvel avis à la population. Il craqua une allumette pour mieux lire. Un communiqué du ministère de la Justice : dans les régions proches du front, on avait institué des cours martiales mobiles pour lutter avec la dernière vigueur contre l'effondrement du moral au combat.

Il sursauta et tourna la tête en entendant approcher brusquement un individu relativement âgé portant des vêtements de travail en coutil et qui se mit à lire le communiqué par-dessus son épaule. Il se brûla les doigts à la flamme de l'allumette, poussa un petit cri.

— 'Scusez, fit l'inconnu d'une voix grave. Je ne voulais pas vous faire peur. Je voulais simplement voir ce que ces frangins avaient encore inventé de nouveau.

Il se plaça à côté de lui, battit un briquet qu'il approcha de l'affiche et de sa main gantée suivit les lignes imprimées.

— *Quiconque*, épela-t-il à haute voix, *tentera d'échapper à ses devoirs envers la communauté, et plus particulièrement par lâcheté ou intérêt personnel, devra immédiatement rendre compte de ses actes et sera jugé avec la plus extrême sévérité afin que la défaillance d'un individu ne porte pas préjudice à l'ensemble du Reich.*

L'inconnu étouffa la flamme de son briquet dans sa paume, se retourna et le regarda.

— Vous savez ce que ça veut dire ?

Croyant que l'homme n'avait pas compris ce qu'il venait de lire, il s'apprêtait à lui répondre, mais celui-ci le devança :

— Pour moi, c'est parfaitement clair : le Führer vient de déclarer la guerre au peuple allemand.

Et sans même un salut, il tourna les talons pour disparaître dans l'obscurité.

68

Il y avait eu un nouveau raid pendant la nuit. Il se demanda ce qu'il pouvait bien rester à bombarder dans cette ville. Certainement plus les usines ou les maisons d'habitation détruites. Les raids étaient sans doute destinés à la population civile afin de briser son endurance. Il ne voyait pas d'autres raisons à ces bombardements incessants.

Il lui importait peu qu'ils réduisent le Reich allemand en poussière, mais pour l'amour du ciel qu'ils les laissent en vie, lui et cette merde à pattes. Quelque part dans le centre de la ville en ruine, dans un décor baigné de sang, il se vit avancer dans des vêtements en haillons vers un officier SS en uniforme noir, botté, impeccable. Il règne un silence de mort, le sol est jonché d'innombrables cadavres, les corneilles tracent leurs cercles sur les décombres fumants et ces deux hommes sont les derniers survivants de ce putain d'empire des Nibelungen. Ils marchent l'un vers l'autre, pistolet à la main, et il envoie d'abord une balle dans les couilles de ce porc de SS, la seconde est pour sa bouche, grande ouverte dans un hurlement de douleur muet. Happy end. Rideau.

Tôt le matin, il quitta sa planque pour se rendre au bureau de poste intact le plus proche. De nouveaux nuages de fumées pesaient sur la ville et s'étendaient sur les champs de ruines. Partout, pour la millième fois, des travaux de déblaiement, des camions de pompiers, des prisonniers de guerre, des soldats et des êtres désemparés. L'image familière, habituelle, de la guerre au quotidien.

Pendus aux restes d'un balcon, les corps sans vie de deux hommes, un écriteau en carton sur la poitrine. On les avait arrêtés pour pillage. À l'aide d'une échelle, quelques femmes essayaient d'atteindre les morts pour couper les cordes. Ce n'étaient pas les seuls suppliciés qu'il avait vus en ce matin froid. Une femme était pendue à l'auvent d'un magasin d'alimentation devant ce qu'il restait d'une devanture. Des denrées comestibles gisaient sous elle, éparpillées dans ses déjections. Cinq minutes plus tard, il tombait sur une poignée de gens qui entouraient sans un mot quatre soldats fusillés. Les corps déjetés étaient étendus devant une palissade en planches sur laquelle était fixé un couvercle de carton à chaussures où l'on avait écrit : « Lâches déserteurs ». Il ne s'était même pas arrêté et n'avait jeté qu'un bref coup d'œil aux dépouilles.

Au bureau de poste transféré dans les caves, il y avait une foule indescriptible. Il dut attendre plus d'une heure avant d'accéder à une cabine. Il demanda la liaison avec l'Office central pour la Sécurité du Reich et voulut parler d'urgence à Herr Ludwig Bideaux.

— Sa fonction, son grade ? demanda une voix féminine neutre dans l'écouteur qui crachotait.

— Je ne sais pas, je sais seulement qu'il travaille à l'Office.

— Je ne demande qu'à vous croire, mais dans quel service, quelle section, quel bureau ?

— Aucune idée.

— Bon, je vous passe le service du personnel.

Il entendit divers grésillements, puis une nouvelle voix de femme se manifesta.

— Service 1, bureau central I A du personnel, j'écoute.

— Heil Hitler, je cherche un certain Bideaux qui doit travailler chez vous, mais je ne sais ni dans quelle section, ni dans quel bureau. Pourriez-vous me dire où je peux le joindre ? C'est une question de vie ou de mort...

— Un moment, je vous prie...

Grésillements, crachotements, sonnerie lointaine, puis :

— Allô ? Vous m'entendez ? le SS-Hauptsturm-führer Bideaux travaille à la section IV, bureau IV A 4, ne quittez pas... Silence absolu dans l'écouteur.

— Office central pour la Sécurité du Reich, section IV, bureau IV A 4, Steinmann, bonjour.

Cette fois, il y avait un homme à l'autre bout de la ligne.

— Heil Hitler, il faut que je parle d'urgence au SS-Hauptsturmführer Bideaux, passez-le moi immédiatement.

Il s'était efforcé de prendre ce ton de commandement qui ne supportait aucune réplique, mais l'homme ne se laissa pas impressionner.

— Grade, nom, objet de l'appel ?

Il hésita un instant.

— SS-Hauptsturmführer... Breis... (Il s'éclaircit la gorge :) Pardon, Hauptsturmführer Breitenbach, service 1, I A, il s'agit d'un problème concernant son dossier personnel.

— Un moment, s'il vous plaît... Non, désolé le Hauptsturmführer n'est pas dans son bureau.

— Où puis-je le joindre ? Quand sera-t-il là ?

— Désolé, je ne peux absolument rien vous dire par téléphone. *Streng verboten*. Heil Hitler.

Nouveau cul-de-sac. De rage, il claqua l'écouteur sur la fourche. Mais il avait tout de même appris que Bideaux vivait encore et que cette crevure était toujours à Berlin.

Il s'éloigna de la cabine téléphonique et joua des coudes jusqu'à l'escalier qui menait à la sortie. Quelque chose lui dit de se méfier des trois hommes en civil qui descendaient vers les guichets emboutillés tout en épiant attentivement ce qui se passait autour d'eux. Il se glissa de nouveau dans la file d'attente des cabines, mais trébucha et faillit tomber, provoquant une certaine agitation. Quand il se retourna, il vit qu'un des hommes le regardait fixement. Menton levé pour mieux voir par-dessus les têtes, il se frayait un passage dans sa direction.

— Ne bougez pas ! Oui, vous, là !

Le doute n'était plus permis. C'est lui qui était visé.

— Restez où vous êtes, immédiatement ! Halte ! Gestapo !

Il fendit brutalement la foule qui ne comprit pas tout de suite ce qui se passait. Il entendit des jurons derrière lui. Il enjamba un comptoir, écarta un employé, zigzagua entre des tables, des chaises, évita des piles de colis, fonça vers une porte ouverte tandis que son poursuivant escaladait bruyamment le guichet. Il claqua la porte derrière lui, traversa un entrepôt et se précipita dans un petit corridor qui aboutissait à une porte en métal. Tout en l'ouvrant, il jeta un rapide coup d'œil par-dessus son épaule et vit le gestapiste pénétrer dans l'entrepôt en jurant puis filer vers l'étroit couloir.

La porte menait dans la cour dévastée de la poste dont les murs d'enceinte s'étaient écroulés. Il traversa les lieux en courant, gravit un monceau de ruines escarpé, bascula et glissa de l'autre côté dans un nuage de poussière. Il se releva, se rendit compte qu'il avait atterri dans une rue adjacente, découvrit de l'autre côté une entrée d'immeuble, traversa et, le souffle court, s'accroupit à couvert dans l'ombre du porche.

Quelques secondes plus tard, le gestapiste surgissait. Il s'arrêta, fit un tour d'horizon à sa recherche, puis s'en retourna, dépité, et disparut derrière les décombres.

Il demeura une éternité recroquevillé derrière son porche. Il finit par se lever avec précaution. Il n'avait pas couru si vite depuis ses vingt ans. Debout dans l'entrée, couvert de poussière et de sueur, il s'appuya contre le mur. Peu à peu, sa respiration reprit un rythme normal. Son regard tomba sur la plaque avec les noms des locataires. Il fit un pas en avant et passa le doigt sur les boutons de sonnettes. Leur disposition face aux vignettes des noms lui rappela vaguement quelque chose… Il avait déjà lu des noms sur une plaque semblable, tout aussi moderne. Dans la Höhmannstrasse. La dame qui venait juste de rentrer de chez sa coiffeuse, qui lui avait parlé à travers le guichet de sa porte et qui sentait la liqueur : « *C'est un jeune officier bien sympathique qui a repris l'appartement…* »

69

Un important groupe d'hommes de la milice du Volkssturm, quelques-uns armés de pics et de bêches, s'enfourna dans le métro en frôlant Kalterer qui ne voulait pas perdre sa place à la porte. Sales, transpirants, ils arrivaient directement de travaux de déblaiement, ou venaient d'ériger des barricades. La plupart des Berlinois devaient se prêter à ce jeu après leur journée de travail. On avait assigné une tâche à tout le monde : les femmes construisaient des barrages à la circulation, les retraités creusaient des tranchées ou des trous individuels, les enfants s'exerçaient au lance-grenades antichar. Apparemment, lui seul avait été oublié. Jusqu'à présent.

— Avancez dans l'allée et dégagez les issues, ordonna le contrôleur.

Kalterer se pressa contre la paroi. Langenstras l'avait enfin convoqué au rapport. Il avait revêtu son uniforme. Le Gruppenführer n'accepterait plus de manœuvres dilatoires. Il lui fallait donc étaler son jeu, mettre les résultats de ses investigations sur la table.

Les hommes du Volkssturm avaient du mal à entrer dans le wagon avec leurs outils et l'examinaient sans oser le repousser dans l'allée. Il remarqua leurs regards, devina qu'ils parlaient de lui, saisit un bout de phrase :

« … bah, c'est tout de même sympa qu'il y en ait encore quelques-uns qui se soient pas fait la malle… »

Kalterer ignora la raillerie, il ne voulait pas d'histoires. Ces derniers temps, le changement de ton dans Berlin devenait de plus en plus patent. Malgré les mesures extrêmement sévères du gouvernement, les habitants étaient plus effrontés, plus frondeurs. Les peines, la douleur qui pesaient sur eux leur faisaient oublier toute prudence, ils en avaient assez. La mauvaise humeur contre le contingentement des rations au moment où l'économie de marché noir s'effondrait, les raids aériens incessants, la colère contre les slogans qui exigeaient de tenir jusqu'au bout se répandaient de plus en plus. Les coupures d'électricité se prolongeaient durant des heures, et le courant revenait le plus souvent avant une alerte, quand on ne pouvait plus s'en servir. Il fallait péniblement monter dans les appartements des seaux d'eau et des brocs traînés depuis les fontaines qui fonctionnaient encore. La pression du gaz dans les tuyaux, quand ils étaient encore intacts, suffisait à peine pour la cuisine, encore fallait-il éviter les heures de pointe et faire à manger tard dans la nuit. Ceux dont l'immeuble avait été bombardé devaient cuisiner sur des fourneaux publics installés dans les rues au milieu des gravats, et tous les jours de longues files d'attente se formaient devant des soupes populaires rapidement organisées.

Les suicides étaient à l'ordre du jour. Qu'il s'agisse de bonzes du parti, de faisans dorés qui se tiraient une balle dans la tête, ou de simples gens qui cherchaient la mort en se jetant dans le Landwehrkanal, craignant la fin de la guerre et les représailles ou désespérés devant cet indescriptible naufrage – beaucoup paraissaient impatients de mourir. Mais la majorité voulait vivre la fin de la guerre, quelle qu'en soit l'issue. On entendait de plus en plus souvent des bons mots sarcastiques, comme par exemple : « Avant qu'on me prenne, je préfère encore croire à la victoire finale. » Des affiches qui exhortaient à ne pas céder étaient recouvertes de grands « Non » pendant la nuit.

Quelques voyageurs médisaient dans son dos :

— Les Russes vont se marrer quand ils vont voir nos barricades. T'as vu celles de la Lützower Platz ? Elles seraient même pas foutues d'arrêter une carriole de bouseux.

— Oui mais, d'un autre côté, s'ils croulent de rire, renchérit son voisin, ils auront vite perdu la guerre. Là v'là, l'arme miracle qu'on nous promet depuis si longtemps !

Kalterer descendit Kochstrasse. Il eut l'impression que les bâtisseurs de barricades se moquaient de lui à présent. Ils ne voulaient plus rien avoir à faire avec leur Führer, le rendaient responsable de tout. Mais personne ne les croirait. Ils se trompaient lourdement : les Russes ne feraient pas la différence.

Depuis sa dernière visite à Langenstras, les lieux avaient bien changé. Il était devenu impossible de danser à l'Europacafé. Il leva les yeux vers la façade de la bâtisse de la Saarlandstrasse : seules subsistaient à tous les étages des rangées de fenêtres vides cernées de traces noircies. La Prinz-Albrecht-Strasse ne s'en était pas sortie sans mal : le musée des Arts et Traditions populaires, le musée des Arts appliqués ainsi que le numéro 8, le siège de la Gestapo, avaient été touchés.

La sentinelle le conduisit à l'étage où une secrétaire prit le relais pour l'accompagner au bureau de Langenstras dont la porte était ouverte. Il entra et salua.

— Ah ! Kalterer, cher collègue, approchez-vous donc.

Assis derrière son bureau, il lui désigna une chaise.

— Laissez-moi seul avec le Sturmbannführer, intima-t-il à deux secrétaires qui nettoyaient la poussière de crépi du dernier bombardement.

Il regarda autour de lui. Le portrait du Führer le jour de la fête des moissons était appuyé contre le mur, cadre brisé, les étagères étaient en partie arrachées de leurs fixations, les livres négligemment entassés sur le sol. Le coin avec les fauteuils et la table avait l'air sale, fatigué, miteux. Le soleil printanier entrait par les carreaux cassés et donnait une couleur laiteuse à l'air poussiéreux. Devant les fenêtres, les éclats de verre jonchaient le plancher.

— Les vitriers vont venir cet après-midi.

Langenstras avait suivi son regard. Il prit place et entendit des morceaux de verre crisser sous les pieds de sa chaise.

— Eh oui, Sturmbannführer, j'aurai des vitriers. C'est très important, les privilèges.

Malgré le froid sensible qui régnait dans la pièce, le Gruppenführer était assis en bras de chemise, une bouteille de schnaps à moitié vide à la main. Sa vareuse chiffonnée gisait sur son bureau.

— Même Kaltenbrunner[1] devra faire preuve de patience. Les vitriers viennent d'abord chez moi. C'est

---

1. Ernst Kaltenbrunner. Successeur de Heydrich à la tête de l'Office central pour la sécurité du Reich.

déjà la deuxième fois cette semaine. On se tutoie presque, avec ces types. Je les ai fait classer « Indispensables pour l'arrière-front ».

Il planta son regard dans celui de Kalterer.

— Tout fout le camp ! La fidélité, la discipline, l'esprit de corps – mais je suis encore à mon poste.

Il s'interrompit brusquement, balaya l'air du revers de la main.

— Mais laissons cela !

Il se versa du schnaps dans un verre.

Langenstras devait s'être déjà bien imbibé. Il avait le visage rouge et le regard vitreux embué par l'alcool. Mais ce n'était pas une raison pour ne pas rester sur ses gardes, loin de là !

— Ce beau petit monde, mon cher Kalterer, ce beau petit monde va changer.

Langenstras reposa la bouteille et désigna le bureau d'un geste de la main.

— Pour nous tous. Mais si étroit qu'il soit devenu pour nous, il faut que nous le protégions jusqu'au dernier moment, ce refuge de l'ordre et du devoir. Le Führer nous demande le dernier sacrifice, et nous le ferons. Il faut que nous regagnions tous notre poste pour défendre la civilisation allemande contre la barbarie sauvage du bolchevisme qui monte à l'assaut.

Ils ne l'avaient donc absolument pas oublié. Il se vit déjà couché derrière une de ces branlantes barricades antichars. À son commandement, vingt membres des Jeunesses hitlériennes boutonneux rangeraient dans leur sac d'écolier les tartines que leurs mères avaient emballées le matin même, puis se lèveraient pour charger en criant : « hourra ! » – et ils crèveraient comme des mouches, fauchés par les rafales des mitrailleuses russes.

— Gruppenführer, je connais l'assassin du camarade de parti Karasek. Laissez-moi mener l'enquête jusqu'au bout. Je suis tombé sur un abîme de trahisons, au sein même de nos propres rangs.

— Oh ! oh ! un abîme de trahisons !

Langenstras se carra en arrière dans son fauteuil, un imperceptible sourire aux lèvres.

— Mais c'est très intéressant, ça. Et qu'avez-vous donc découvert ?

— C'est une affaire délicate, et c'est pourquoi je peux vous assurer que je ne porte aucune accusation sans preuves solides. Cela concerne le Hauptsturmführer Bideaux. De graves soupçons pèsent sur lui en tant que principal complice du meurtre d'Egon Karasek et de celui de la secrétaire Inge Gerling. Il est même vraisemblable qu'il ait commis ces crimes de ses propres mains. Vraisemblable aussi qu'il soit responsable du meurtre d'un certain Eberhard Frei, tué en juillet dernier.

— De sérieux soupçons, dites-vous, mais ensuite vous ne dites plus que « vraisemblable ».

Langenstras avala le verre de schnaps et le reposa sur le bureau.

— Et les mobiles, Kalterer, les mobiles ? Il me faut vos preuves.

Le regard amusé avec lequel Langenstras l'observait l'irrita. Il posa l'in-octavo noir devant lui.

— Voici les notes de Karasek. Elles documentent les transactions illégales des dix dernières années. Elles révèlent aussi de quels genres d'affaires il s'agit. Tout a commencé avec l'expropriation des biens juifs.

Les suspects savaient que l'État déciderait de les confisquer. Ils ont convaincu des Juifs, en échange d'une somme ridicule ou d'un titre de voyage pour l'étranger, de leur donner leurs biens meubles et immeubles, leur argenterie, leurs bijoux, etc. Ce sont des centaines de milliers de marks qui ont changé de mains, les sommes exactes sont inscrites dans le calepin. Rien que l'argent soustrait aux impôts représente un immense préjudice pour la communauté patriotique du peuple. Toujours selon le carnet de Karasek, il est clair que Eberhard Frei et Ludwig Bideaux étaient tous les deux dans le coup. Les sommes qu'ils ont touchées, le montant de leurs parts, tout y est soigneusement consigné. Plus tard, ils ont aussi détourné des marchandises provenant de l'étranger et destinées au commerce d'alimentation allemand, pour les revendre au marché noir dans des épiceries montées en réseau. De nombreux magasins de détail répartis dans tout Berlin sont notés avec la liste où ils consignaient le montant des commissions touchées. Et tout ce beau monde a fait une excellente opération.

— Et d'où tenez-vous cette preuve matérielle déterminante ? questionna Langenstras en saisissant le calepin noir.

— Le carnet était dissimulé dans les dossiers de Karasek. C'est à cause de lui que Frau Gerling est morte assassinée. Le meurtrier voulait absolument s'en emparer, mais il ne l'a pas trouvé.

Langenstras ouvrit l'in-octavo et lut à haute voix :

— 20 avril. Dix mille bouteilles de cognac de B. Prix d'achat : quatre-vingt-quinze mille reichsmarks. Reçu parafé par Frei et Bideaux.

Il tourna les pages, fit la grimace en déchiffrant l'écriture de Karasek.

— 4 janvier 1941. Reçu marchandises de cantine. Prix de vente estimé : cent soixante-quinze mille reichs-marks. Quatre-vingt mille à B. Acquitté par Bideaux.

Kalterer précisa :

— Ce genre d'affaires s'est poursuivi jusqu'au printemps 1944, à intervalles très espacés ensuite, et jusqu'à la mort de Karasek. L'approvisionnement a certainement été plus difficile à cause du déroulement de la guerre, le réseau des épiciers distributeurs aura sans doute aussi été endommagé par les bombardements. Mais jusqu'au jour d'aujourd'hui, il s'agit d'escroqueries de grande envergure. L'État allemand, et en dernière analyse le soldat allemand qui se bat vaillamment au front, ont été honteusement floués par ces vilains messieurs.

— Vous êtes un homme très habile, Kalterer, un grand flic.

Langenstras hochait la tête, mais le ton ironique de son compliment était bien perceptible.

— Ces trois-là ont détourné une grande partie des marchandises destinées aux cantines militaires. Pendant que la troupe engagée au front n'avait pas de lames de rasoir ou recevait moins de schnaps que prévu, de saucisses ou de cigarettes, ils se sont remplis les poches à l'étape et ont revendu l'essentiel au marché noir. Apparemment personne ne s'est rendu compte des pertes, la marchandise détournée a sans doute été entrée en comptabilité sous les chapitres « Casse » ou « Perdus lors d'un bombardement ». Ce ne sont pas les combines qui manquent...

Langenstras continuait à feuilleter le calepin, paraissant à peine suivre son exposé.

— Bideaux a peut-être assassiné Karasek pour effacer des traces, ou pour écarter un complice. Je ne sais pas ce qui s'est passé entre eux. Mais les ressemblances entre les *modus operandi* sont évidentes et on peut affirmer, preuves en main, que c'est aussi Bideaux qui a assassiné Frei. Les notes de Karasek font état des rapports qu'ils entretenaient tous les trois. Deux sont morts, assassinés, il en reste un, Ludwig Bideaux. Tout le désigne comme le meurtrier.

— C'est tout ? Et c'est pour trouver ça que vous avez mis tout ce temps ?

Le Gruppenführer jeta le carnet sur le bureau, à côté de sa vareuse.

Kalterer tressaillit en entendant le claquement sec de sa chute. Il s'attendait à une réaction de ce genre. Il était parfaitement normal que Langenstras ne soit pas particulièrement heureux qu'il lui dévoile qu'un de ses plus proches collaborateurs était un assassin.

— Pendant un certain temps, les indices m'ont fait penser à un autre coupable. Ça m'a coûté beaucoup de temps. Mais le meurtre de Frau Gerling, le calepin noir, tout ça m'a entraîné dans une tout autre direction...

— C'est bien, ça va, l'interrompit Langenstras.

Son irritation semblait tout à coup comme envolée. Il lui grimaçait même un sourire.

— Inutile de vous justifier, Kalterer. Vous étiez bien l'homme de la situation. Je ne m'attendais pas non plus à des résultats rapides. Je veux dire... c'est tout ce que vous avez contre Bideaux ?

— Du point de vue juridique, les indices sont suffisants pour établir un mandat d'arrêt, Gruppenführer.

— Mais vous tirez toutes ces conclusions de ce seul calepin. Quelques pages de chiffres et de lettres ne font pas des preuves. Vous n'avez que des présomptions. On ne risque pas de pincer quelqu'un avec ça !

Langenstras se pencha en avant, s'accouda au bureau.

— Quel est, par exemple, le rôle exact de ce Frei dans toute cette affaire ?

— Il me semble…

Langenstras lui coupa aussitôt la parole.

— Il vous semble. Comment Bideaux et Frei ont-ils eu accès à l'alcool ou aux marchandises destinées aux cantines ?

— Je pense…

— Vous pensez. Et quel serait le mobile des meurtres de Bideaux ?

— Probablement…

— Probablement.

Langenstras se cala de nouveau en arrière dans son fauteuil et le regarda. Il n'y avait plus trace d'ivresse dans son regard d'un bleu évanoui.

— Vous ne savez rien, Kalterer, absolument rien. Pour ce qui concerne le Hauptsturmführer Bideaux, il vous manque quelques éléments. J'attendais mieux de vous sur ce point.

Kalterer déglutit. Il ne fallait pas qu'il se laisse renverser les termes de son argumentation. Sa chaîne de preuves était solide, les indices suffisants, ne serait-ce que pour convoquer Bideaux et l'interroger.

— Le facteur temps, Gruppenführer. Les circonstances actuelles ne militent pas en faveur d'un travail rapide, un travail de routine. Procurez-moi un mandat d'arrêt contre Bideaux, et je résoudrai toute cette affaire. Je le ferai craquer, je lui ferai cracher le morceau.

Un lourd silence se fit, puis Langenstras lui adressa une grimace en coin.

— Vous êtes un imbécile, Kalterer.

— Je ne comprends pas.

Langenstras prit le carnet noir et l'ouvrit à une des premières pages.

— Ça fait si longtemps… !

Il leva les yeux.

— Là, mon cher, écoutez bien ce qui est écrit là, prévint-il en tapotant le carnet de l'index. Entrée 1938 : quarante mille reichsmarks, part Bideaux de l'argent des détenus. Alors, que croyez-vous qu'il se cache derrière ces mots ?

— Détournement de…

D'un geste, Langenstras lui intima l'ordre de se taire.

— Vous avez déjà entendu parler de la « salade viking » ?

Il hésita, sentait le regard de Langenstras peser sur lui. Ça n'avait pas l'air d'une blague, le Gruppenführer semblait parler sérieusement.

— Alors ?

— Non, ça ne me dit rien.

Langenstras empoigna la bouteille et remplit son verre à ras bord sans toutefois boire une seule goutte.

— Alors vous avez raté quelque chose. Je vais vous raconter ce qui s'est vraiment passé en 1938. À cette époque, Bideaux travaillait dans l'administration d'un camp de concentration. Ces malheureux détenus ne touchaient qu'une maigre ration, et aucun ne pouvait manger à sa faim. Alors Bideaux a eu l'idée de faire la quête parmi cux pour acheter de la nourriture en supplément. Ils ont donc tous demandé à leurs parents de leur envoyer de l'argent qu'ils ont confié à Bideaux. Vu le nombre des détenus, ça faisait un bon paquet, l'un dans l'autre plus de 100 000 reichsmarks par mois. Bideaux a effectivement acheté de la nourriture, des cigarettes et de l'alcool, mais n'en a retourné qu'une petite partie aux détenus. Un jour, en faisant ses achats, il a fait ami-ami avec un certain Egon Karasek, dont il a utilisé les excellentes relations. Karasek a vendu sous le manteau à Berlin les marchandises détournées par Bideaux, et Bideaux écoulait le reste personnellement, contre du bon argent, dans les mess des camps. Et c'est ainsi que nous en arrivons à sa « salade viking ». Il a vendu ça pour deux reichsmarks six pfennigs la livre, alors que ça ne valait pas plus du dixième.

Il rit sous cape, empoigna le verre de schnaps sans en renverser une goutte et le vida d'un trait.

— Finalement Bideaux a fait la connaissance de Frei, et ces deux-là se sont entendus comme larrons en foire. Et c'est là que les choses en grand ont vraiment commencé. Frei était encore à l'Office central pour l'Économie et l'Administration, responsable du bon fonctionnement de tous les camps. Ils se sont procuré, en partie dans les pays occupés, des wagons de marchandises entiers chargés de produits achetés au marché noir. Ces marchandises étaient financées avec l'argent des détenus, avec celui qu'ils gagnaient eux-mêmes en leur ristournant moins de nourriture que payée, sans oublier les pots-de-vin des bordels des

472

camps. Les ventes au détail ou en demi-gros se sont toutes faites à travers le réseau de distribution de Karasek. Et avec la guerre ces affaires très lucratives ont prospéré de plus belle. Karasek occupait alors un poste à la Gestion de l'approvisionnement du Grand-Berlin. De grandes quantités d'argent aboutissaient entre leurs mains, des sommes dont vous ne pouvez même pas avoir idée. Frei avait les contacts, l'accès aux informations, il surveillait la bonne marche des affaires. Il couvrait tout si nécessaire, s'assurait que les comptes étaient apurés. Bideaux servait pour ainsi dire d'antenne extérieure, il intervenait sur les arrières du front dans les pays occupés, toujours bien assidu et épiant la bonne affaire. Karasek était chargé des entrepôts et de leur capacité de stockage, de la distribution des marchandises et de leur vente au marché noir ou à des camarades du parti aisés. C'est comme ça que ça marchait.

Langenstras prit une profonde respiration. Puis il fit de nouveau sa grimace…

— Et c'est moi qui ai découvert le pot aux roses. Tout seul. Il y a des années déjà. Ça vous en bouche un coin, hein ?

Kalterer ne dit rien. Il tenait convulsivement à deux mains son petit dossier de l'affaire Karasek, posé sur ses genoux.

— Les premières rumeurs ont commencé à circuler à l'Office central pour la Sécurité en 1941. Il se disait que quelques administrations de camps vénales s'étaient enrichies par la corruption, et n'avaient pas payé d'impôts, pour des millions de reichsmarks qui provenaient des transactions organisées par l'Administration des cantines. Finalement Himmler n'a pas pu faire autrement que de désigner une commission d'enquête. J'en ai été nommé président. Les choses se sont plus ou moins perdues dans les sables, mais il faut dire aussi que si l'on avait trop touillé là-dedans, ça aurait pu devenir dangereux pour les échelons supérieurs.

Langenstras lui lança un regard amusé, puis il parut se rappeler ses devoirs d'hôte. Il sortit un second verre à schnaps d'un tiroir de son bureau et lui désigna la bouteille. Kalterer secoua la tête.

Langenstras haussa les épaules.

— Bon, ben, si c'est non, c'est non.

Il jeta un œil sur la bouteille presque vide.

— Au cours de cette enquête, je me suis servi de ma tête. J'ai su compter jusqu'à dix, j'ai compris les relations entre Bideaux et Frei, et je les ai confrontés tous avec les faits. Et il n'a pas été bien difficile ensuite de les convaincre que mon silence valait une part appropriée.

Kalterer n'y tint plus. Il déposa son dossier sur le bureau, attrapa la bouteille de schnaps, se servit et se mit à siroter prudemment le contenu du verre. Langenstras n'était pas un de ces imbéciles d'alcooliques qui avouaient la vérité quand ils avaient bu, pour regretter ensuite leurs confidences et se rétracter. Le Gruppenführer voulait quelque chose, savait quelque chose.

Langenstras leva son verre.

— Oui, buvez donc, buvez aussi longtemps qu'il y a encore quelque chose de correct à boire. À chacun de se débrouiller comme il le peut. La guerre est déjà perdue depuis des années, n'importe quel imbécile le sait. Ce qui signifiait, au minimum, déjà à cette époque, qu'il ne fallait pas perdre son temps et plutôt penser à l'avenir.

Il se leva avec effort, inclina le buste en avant et avala son verre d'un brusque coup de tête en arrière, puis se laissa retomber dans son fauteuil.

— C'est alors que ce crétin de Frei a perdu les pédales. Le gros de l'argent était sur un compte tout ce qu'il y a de normal. Frei avait organisé ça ; ça passait par l'Office central pour l'Économie et l'Administration, une affaire verrouillée à cent pour cent. Arrive l'invasion, et c'est là que Frei a disjoncté, il voulait donner tout cet argent au Führer, pour la victoire finale… On a d'abord cru qu'il voulait nous doubler.

Langenstras parla plus fort, serra les poings.

— Mais il avait vraiment perdu les pédales, c'en était trop pour lui. Il voulait remettre personnellement l'argent à Adolf. Il a donc fallu qu'on agisse. Qui le pleurerait ? Il n'avait pas d'amis, que des envieux. J'ai passé deux, trois coups de téléphone, écrit quelques lettres au procureur afin de donner à l'affaire une orientation anodine pour nous, et tout s'est calmé. Un meurtre sans meurtrier, quoi. Rien d'extraordinaire, en temps de guerre. Dossier aux archives, sous la pile du fond. Heureusement, Bideaux lui avait chatouillé un peu les côtes pour qu'il lui signe une procuration, sinon on n'aurait même pas pu toucher notre argent. Et notre Führer l'aurait sans doute dilapidé pour une de ses armes miracles.

Langenstras dut se tenir de la main gauche au plateau de son bureau ; de la droite, il secoua la poignée du tiroir central coincé qui s'ouvrit brusquement. Il en sortit une bouteille de whisky pleine et la posa sur le bureau sans trembler.

— Frei était donc éliminé, et c'est là que Karasek a commencé à faire dans son froc. Il est venu nous dire que depuis des années il notait tout, enregistrait toutes les affaires, l'une après l'autre, que toutes ces paperasses étaient en lieu sûr et lui serviraient d'assurance-vie le cas échéant. Il nous a aussi fait comprendre qu'une grande partie de l'argent lui revenait, et que si nous n'étions pas du même avis, il serait peut-être obligé de parler de tout ça à quelques-uns de ses amis haut placés. Il voulait nous faire chanter, ce rat merdeux...

Il s'interrompit, se versa une bonne rasade de whisky et le huma.

— C'est quelque chose d'exceptionnel, Kalterer, vous devriez goûter. Je l'ai mis de côté pour cette occasion.

Il l'observait par-dessus le bord de son verre, l'air interrogateur, et Kalterer acquiesça d'un battement de paupières.

Tout en lui versant un whisky, Langenstras reprit la parole.

— Avec Karasek, Bideaux est allé un peu trop vite. Accident du travail. Il nous a quitté trop rapidement, avant d'avoir eu le temps de nous avouer où il avait caché ses fameuses notes. À cette époque, personne ne savait encore qu'il avait vraiment le bras aussi long qu'il le prétendait. Tous les lèche-culs de la garde rapprochée de Himmler se sont émus de sa mort, et comme elle est survenue peu après l'attentat contre le Führer, ils ont pensé qu'il y avait là-dessous des mobiles politiques. Et l'écho a fini par résonner aux oreilles du Reichsführer-SS. Heureusement, j'étais placé au bon endroit. On m'a demandé de nommer une commission d'enquête spéciale, avec à sa tête un de nos hommes, en aucun cas un membre de la police criminelle, tous des traîtres, des gaillards peu sûrs, des amis de Nebe. Et c'est là que vous intervenez...

Langenstras but une gorgée de whisky et se passa la langue sur les lèvres en jouisseur.

— Quelque chose de très fin, vraiment !

Il se pencha en avant :

— Mais maintenant, Kalterer, c'est fini, cette affaire n'intéresse plus personne. Même pas nos supérieurs. Ils ont bien d'autres soucis...

Ils savaient tout, c'est eux qui avaient tout organisé. Ils l'avaient délibérément laissé patauger, s'étaient même bien amusés sur son compte en le voyant lancé sur des fausses pistes, à perdre son temps à des détails accessoires. Et lui, une fois de plus, avait fait ce qu'on attendait de lui. Et Langenstras l'avait convoqué pour un déballage détaillé qui, en temps normal, lui aurait valu la corde. Outre les escroqueries et les abus de pouvoir, le Gruppenführer était coupable d'incitation au meurtre et de complicité. Il pourrait en parler à ses supérieurs, demander une enquête sur ses agissements. Mais ce serait parole contre parole, et son seul élément de preuve était... ce foutu in-octavo !

— Je sais à quoi vous pensez, Sturmbannführer.

Langenstras lui agita le calepin sous le nez.

— Preuve importante. Mais je dois malheureusement vous dire que je vous retire cette affaire sur-le-champ, avec effet immédiat. Vous êtes muté à Seelow, on y a besoin des meilleurs. Croyez-moi, je ne fais pas ça par méchanceté, mais j'ai ordre d'envoyer au front tous les hommes inutiles de mon service. Et vous voilà devenu un homme en trop.

Il balança le carnet au fond d'un tiroir, dont il tira une feuille de papier pliée en quatre qu'il fit glisser vers Kalterer.

— Tous les dossiers, les preuves, matérielles ou non, restent naturellement propriété de l'Office central, selon les règlements administratifs en vigueur, bien entendu.

Langenstras voulait lui offrir la mort des héros, le Reich voulait se débarrasser de lui avant la fermeture définitive. Et s'il s'avisait de faire le mariole, il ne sortirait certainement pas vivant de la Prinz-Albrecht-Strasse.

— Cessez de gamberger, Kalterer. Avec vos histoires de marché noir et de meurtres, vous ne risquez plus d'intéresser un procureur. Comme je les connais, il y a longtemps qu'ils ont brûlé leur robe, et dans quelques mois, tout cela sera de l'histoire ancienne. La seule chose intéressante sera de savoir ce qu'il y a dans votre dossier personnel, si l'on ne pourrait éventuellement pas vous accuser d'avoir fait déporter un youtre quelconque ou pendre une de ces hommasses russes. Seuls importeront les ordres que nous avons donnés et signés. Et croyez-moi, Kalterer, dans ce domaine, on ne pourra me reprocher que quelques broutilles, un brin de corruption peut-être, mais après la guerre plus personne ne s'émouvra de ce genre de plaisanteries. Mais je n'en dirai pas autant pour vous. Rejoignez donc le front, combattez avec bravoure et surtout faites attention à ne pas tomber aux mains des Russes. Vous les intéresseriez sûrement…

Kalterer prit son ordre de mission et se leva. Tout

478

en vidant son verre de whisky, il nota que Langenstras suivait ses moindres gestes.

— Je vous en ai peut-être un peu trop dit. Mais on ne se refait pas, et j'ai pensé qu'un bon flic comme vous serait sans doute ravi d'apprendre les moindres détails de son affaire. Je comprends que le temps vous ait rattrapé.

Langenstras lui adressa un clin d'œil.

— Entre anciens flics, il faut bien qu'on s'entraide.

Kalterer fit volte-face et se dirigea vers la porte.

— Heil Hitler ! lui cria Langenstras. Que Dieu vous garde !

Il descendit les marches, passa devant les sentinelles et sortit à l'air libre. De l'autre côté de la rue, les forsythias en fleur annonçaient le printemps. Il déplia son ordre de mission. « *Prise de fonction 9 h 45, service de la direction des commandos XI, SS-Panzer-division, garnison de Seelow.* »

Que le diable t'emporte, Langenstras !

70

Les deux costumes, divers vêtements, l'uniforme, les papiers, des provisions pour plusieurs jours, trois grenades à manche, un pistolet-mitrailleur, des chargeurs pour son parabellum, deux magasins de trente-deux coups. On trouvait encore assez de PM, mais ils étaient capricieux et partaient quelquefois tout seuls, ne supportant ni la saleté ni le froid. Vérité de biffin. Mal préparée cette guerre, pas étonnant qu'elle finisse mal.

Il cala le tout dans la valise.

Concentration des troupes, regagner un trou d'homme et ne passer à l'attaque qu'ensuite. Il ne se laisserait pas coller au mur par une patrouille de Jeunesses hitlériennes, ni par ses propres camarades, ni par des Feldgendarmes. L'organisation était son point fort. Les préparatifs étaient terminés, le temps de la décision était venu, il entrait dans la phase d'exécution de son plan. L'offensive pouvait être lancée.

Il n'avait pas cessé de tout repasser dans sa tête. Tout ne se déroulerait certes pas comme prévu, mais la probabilité était grande. Il pouvait se fier à sa connaissance des hommes. Et pour le cas où ça ne marcherait pas, il avait réfléchi à des alternatives. Il y avait beaucoup de possibilités pour se tirer de la merde. Après le plan A, le plan B. *Soyez flexibles dans vos plans, c'est le meilleur moyen pour devenir un bon flic.*

Il était très tendu. Comme toujours avant que ça commence. Réfléchir, faire des plans, tout cela avait une fin. Il pouvait s'en aller à présent, tout quitter. Des temps nouveaux commençaient, il pouvait les affronter avec assurance, avec plus ou moins d'inquiétude. De toute façon, on ne peut pas changer le monde. Il est comme il est. Et les hommes ne changent pas non plus du jour au lendemain. L'essentiel est de savoir s'adapter et de survivre. Malgré tout ce que Merit et les autres pouvaient raconter.

« *Les portes de l'avenir sont ouvertes à celui qui sait répondre oui.* » Même les simples vers de Baldur Schirach, le führer de la jeunesse du Reich, lui apparurent tout à coup sous un tout autre éclairage.

Il brûla les papiers dont il n'avait plus besoin dans le poêle qu'il n'utilisait plus depuis des semaines et jeta en dernier son ordre de mission dans les flammes. La feuille prit feu instantanément, se recroquevilla sur elle-même, se transforma en quelque chose de noir, léger comme un souffle, qui retomba en quelques secondes en petits fragments.

Il boucla sa valise, se retourna une dernière fois. Il prendrait le métro, en civil. Il y avait peu de risques d'être arrêté. Et Langenstras avait oublié de lui redemander son sauf-conduit. Il ne pouvait rien lui arriver.

Pour ouvrir la porte d'entrée il s'était procuré un passe-partout chez un serrurier à qui il avait exhibé une carte d'identité qu'il avait remplie lui-même. Celle de l'appartement ne lui poserait aucun problème, son expérience acquise jadis à la police de sûreté lui suffirait amplement. Il attendrait la nuit dans un de ces cafés de banlieue, puis il mettrait son plan à exécution.

Il vérifia une fois encore le parabellum, l'enfouit dans sa poche de manteau et empoigna la valise. Puis il ferma la porte à clé derrière lui.

71

Aux nombreux chants des sirènes, préalerte, alerte, fin d'alerte, s'était mêlée une nouvelle mélodie : alerte à l'ennemi. Les Russes étaient aux portes de la ville. Berlin était à portée de canons des Soviets.

Haas avait endossé le rucksack et était de nouveau en route. Le léger vent de nord-ouest lui apportait le grondement lointain de tirs d'artillerie. Ça sentait la suie et le soufre, des flocons de cendres se posaient sur les bourgeons en train d'éclore.

Cela faisait déjà six ou sept fois qu'il empruntait ce chemin. Il s'était rendu à plusieurs reprises devant la villa de la Höhmannstrasse. Il sonnait, puis flânait dans les parages, faisant au mieux pour ne pas se faire remarquer dans ce quartier huppé. Il se livrait à ce manège plusieurs fois par jour, mais toujours en vain. Personne ne lui ouvrait. Mais il n'était pas question de renoncer. Le temps pressait, la guerre pouvait être terminée dans peu de jours, il fallait qu'il mette la main sur Bideaux avant que la loi et l'ordre ne reviennent en Allemagne.

L'activité des rues était habituelle. Des gens érigeaient des barricades à presque tous les carrefours importants. Des femmes et des enfants, des soldats qui n'avaient été que légèrement blessés et des travailleurs forcés en tenue de condamné défonçaient les chaussées avec des pics, poussaient des brouettes pleines de gravats, faisaient la chaîne avec des pavés dont ils remplissaient des wagons de tramways placés en travers des rues.

Des automobiles se frayaient leur chemin dans la foule en klaxonnant, des véhicules militaires blindés passaient en remorquant des canons. Le flot disparate des soldats de toutes armes, des compagnies de Waffen-SS aux appelés du Volkssturm, s'écoulait sans cesse vers les banlieues est, passant entre les coquilles vides des immeubles.

Il pressait le pas. Quelle folie ! La guerre était perdue depuis longtemps et on continuait à faire semblant. Et voilà qu'il fallait aussi défendre Berlin jusqu'au dernier homme et à la dernière cartouche ! Et le Führer, lui, était assis loin sous terre, dans son bunker, comme un cloporte sous sa pierre, et envoyait encore des milliers d'hommes à la mort tout en fêtant son anniversaire. Il n'y avait plus qu'à espérer qu'il entende la sérénade que les Russes lui jouaient avec leurs orgues de Staline.

Il croisait des groupes d'êtres courbés aux visages hâves et émaciés, qui élevaient de ridicules obstacles et des barrages antichars. Il ne craignait plus les contrôles. Ils étaient tous bien trop occupés à construire ces défenses avant que les Russes ne bouclent entièrement Berlin, ou bien ils tentaient de quitter la ville, à pied et en longues colonnes, en charrettes ou en voitures privées.

Dans une rue relativement calme, il perçut des pas rapides sur des terrains recouverts de décombres, entendit des voix et pendant quelques secondes il vit plusieurs personnes courbées en deux courir parmi les ruines. Il se retourna, mais ne vit qu'une femme qui traînait deux enfants à sa suite. Il poursuivit sa route sur le sentier piétiné. Soudain, sur sa droite, cinq hommes en uniforme déboulèrent des ruines, casque en tête, plaques pectorales en demi-lune au bout de leurs chaînes, pistolet-mitrailleur au poing. Des Feldgendarmes !

Quatre d'entre eux le dépassèrent en courant sans même lui jeter un regard et se dispersèrent sur les décombres où les fugitifs venaient de disparaître. Mais le Truppführer s'arrêta à sa hauteur et lui saisit le bras.

— Papiers ! hurla le militaire en l'entraînant sur le champ de ruines.

Ses genoux se dérobèrent sous lui. Pendant qu'il fouillait dans la poche de son manteau, il vit que les autres Feldgendarmes pénétraient dans un immeuble dont il ne restait que les murs. Il lui tendit son permis de travail et le certificat qui précisait qu'il était indispensable sur l'arrière-front, quand, soudain, quelques obus explosèrent comme des coups de tonnerre dans un ciel serein. Ils se baissèrent en rentrant machinalement la tête dans les épaules. D'épais nuages de fumée s'élevèrent quelques rues plus loin.

Le Truppführer le regarda :

— Mais c'est impossible ! Des tirs d'artillerie dans ce quartier ? Les popovs seraient déjà au sud de la ville ? Nom de Dieu !

Des cris et des voix confuses montèrent des ruines. Puis un Feldgendarme apparut dans l'encadrement roussi d'une porte, poussant devant lui un vieil homme chauve. PM en main, les trois autres surgirent d'un trou de cave et alignèrent contre la façade calcinée quatre adolescents aux uniformes recouverts de poussière et bien trop grands pour eux.

Le soldat se présenta au Truppführer avec le vieillard :

— Mission accomplie. Nous les avons, ces lâches !

Il était tombé sur un commando chargé de fusiller les déserteurs qu'on traquait dans les rues et débusquait des ruines. Ceux qu'ils avaient collés contre la façade étaient des gamins avec des brassards du Volkssturm. Il observa le visage gris et affaissé du vieil homme. Ses yeux étaient rougis et ses lèvres tremblaient convulsivement. Leurs regards se croisèrent un instant et il sentit qu'il n'avait plus en lui que du désespoir. Mais il ne pouvait pas l'aider, tous les muscles de son corps étaient contractés par la frousse. Il recala son sac à dos d'un coup d'épaule et fixa l'endroit où les obus avaient explosé.

— Emmenez-le !

Le Feldgendarme aligna le vieux contre le mur avec les autres tandis que le Truppführer se penchait sur ses papiers.

— Heinz-Eberhard Grundel ?

Il approuva sans un mot.

— ... et vous travaillez sur les voies à la Reichsbahn ?

Il acquiesça de nouveau, se concentra sur les questions.

— Et je suppose que vous vous rendez à votre poste ?

Un coup de feu retentit. Un corps tressaillit brièvement, s'effondra et ne bougea plus.

— Oui.

— Et où, exactement ?

Sa réponse était prête.

— À la gare de marchandises de Halensee.

Le Truppführer le toisa, lui rendit ses papiers.

— Mais, dites-moi, il y a encore des trains ?

— Si vous me retenez encore longtemps, il risque bientôt de plus y en avoir !

La réponse lui avait échappé, ce n'était pas prévu au programme, mais ça marcha. Il vit que le Feldgendarme le prenait pour une source d'informations intéressante.

— Et qu'est-ce qu'on transporte encore, dans vos wagons ?

Des quantités de viande morte, espèce de sale con. Qu'est-ce que t'aimerais entendre ?

— Des armes, des munitions, des vivres et des médicaments.

Une idée lui traversa l'esprit, il se courba en avant et lui murmura à l'oreille :

— J'ai aussi entendu dire que des pièces de la dernière arme miracle partent pour le front.

Le Feldgendarme écarquilla les yeux et recula d'un pas. Il le croyait vraiment.

— Merveilleux ! Je le savais bien qu'on pouvait toujours faire confiance au Führer.

Il tendit l'index vers l'ouest.

— Sauvez-vous et faites votre devoir. Heil Hitler !

Le Feldgendarme fit volte-face, se dirigea vers ses camarades qui écrivaient à la peinture rouge sur un morceau de carton. Ils avaient redressé la dépouille d'un des gamins et l'avaient adossée au mur, tête pendante sur la poitrine. Sur l'écriteau qu'ils déposèrent sur ses genoux, on pouvait lire : « Je suis un déserteur. »

Il se hâta de partir.

72

On entendait clairement le choc des impacts. Pas d'alerte aérienne, pas de vrombissement d'innombrables avions. Ils n'avaient pas annoncé de raid. C'étaient donc certainement des tirs d'artillerie.

Il alluma le poste de radio, arpenta la cuisine en écoutant les informations.

« Le commandement suprême de la Wehrmacht communique : Dans la grande bataille qui se déroule entre les Sudètes et le port de Stettin, nos troupes se défendent avec acharnement et fermeté contre l'assaut massif des bolcheviques... »

Kalterer était déjà là depuis deux jours. Mangeant ses rations, fumant, pillant les réserves d'alcool de premier choix ; il attendait, s'ennuyait. Et pendant ce temps-là, les nouvelles du front étaient de plus en plus menaçantes pour lui. Le 16 avril, les Russes avaient lancé leur offensive et progressaient continuellement tous les jours. Depuis un certain temps, il entendait le grondement des canons de la bataille qui se déroulait à l'est de Berlin. Dans cette direction, la nuit était trouée d'éclairs éblouissants. Il ne fallait pas les laisser trop approcher, il ne pourrait plus attendre très long-temps.

« *L'ennemi a poussé l'avant-garde de ses chars dans la trouée au sud de Spremberg jusqu'à hauteur de Kamenz. Les courageuses troupes qui occupent Bautzen et Spremberg ont repoussé tous les assauts. Entre Spremberg et Cottbus, les bolcheviques ont envoyé de nombreux chars en renfort. Quelques avant-gardes ont percé jusque dans la région de Jüterbog et au sud de Wünsdorf, où des combats sont actuellement en cours...* »

Il écrasa son mégot. Communiqué de merde ! Il aurait dû penser à emmener une carte d'état-major. Il n'y a pas de stratégie sans failles, même si jusqu'à présent tout avait marché comme sur des roulettes pour lui. Il n'était pas capable de localiser exactement tous ces patelins, mais entre Cottbus et Jüterbog, il y avait au moins soixante kilomètres. Ça sentait le roussi, ça ressemblait plutôt à une percée imminente.

« *Près de Francfort-sur-l'Oder, nos troupes ont repoussé tous les assauts. À l'ouest de Berlin, des combats acharnés se déroulent sur la ligne Fürsten-walde-Strausberg-Bernau. Les attaques ont été repoussées et l'ennemi a subi de lourdes pertes.* »

À l'est et au nord-est, ils avaient donc atteint les limites de Berlin, malgré la bravoure des soldats qui défendaient héroïquement Francfort-sur-l'Oder ; au sud l'avant-garde des blindés russes pénétrait dans la région de Jüterbog-Wünsdorf. Et Wünsdorf était près de Zossen. Le quartier général de la Wehrmacht était en danger. L'encerclement de Berlin par le sud n'était plus qu'une question d'heures. Au moment de leur diffusion, les communiqués officiels de la radio étaient certainement en retard sur la réalité du terrain. Il n'y avait plus d'espoir. Et s'ils parlaient déjà de Bernau, la même chose pouvait arriver rapidement au nord.

Les chars russes avaient un énorme rayon d'action. Que son plan soit ou non très bien ficelé, il ne pourrait plus rester bien longtemps dans l'appartement. Berlin serait bientôt en plein milieu des combats. Et il ne fallait surtout pas qu'il se laisse enfermer dans la ville lors de l'assaut final. Une nuit encore, une journée tout au plus, et il faudrait qu'il parte.

73

Vers le soir, le soleil avait enfin réussi à percer les nuages et il fit tout de suite plus chaud. Pour le chemin restant, il prit un tramway. L'ouest de la ville n'avait pas, et de loin, autant souffert que le centre. Le tramway se dandinait sur des rails intacts et, derrière les grands arbres des jardins qui défilaient sous ses yeux, miroitaient les façades de luxueuses villas. Ce n'était pas un hasard si cet endroit était l'un des quartiers résidentiels les plus huppés de Berlin, habité par des gens aisés, des banquiers, des professeurs d'université et des cadres du parti.

Il descendit Hagenplatz, tourna à droite après quelques mètres et suivit la Nikischstrasse jusqu'à l'orée de Grunewald. Il sentait la crosse froide du Lignose dans sa poche de manteau et en vérifia le cran de sûreté avec le pouce.

La Höhmannstrasse s'étendait devant lui, vide, bordée de gros arbres dont les feuilles d'un vert tendre et les fleurs blanches étincelaient à la lumière du soleil. Des oiseaux chantaient, cherchaient des vers dans les jardins d'agrément ou volaient entre les villas de maître construites dans les années 1870.

À chaque fois qu'il contemplait ces lieux idylliques, il ne pouvait s'empêcher de penser que pour les habitants de ce quartier, le monde des cartes d'alimentation et des raids nocturnes incessants n'existait pas. Pas de cadavres calcinés dans les rues, pas de pillards pendus à des lampadaires. Un calme profond régnait dans cette rue.

Il gravit les quelques marches vers la porte d'entrée protégée par une marquise vitrée en fer forgé. Il appuya plusieurs fois sur la sonnette. Aucune réaction.

Il tenta encore une fois sa chance, attendit, appuya encore, attendit. Le son du tire-suisse crachota et se mêla aux chants des oiseaux. Haas se jeta sur la porte et l'ouvrit à la volée d'un coup d'épaule. Il avait la bouche empâtée quand il pénétra dans la sombre cage d'escalier. Il respira profondément et commença lentement à monter les quelques marches de l'entresol. Et c'est alors qu'il le vit.

L'homme svelte de taille moyenne se tenait sur le seuil de la porte palière et l'observait attentivement. Un mince sourire lui froissa le visage, formant des pattes-d'oie aux coins de ses yeux gris. Il n'aurait pas cru que Bideaux ressemblait à l'individu qu'il avait devant lui. Dans son esprit, cette crevure sournoise était plus jeune, plus blonde, plus pommadée, un bellâtre en uniforme quoi. Ce type portait un costume de ville sombre et donnait une impression de sérieux, ressemblait à un homme d'expérience.

Il monta quelques marches et lui fit face. Il serrait la crosse du pistolet dans sa main, au fond de la poche de son manteau.

— Vous êtes Ludwig Bideaux ?

Il avait dit cela sans la moindre politesse, d'une voix qui lui parut atone et cassée.

L'homme ne répondit pas, mais recula d'un pas et lui fit signe d'entrer. Il se retrouva dans un vestibule spacieux, sur lequel donnaient plusieurs pièces aux portes fermées. Il était éclairé par un lustre en cristal qui pendait du haut plafond. À gauche, à côté du porte-manteaux, il y avait deux commodes de style sur lesquelles étaient alignés plusieurs grands vases de prix. Il foulait un tapis persan aux motifs dans les tons rouges. Son regard s'arrêta sur un valet où était accroché dans ses plis un uniforme noir de la SS. Il avait trouvé celui qu'il cherchait.

La porte palière se referma derrière lui avec un bruit sec. En se retournant, il tira le Lignose de sa poche et le dirigea vers l'homme qui s'apprêtait à marcher sur lui. Celui-ci sursauta et marmonna quelque chose d'incompréhensible, leva la main droite, puis la laissa retomber le long du corps. Haas avait suivi ces gestes et pointé l'arme sur sa poitrine. Le canon ne tremblait pas, la main était calme. Les yeux gris de l'homme se rétrécirent, il pinça les lèvres. D'un mouvement presque imperceptible, il fléchit les genoux, serra les poings.

Il fallait qu'il le surveille de près.

— Vous êtes Ludwig Bideaux ? répéta-t-il.

L'homme ne dit rien, mais changea de jambe d'appui, déplaçant tout son poids sur la gauche.

Haas leva un peu le bras et visa la tête de son vis-à-vis.

— Au moindre geste, je tire. Pour la dernière fois : êtes-vous Ludwig Bideaux ?

L'homme ne répondait toujours pas. Tout cela durait trop longtemps. Il savait déjà tout, il était donc inutile de discuter avec ce type. Entrer et le descendre immédiatement, il ne méritait pas autre chose. Toute question était inutile. Il dirigea le pistolet sur la cuisse de l'homme, renifla :

— Oui ou non ? et il appuya sur la détente.

Un bruit métallique.

L'homme avait tressailli, s'était jeté de tout son poids sur la droite, bien trop lentement pour éviter une balle, mais le coup n'était pas parti.

Le cran de sûreté ? Un coup d'œil. Il était relevé, l'arme était prête à tirer. Il appuya une nouvelle fois.

Clic !

Encore une fois. Clic !

Clic ! Clic ! Clic !

Le rat ! Il avait tiré une balle sur le rat ! Son unique balle, la seule du chargeur ! Il aurait dû demander à Serge de lui procurer un second chargeur. Il avait acheté un pistolet vide. Il avait fait une erreur. Ou alors le Français s'était moqué de lui. L'arme inutile tremblait dans sa main. Ses yeux se voilèrent un instant, il maîtrisa son désarroi et regarda fixement l'homme.

Celui-ci ne bougeait pas. Debout dans l'entrée comme une statue, il ne disait toujours rien. Seule sa bouche se fendit en une grimace imperceptible. Haas attendait le bourdonnement dans ses oreilles, la vague rouge. Comme pour les autres. Mais son corps ne réagissait pas, la rage mortelle ne venait pas. Ses pensées s'accéléraient. Cet homme qui ne lui répondait pas était de surcroît plus fort que lui physiquement. Rien n'allait plus. Il avait fait tout cela en vain. Il laissa retomber son bras, recula en titubant. Il était de nouveau à Buchenwald, dans cette pièce au plancher de bois, abandonné et nu. Il tendit soudain le bras en arrière, et de toutes ses forces balança le pistolet vers l'homme, tout en ouvrant la bouche pour hurler :

— *Qui est la maudite putain qui t'a chié au monde ? !*

Kalterer évita l'arme ; d'un geste vif, il glissa la main dans son dos, et Haas fit face au trou noir du canon d'une arme dont il sut à l'instant qu'elle était chargée. Il était déjà loin quand il devina la réponse.

— L'Allemagne, Merit, la Grande Allemagne !

Il ne saisit que ces quelques mots. Il n'entendit même plus l'aboiement sec du coup de feu. Il ne sentit rien. Quelle réponse de merde ! Et qui pouvait bien être Merit ? Il rapetissait de plus en plus, vit un vase qui tombait à côté de lui et se brisa sur le sol en mille morceaux. Il eut sous le nez le motif du tapis persan, sentit l'odeur fade de poussière de laine. Sa joue gauche était chaude et humide, il vit une tache rouge sombre se répandre rapidement sur les dessins du persan, colorier des lignes, faire des méandres. La Frick apparut, la bouche en sang, avec un rire muet. *Tu mourras aussi idiot que tu as vécu.* Il entendit un bruit lui tarauder l'oreille, quelqu'un éclatait de rire comme Fritzschen quand il courait dans les allées du zoo en le portant sur les épaules.

Je m'appelle Ruprecht Haas, de Buchenwald, et je recherche un homme, un jeune officier sympathique.

Il sentit qu'on le touchait, sentit le tapis moelleux dans son dos, devina vaguement un visage aux contours imprécis, sentit les mains qui le fouillaient, agrippaient ses vêtements.

Bideaux ? Vous êtes Ludwig Bideaux ?

74

Elle l'agrippait à la veste.

Personne n'oubliera jamais ça, Hans, et surtout pas toi.

Il tirait, tirait, mais ne parvenait pas à se libérer.

Oui, mais que veux-tu que je fasse ? Lâche-moi, il faut que je descende au bunker ! Les sirènes, tu n'entends pas ?

Tu ne peux passer ta vie à te cacher.

Elle avait une poigne de fer. Comment pouvait-elle être aussi forte ?

Et où es-tu ? s'écria-t-il, lâche-moi, une fois pour toutes, lâche-moi. Il tirait, tirait.

Plus rien ne peut t'aider. Elle le lâcha, il bascula en arrière et tomba à la renverse.

Il releva lentement la tête. Il lui fallut un moment pour s'orienter. Il était encore dans l'appartement, attendait toujours et s'était endormi, assis à la table de la cuisine. Merit était morte. Il ne restait d'elle qu'une simple croix de bois. Deux jours après le bombardement, ils l'avaient prévenu. Il avait prié le pasteur de s'occuper de tout. Il lui avait donné de l'argent, cet argent qu'elle ne pouvait plus refuser. Les cauchemars étaient venus quelques jours plus tard. Elle le hantait, lui faisait la morale, comme si l'on pouvait changer quelque chose à sa vie. Il fallait qu'il la laisse derrière lui, l'abandonne comme le reste.

Le deuxième coup de sonnette le sortit complètement de son engourdissement. Et si ce n'était pas une fois encore le laitier, ou un soldat épuisé qui demandait un verre d'eau... Il vérifia de nouveau son parabellum et le coinça dans sa ceinture, dans son dos, sous sa veste. Huit balles jusqu'à la liberté. L'étau se resserrait autour de Berlin. Des unités vaincues entraient en masse dans la ville par le sud. On en reformait de nouvelles, qu'on renvoyait au feu. Les Russes étaient à Zossen, Treuenbrietzen et Königswursterhausen. On se battait à Lichtenberg, Niederschönhausen et Frohnau. Frohnau... Le piège se serait bientôt refermé. Il fallait qu'il parte. Peut-être que ce coup de sonnette serait le bon, il pourrait enfin solder cette affaire.

Il ouvrit, vit l'homme qui montait les marches et sut aussitôt qui il avait en face de lui. Il ne répondit pas aux questions, mais fit entrer l'individu couvert de poussière. Ce type avait absolument besoin d'un nouveau costume et il allait lui en tailler un. Cette idée l'amusa, l'amusa un peu trop longtemps. Quand l'homme se retourna, il avait un pistolet à la main, un Lignose, une arme de sinistre réputation dans le milieu berlinois.

Il y avait toujours quelque chose qui allait de travers, comme dans tous les plans. Un assassin brutal lui faisait face tout à coup, qui le braquait avec un pistolet. Il ne s'était pas attendu à ça, ça ne correspondait pas au profil du cocu trahi. Jusque-là, ce Haas avait battu ses victimes à mort. Il faut croire que la guerre changeait aussi les assassins. Il allait tirer à présent, il pouvait tirer à tout moment s'il n'obtenait pas de réponse à sa question idiote. Il valait mieux qu'il lui explique tout, cette histoire aurait l'air d'un simple malentendu. Sinon, il allait manger les pissenlits par la racine à la place d'un autre. Mais ce type qui avait perdu les pédales ne le croirait pas, il y avait trop de haine dans son regard.

L'homme se redressa et il comprit qu'il avait pris sa décision. Le doigt se crispa sur la détente, et lui demeurait là, impuissant. C'était peut-être l'expiation que Merit exigeait de lui, pas le temps de se repentir, aucune possibilité de s'expliquer. *Merit donne-moi cette chance, Merit, je t'en prie, je t'en prie !*

Le percuteur claqua dans le vide. Il avait fait un bond de côté. Il entendit de nouveau le bruit métallique : Clic ! Clic !

L'homme jura, lança l'arme dans sa direction, mais le manqua. Il se releva, grimaça un sourire. Ce type n'avait vraiment pas de chance. Tant de connerie sous un même crâne, c'était à ne pas croire. Et puis cette dernière question : « *Qui est la maudite putain qui t'a chié au monde ? !* » Il pouvait le lui dire, exactement...

Déjà, il tenait son arme en main et tira, tira dans cette tronche d'imbécile, dans le vieux manteau, dans la poitrine. L'homme fut projeté en arrière, s'accrocha au porte-manteaux dont il entraîna une partie avec lui dans sa chute. Un vase de prix tomba de la commode et se brisa en mille morceaux sur le tapis persan. Il gémit doucement, soupira et ne bougea plus.

Il s'approcha lentement, l'arme au poing. *L'Allemagne, Merit, la Grande Allemagne.*

Il balança un coup de pied dans les côtes du mort qui remua un peu, mais pas une paupière ne cligna, pas un bras ne bougea. Haas était bien mort. Un cas évident de légitime défense. Le monde était bon pour lui. On ne pouvait rien y changer.

Il fallait qu'il se dépêche, les Russes pouvaient à tout instant siffler la fin de la partie. On entendit des tirs rapprochés semblables à des crépitements d'armes d'infanterie légère. Il tourna le cadavre sur le côté, lui arracha le sac à dos, retira le manteau, se battit avec le pull-over et lui enleva enfin le pantalon. Puis il décrocha son uniforme noir du valet.

L'homme n'était pas trop lourd. Il l'appuya dos au mur, lui passa sa plaque d'immatriculation autour du cou, lui enfila une de ses chemises, la boutonna soigneusement et l'ajusta correctement, comme le faisait jadis sa mère. *Si tu veux être soldat, Hans, il faut que tu saches t'habiller proprement et correctement.* Puis il lui enfila sa vareuse. Il eut d'abord du mal avec les bras, mais ils finirent par passer dans les manches. Il transpirait. Pour finir, il se battit avec les jambes flasques de son pantalon noir.

Il boucla le ceinturon. *Notre honneur s'appelle fidélité !* Exactement, Sturmbannführer. Il salua, prit ses papiers, les feuilleta une dernière fois et les enfouit dans la poche de la vareuse du mort. Et maintenant, fais ton devoir, camarade ! Pour moi, tu es le dernier cadavre important de cette guerre, ma conserve personnelle.

Le premier s'était appelé Franz Honiok. On l'avait surnommé « conserve », parce qu'ils l'avaient entreposé quelque part avant de le déposer à l'émetteur. Et les conserves étaient faites pour durer, elles conservaient les histoires qu'on voulait raconter. Sa conserve se retrouverait vraisemblablement dans une fosse commune, mais son histoire serait consignée dans le registre des décès, sans conteste, noir sur blanc, Hans-Wilhelm Kalterer, Sturmbannführer, Waffen-SS, Gestapo, Office central pour la Sécurité du Reich, tête explosée, mais identifié grâce à son numéro matricule, tombé au combat autour de Berlin, tombé pour le Führer, le peuple et la patrie. Solide, cette légende, solide pour la suite de son existence.

Il visa le cadavre avec le parabellum et tira encore quelques trous dans la vareuse. Il fallait que ça ait l'air vrai.

Il tendit l'oreille, mais les autres locataires ne se manifestèrent pas, alors qu'ils avaient certainement entendu les coups de feu. Ils devaient tous penser aux Russes et s'étaient cachés, calfeutrés. Peut-être que l'un ou l'autre montrerait le bout de son nez après l'explosion de la grenade. Mais il lui suffirait d'exhiber le sauf-conduit de la Gestapo.

Il rassemblait ses affaires dans la cuisine quand il entendit la clé tourner dans la serrure de la porte d'entrée.

75

Il prit un chargeur plein sur la table, l'engagea dans son logement, se plaqua contre la porte presque fermée de la cuisine et risqua un œil dans l'entrée. La clenche bougea à plusieurs reprises et la porte s'ouvrit enfin à la volée. Dos courbé, un homme pénétra à reculons dans le vestibule avec tout son barda. Il portait un casque et traînait derrière lui un lourd sac de marin qu'il appuya contre le mur, puis il posa son casque dessus et se retourna. Il leva les yeux vers le lustre et sembla soudain remarquer que la lumière était allumée. Il laissa prudemment glisser son sac à dos sur le sol, fit quelques pas hésitants et s'arrêta brusquement quand il découvrit le cadavre dans l'angle formé par la commode et le mur. Il empoigna le pistolet-mitrailleur qui lui pendait sur la poitrine. Il passa devant la porte de la cuisine et s'approcha de la dépouille de Haas.

— Eh bien, Hauptsturmführer, l'assassin revient toujours sur le lieu de son crime, n'est-ce pas ?

Kalterer avait fait un pas en avant dans le vestibule, le pistolet directement pointé sur le ventre de Bideaux.

Celui-ci sursauta et le regarda comme s'il avait un fantôme en face de lui. Mais il se reprit aussitôt. Sa

bouche entrouverte se déforma pour son rictus familier. Il regarda Kalterer, puis le mort étendu à ses pieds.

— Lieu du crime ? C'est moi qui habite ici, pas
vous. Et qu'est-ce que ce mort fait là ? C'est vous qui
avez combiné ça ? Une sorte de fête surprise ?

Kalterer s'efforça lui aussi de sourire.

— Une surprise, certainement. Je n'avais pas pensé
que je vous reverrais un jour. Je pensais que vous
poursuiviez le combat en Italie.

— Tout comme vous sur les hauteurs de Seelow,
au verrou de la ville ?

— Toujours au courant de tout, hein, Hauptsturmführer ?

— Ce n'est pas un exploit, je quitte Langenstras à
l'instant. Je vous croyais en plein milieu des combats.
Je commençais même à me faire du souci pour vous.
Mais, que vous vous soyez caché ici...

Il sourit.

— Vous avez quand même fini par trouver un
appartement digne de votre grade. Pas mal... Vous
avez les nerfs solides, Kalterer, mes félicitations.

Les murs se mirent à vibrer sous des tirs d'artillerie
lourde, et les obus qui éclatèrent non loin firent hocher
le lustre de l'entrée et vaciller la lumière. Bideaux
avança d'un pas.

— Stop !

Kalterer dirigea l'arme en direction de la tête de
Bideaux, qui ouvrit les bras en signe d'apaisement.

— Baissez donc enfin cette pétoire ridicule, ou
auriez-vous l'intention de me tuer ? Ça ne se fait pas
entre camarades.

— Vous le mériteriez pourtant.

— Ne soyez donc pas si mesquin, Kalterer, on a vraiment bien d'autres soucis. Ce que vous faites dans mon appartement ne m'intéresse absolument pas. Alors, faites comme chez vous. Je suis simplement venu pour mettre de l'ordre dans mes affaires, le plus vite possible. Je veux sortir de Berlin avant que les Russes ne bouclent toutes les issues. D'ailleurs, je vous conseille d'en faire autant.

Il se passa la main dans la nuque, jeta un bref regard à Kalterer, fit glisser la courroie de son pistolet-mitrailleur par-dessus la tête et déposa l'arme sur la commode.

Kalterer baissa son pistolet, mais sans quitter Bideaux des yeux.

— Eh bien, voilà qui est bien ! Venez, il faut se dépêcher.

Bideaux passa devant lui, dénoua la cordelette du sac de marin dont il renversa le contenu sur le sol. Des vêtements, une paire de chaussures d'hiver, quantité de conserves de viande et de poisson, des saucissons secs, plusieurs cartouches de cigarettes et des tablettes de chocolat se répandirent sur le tapis.

Tout en déboutonnant sa vareuse, il se tourna vers Kalterer qui l'observait depuis la porte de la cuisine.

— Dites-moi, ce type, là, c'est vous qui l'avez tué ?

Il ne répondit pas.

— Moi, ça m'est égal, remarquez.

Bideaux se débarrassa de sa vareuse et commença à déboutonner sa braguette.

— Mais, est-ce que ce n'est pas cet imbécile… comment s'appelait-il déjà… Haas, oui, ce Haas ?

— Exact. C'est Ruprecht Haas.

Bideaux passa d'une jambe sur l'autre pour retirer

ses bottes. Puis le pantalon tomba à terre, et vêtu d'un seul caleçon long, il se mit à fouiller dans les vêtements. Il leva soudain les yeux.

— Mais vous vous connaissiez ?

— Disons que c'est une vague relation. Mais cela n'a plus aucune importance.

— Si vous le dites. Mais comment se fait-il qu'il porte un uniforme SS ?

Bideaux contemplait le cadavre.

— Il a eu de l'avancement.

— Et comment a-t-il atterri dans mon quartier ? Je le croyais déporté à Buchenwald.

— Il s'est évadé l'été dernier et a tué ses anciens voisins. Il avait aussi l'intention de s'occuper de vous.

— De moi ? Et pourquoi ça ?

Bideaux enfila une paire de pantalons fatigués.

— Il voulait se venger de vous.

— Se venger ? De moi ?

Son visage disparut dans le col d'un pull-over à col roulé.

— Mais pourquoi moi ? dit la voix assourdie par la laine, puis sa tête réapparut. Tout de même pas parce que j'ai sauté une fois sa femme ?

— À cause de ça aussi, apparemment.

— Et il aurait eu d'autres raisons ?

Il boutonna sa braguette et se pencha vers les chaussures d'hiver.

— Parce que vous l'avez dénoncé.

— Quelle idée !

Bideaux enfila les lacets dans les œillets, les serra, fit des doubles nœuds et se releva.

— C'est lui qui vous a raconté ça ? questionna-t-il avec un mouvement de la tête vers le cadavre.

— Il n'en a pas eu le temps. Mais c'est l'évidence même. Vous et Karasek l'avez donné pour avoir son magasin.

Bideaux s'esclaffa et se plaça devant la glace de la garde-robe.

— Oui, c'est probablement ce qu'on aurait fait. Mais sa vieille a été plus rapide.

— Quoi ? Qu'est-ce que vous voulez dire ?

Bideaux entra dans son bureau. Il sortit une grosse liasse de papiers d'un secrétaire et la transporta dans la salle de bains.

— Langenstras vous a raconté notre petite histoire, pas vrai ?

Kalterer avait suivi Bideaux jusqu'à la porte. Il acquiesça.

— Bon, alors vous êtes au courant. Avec Karasek, on était dos au mur, un grand nombre de nos points de vente avaient été bombardés, on n'arrivait plus à se débarrasser assez vite des marchandises et tout ça pourrissait gentiment dans des entrepôts. Mais ce froussard de Haas ne voulait pas jouer le jeu. J'ai rencontré plusieurs fois sa bonne femme dans la cage d'escalier. Et je me la suis faite. Ce qui n'a pas été bien difficile, elle m'est littéralement tombée dans les bras, la mignonne, elle devait être en manque. Bah, rien d'étonnant, avec un mari aussi têtu…

Bideaux posa la pile de papiers sur le couvercle des toilettes, en détacha quelques feuilles qu'il alluma, puis balança dans la baignoire. Il nourrit le feu en y jetant sans cesse des feuilles jusqu'à ce que les flammes atteignent le bord. La fumée piqua les yeux de Kalterer.

— Et puis ?

— Je lui ai fait miroiter les avantages financiers de

notre petite affaire pour qu'elle convainque son mari et le pousse à vendre notre marchandise. Mais, même elle, elle s'est cassé les dents sur du granit. Et c'est alors qu'à la Saint-Sylvestre il a ouvert sa grande gueule. Le moment était venu. Mais comme je vous l'ai dit, sa bonne femme a été plus rapide que nous.

Bideaux continuait à alimenter le feu, feuille après feuille, tout en prenant garde que les flammes ne montent trop haut.

— Pourquoi a-t-elle fait ça ?

Bideaux jeta les dernières pages dans la baignoire noire de suie, attendit qu'elles soient entièrement brûlées et ouvrit le robinet d'eau qui lâcha quelques gouttes, puis tarit. Il grimpa dans la baignoire et piétina les restes des papiers calcinés.

— Mon Dieu, Kalterer, elle voulait se débarrasser de son vieux, tout simplement. Elle était folle de moi. Je lui en offrais sans doute plus qu'elle n'en avait jamais goûté. Est-ce que je sais, moi, comment ça fonctionne, les femmes ? Dans tous les cas, elle a envoyé son Haas prendre sa retraite à Buchenwald et nous, on a eu le magasin.

— Mais Frau Haas avait dû s'imaginer une suite bien différente ?

Bideaux piétinait la suie et la réduisait en une fine couche grasse.

— Ce n'était pas mon problème. J'ai tout de suite arrêté les frais avec elle. Elle a encore fait quelques difficultés, mais Karasek l'a calmée. Stankowski a repris la boutique et a revendu notre marchandise, comme convenu. C'est tout ce qu'on voulait, dans cette affaire.

Bideaux essuya ses semelles sur le tapis de bain qu'il roula en boule et enfouit dans le panier à linge.

Il traversa le vestibule pour regagner son bureau. Sur ces entrefaites, le tonnerre des détonations d'obus avait augmenté. Des morceaux de la décoration en stuc tombèrent sur le parquet.

Kalterer demeura dans la porte.

— Vous savez que vous êtes le dernier des salauds ?

— C'est vous qui dites ça !?

Bideaux décrocha une huile qui représentait une femme nue assise et ouvrit la serrure à combinaison d'un coffre-fort mural. Il en sortit plusieurs liasses de billets de banque, des passeports et divers papiers d'identité qu'il fourra dans sa poche revolver. Il laissa le coffre ouvert et s'approcha de Kalterer, son sourire grimaçant aux lèvres :

— Vous vous rappelez ce que le Führer a dit ? Non ? Ben, je vais vous le dire : « J'ai délivré les hommes de leurs répugnantes illusions, ces illusions dégradantes, empoisonnées – qu'on appelle conscience morale. » Et vous, vous voulez que je vous dise ce que vous êtes ? Un de ces petits-bourgeois pharisiens et bornés, dépassé par les événements. Voilà ce que vous êtes !

— Mais je n'ai jamais tué de femme avec un couteau à trancher, moi…

— Vous allez me faire pleurer. Si je me rappelle bien votre dossier personnel, vous avez été de tous les coups tordus. Et je ne sache pas que vous ayez porté des gants de velours. Et moi non plus, avec les femmes. Mais est-ce que je vous en fais tout un fromage ? Certainement pas. Il y a certaines choses qu'il faut faire si on ne veut pas avoir d'ennuis par la suite. Nous sommes comme ça, nous autres êtres humains.

— Là, vous confondez plusieurs choses. Il y a une différence entre un meurtre de sang-froid et exécuter des ordres, obéir.

Il se recula pour laisser passer Bideaux qui se rendit à l'armoire de sa chambre à coucher.

— Au fait, comment va votre fiancée ?

— Dennewitz ? Vous êtes extraordinaire, mon vieux !

Bideaux enfila une grosse veste en laine qu'il avait décrochée d'un cintre.

— C'était une bonne adresse il y a encore peu. Obergauführerin à la Ligue des Jeunes Filles allemandes, belle-sœur par alliance du maréchal Keitel. Excellent. Mais ça ne vaut plus rien par les temps qui courent, et encore moins pour ceux qui nous attendent. Il faut prendre ses distances avec ça, comme on s'éloigne d'un poteau électrique en plein orage.

— Quel poésie, quel amant romantique !

— Ah ! allez vous faire foutre, Kalterer…

Bideaux prit quelques pantalons et quelques chemises. Dans le vestibule, il les bourra dans son sac de marin et y ajouta son ravitaillement, le chocolat et les cigarettes, dont il ouvrit auparavant une cartouche pour en extraire un paquet.

— Allez, Kalterer, tournons la page, oublions cette querelle inutile sur ce *Titanic* en train de sombrer. Fumons-en encore une entre camarades, avant de nous séparer et de partir chacun de son côté.

Bideaux le conduisit dans la salle à manger. Sur la table, des cendriers débordants de mégots et de cendre voisinaient avec des bouteilles de vin et de cognac que Kalterer avaient vidées au cours des jours et nuits précédents.

— Je vois que vous avez mené la grande vie dans mon appartement.

Bideaux grimaça son sourire, alla à la fenêtre et jeta un œil dans la rue à travers le rideau.

Les tirs d'artillerie n'arrêtaient pas de tonner. Kalterer se dit que les Russes avaient pris position dans le sud de Grunewald. Bideaux lui proposa une cigarette.

— Des américaines !?

— Les relations, Kalterer, les relations !

Bideaux sourit d'aise.

— Vous n'êtes pas allé en Italie, je me trompe ?

— Si, j'y suis allé aussi. Mais surtout en Suisse. Avec des autorisations spéciales signées Langenstras. Il fallait bien qu'un professionnel de la finance aille placer cet argent gagné à la sueur de notre front, avant qu'ici les choses tournent en eau de boudin. Les banques nous ont aidés, et pas qu'un peu. Il faut bien qu'il nous reste quelque chose de tout ça, même après la guerre. Et aux Suisses aussi, par voie de conséquence.

— Et Langenstras vous a fait confiance ? Vous auriez pu prendre le large avec l'argent.

Il s'assit dans un fauteuil et alluma sa cigarette.

— Notre honneur s'appelle fidélité. Faut-il vous le rappeler ?

Le regard de Bideaux erra vers l'entrée et resta accroché au cadavre.

— Non, non, avec ce bon Langenstras, ce genre de plaisanterie ne prend pas. Ça n'en vaut pas la peine, ni à court ni à long terme. Il y a assez d'argent pour nous deux et nous nous sommes assurés côté Suisse que rien ne pourra arriver, avec une garantie mutuelle. Tout s'est passé correctement, n'ayez aucune crainte.

Il secoua la cendre de sa cigarette sur le tapis.

— Dites-moi, ce Haas me turlupine. Vous dites qu'il voulait m'envoyer *ad patres* ? Mais vous l'avez laissé entrer ? Il vous connaissait ?

Kalterer secoua la tête.

— Alors, il vous a pris pour moi. Il a voulu me tuer, mais vous avez été plus rapide.

Bideaux grimaça.

— Quel étrange hasard. Alors, si on veut, vous m'avez sauvé la vie, camarade. Je vous dois quelque chose. Le mieux, c'est que je vous laisse quelques conserves ; de toute façon, ce sac est trop lourd pour moi.

— Vous êtes né trop bon dans un monde trop mauvais.

Le rire de Bideaux se perdit dans le vacarme qui montait de la rue. On entendit des bruits de chevaux ferrés, de bottes sur les pavés, des voix qui hurlaient, des grondements de moteurs de camions. Ils se précipitèrent à la fenêtre. Des soldats passaient en courant devant la villa, quelques-uns à pied, d'autres à cheval, certains avec leurs armes, d'autres désarmés.

— Ça ressemble fort à une débandade, si vous voulez mon avis.

Bideaux lâcha sa cigarette et l'écrasa sur le parquet d'un coup de talon.

— Pas foutus de tenir la position, ces sales lâches ! Le poste de commandement le plus proche doit être à Wilmersdorf. Les Russes ne vont pas tarder à arriver. Il est grand temps pour moi.

Bideaux fila dans l'entrée, boutonna sa veste dont

il releva le large col. Il prit son chapeau et l'enfonça bas sur le front. Puis il tira plusieurs conserves et un saucisson sec du sac de marin et les déposa sur la commode.

— J'espère que les Russes ne vous rateront pas, Bideaux.

— Vous n'êtes pas très reconnaissant, Kalterer, soit dit sans vous offenser. Merci, de même !

La porte claqua derrière lui.

Kalterer retourna dans la salle à manger et regarda par la fenêtre. Dans le soir qui descendait, Bideaux courait en direction de Grunewald et disparut bientôt dans l'escalier en pierre de la Königsallee.

Il fallait qu'il se dépêche, lui aussi. Il fouilla rapidement les affaires de Haas, déchira ses faux papiers, retourna le sac à dos, le vida et tomba sur une tenue de détenu. Des lambeaux déchirés pendaient d'une manche de la veste.

Dans la cuisine, il sortit les armes de la valise, les munitions et les grenades et les remplaça par les conserves de Bideaux et la tenue de déporté. Il brûla le reste des papiers sur le tas de cendres et de suie de la baignoire. Il endossa son manteau, fourra le parabellum dans la poche, empoigna la valise et la déposa au milieu des marches de l'entresol. Il revint dans l'appartement, saisit une grenade à manche et la dégoupilla. Il sortit sur le seuil et la balança en direction du cadavre.

La porte claqua derrière lui alors qu'il fonçait déjà dans l'escalier. Il saisit sa valise au passage et, au moment où il arrivait au rez-de-chaussée, une sourde déflagration secoua la villa. Dors en paix, Sturmbannführer Kalterer.

Il quitta la Höhmannstrasse par le même chemin que Bideaux. Les dernières lueurs du jour avaient disparu, et le ciel était illuminé par les tirs de l'artillerie lourde. Il avait l'intention de passer par Grunewald pour rejoindre l'Avus, espérant que la grande ceinture de Berlin ne serait pas encore entièrement bouclée. Les mouvements de réfugiés et de sinistrés les plus importants se faisaient à l'ouest et il entendait les rejoindre.

Il trouva la bonne route dans le bois et pressa le pas en faisant le moins de bruit possible. Il dut s'arrêter pour reprendre souffle. Au moment où il s'apprêtait à repartir, il entendit des bruits étouffés qui venaient dans sa direction. Il discerna des voix, des ordres brefs claquaient en russe. Il se précipita dans le bois, trébucha sur des branches mortes, zigzagua entre des troncs et des fourrés. Le sol montait un peu, un taillis lui barra la route, il entendit de nouveau des voix sur la droite. Il fallait qu'il prenne sur la gauche, qu'il louvoie vers le sud sans se laisser détourner de son but. Mais il se perdit rapidement. Désorienté, il se fraya un passage à travers les halliers, se protégeant le visage avec les bras.

— *Stoï !*

Une salve de pistolet-mitrailleur hacha les arbustes devant lui. Il se débarrassa de son arme et bifurqua. L'obscurité le protégeait. Soudain, le crépitement de pistolet-mitrailleur reprit, plus proche cette fois, plus intense, plus distinct, comme ces cris qu'il ne comprenait pas. Il entendit des branches craquer, des pas lourds se frayaient un chemin dans le sous-bois. Il se laissa tomber sur le sol, avança à quatre pattes, cherchant désespérément un endroit où se cacher. Soudain ses mains rencontrèrent une botte couverte de croûtes de boue et qui se retira aussitôt. Il sentit un coup douloureux dans le dos, et on l'agrippa fermement par le manteau.

Plusieurs silhouettes se précipitèrent sur lui, le plaquèrent au sol, lui crièrent dessus. On lui arracha la valise de la main et on l'ouvrit. On se partagea les vivres. Il entendit des bruits de mâchoires avides, sentit une odeur de saucisson. Dans le halo de lumière d'une lampe torche, il put discerner des vestes ouatées, des bonnets de fourrure avec des étoiles rouges, des visages sales, des pistolets-mitrailleurs. Soudain, un faisceau de lumière l'éblouit. Il ne bougeait pas, sentait des mains qui le palpaient, estimaient la valeur de son manteau. Du coin des yeux, il remarqua une silhouette qui s'approchait de lui. L'homme le prit par le col du manteau et le releva. Il reconnut les larges galons sur son épaule, sentit la sueur et l'haleine chargée de schnaps, vit un visage non rasé.

— Soldat ?

La voix lui manqua, pas un son ne sortit. Il secoua fermement la tête.

— SS ?

Sa tête oscilla vigoureusement. L'officier s'adressa à ses hommes qui se mirent à rire.

— Fasciste ?

— Non.

Il n'avait plus qu'un filet de voix, on l'entendit à peine. Il s'éclaircit la gorge, et parla plus fort :

— Non, *niet* fasciste !

On cessa de le fouiller. Le faisceau de la lampe éclaira le reste du contenu de sa valise, dispersé sur le sol.

— Détenu ! s'entendit-il crier, déporté !

Il se frappa plusieurs fois la poitrine avec le poing.

— Buchenwald ! Vous comprenez ? Camp de concentration !

L'officier le lâcha, saisit les guenilles et désigna alternativement du doigt le vêtement et l'homme.

— Ça, à toi ?

— Oui, j'étais détenu dans un camp. Je rentre à la maison.

— Toi, antifasciste ?

Il approuva avec force de la tête.

Quelques soldats s'esclaffèrent, mais un bref aboiement qu'il ne comprit pas les fit taire. L'homme s'approcha plus près de lui et l'odeur d'alcool devint plus forte.

— Tous antifascistes maintenant Hitler fini.

— Je suis un vrai antifasciste. J'ai été déporté à cause de ça.

— Hum…

Le Russe hésitait, il le toisa minutieusement, mais il avait l'air moins menaçant.

— Qui es-tu ?

Il respira profondément, sentit ses poings se desserrer, entendit des coups de canons, des tirs isolés de pistolets-mitrailleurs, discerna le lourd bruit métallique de chenilles de chars qui cliquetaient de l'autre côté des coteaux enveloppés de nuit. Et il entendit sa propre voix, sa voix qui disait calmement :

— Je m'appelle Haas, Ruprecht Haas.

Épilogue

« *Ressuscités d'entre les ruines et tournés vers l'avenir, laisse-nous te servir pour le Bien, Allemagne, notre patrie unie...* »

Venant de la fenêtre ouverte d'un bâtiment voisin, l'hymne maladroitement interprété par une chorale d'occasion fut bientôt couvert par le lourd staccato d'un moteur Diesel. Le bus démarra avec son habituel chargement de cadres.

Envoyée par le nouveau service auquel il venait d'être affecté, une limousine allait le conduire à Berlin. Une petite récompense pour services exceptionnels. Mais la voiture se faisait attendre.

« *Nous devons surmonter les anciennes misères, et unis nous le ferons, car nous arriverons bien à faire que le soleil, beau comme jamais, brille sur l'Allemagne...* »

Il déposa ses bagages sur le perron de la grande porte d'entrée et se dirigea vers un banc encore au soleil. Il s'assit. Par-delà la prairie qui s'étendait devant lui, il porta le regard sur les arbres fruitiers aux troncs noueux plantés le long de la départementale qui longeait le centre de formation et montait vers le nord.

À moitié cachée par le feuillage, une voiture était stationnée au bord de la route. Il observa le chauffeur qui traversait la chaussée, puis sauta le fossé.

Ce n'était certainement pas la limousine qu'il attendait. La voiture était garée bien trop loin de la cour. Si seulement on venait le chercher rapidement. Le temps fraîchissait tout doucement. Il boutonna son manteau et offrit son visage au soleil.

Il serait bientôt de retour à Berlin, ferait proprement un travail qu'il connaissait sur le bout des doigts. Comme jadis, il y avait si longtemps déjà… Six ans ! Il ferma les yeux, laissa le soleil de cette fin d'après-midi lui baigner le visage.

Il fallait qu'il oublie le passé. Dans peu de temps, il en était persuadé, les derniers souvenirs se seraient effacés. Il s'adonnerait entièrement à ses nouvelles tâches et tout le reste en découlerait. Débarrasser son esprit des vieilleries, prendre une nouvelle direction, laisser place à des impressions neuves…

— Herr Sturmbannführer, murmura une voix à son oreille.

On lui touchait l'épaule.

— Herr Sturmbannführer, vous dormez ?

— Non, je me suis laissé bercer par le pay…

— Vous dormiez. Vous allez attraper du mal ici, poursuivait la voix à l'accent bienveillant.

Il ouvrit les yeux et vit un visage qu'il reconnut. Un peu plus rond certes, les cheveux coupés moins court. La bouche se tordit en une grimace familière.

— Herr Haas, je m'appelle Fresen, Ludwig Fresen. Je voudrais vous transmettre les félicitations de tout le service.

Était-ce la Mort qui venait mettre un point final à toute cette histoire ? Il se passa les mains sur le visage, se frotta les yeux. Il était bel et bien réveillé, tout cela était bien réel. Absurde aussi de croire à un rêve : seule la réalité avait pu façonner pareil visage.

— De quel service parlez-vous ?

— C'est Langenstras qui m'envoie.

Langenstras ?

— Je ne connais pas de Langenstras !

— Ah ! cessez ce jeu, Haas, ce n'est pas le moment de faire des manières. Nous avons du travail pour vous.

— Mais de quoi voulez-vous parler ?

— Vous en saurez plus le moment venu. Cela dit, Langenstras regrette très sincèrement de ne pouvoir vous féliciter personnellement pour vos nouvelles fonctions mais, vous le savez, les temps sont durs. Le combat continue. La guerre froide se joue dans l'ombre. Qui aurait pu penser un seul instant que ça se passerait comme ça !

— Du diable si je fais quoi que ce soit pour vous ! Je ne ferai rien pour vous, rien, Herr… Comment vous appelez-vous déjà ?

— Fresen. Mais il n'est absolument pas question que vous fassiez quoi que ce soit pour moi. C'est l'Allemagne qui a besoin de vous, mon cher, l'autre Allemagne, l'unique, la vraie, l'Allemagne libre, démocratique, occidentale.

Il secouait la tête sans mot dire.

— Ne faites pas cette tête-là. Nous savons que vous allez prendre vos fonctions à la Sécurité d'État de l'Est. Et, bien entendu, nous aimerions disposer d'un contact dans cette administration toute nouvelle. Quelqu'un en qui nous puissions avoir toute confiance, un homme qui en fasse partie depuis sa création. Un spécialiste, quoi, l'homme de la situation. Je suis certain que vous comprenez ça.

— Allez vous faire foutre ! Et puis, ce « nous », c'est qui ?

— L'organisation Gehlen – mon nouveau patron, et le vôtre aussi, bientôt, certainement. Reinhard Gehlen, actuellement major au Contre-espionnage à l'Ouest, le général qui dirigeait la section Est de l'espionnage pour la Wehrmacht. Vous le connaissez, cet homme, évidemment.

Nom de Dieu. Il se redressa, s'éloigna de celui qui s'était assis à côté de lui sur le banc.

— Vous auriez une cigarette ?

Fresen palpa ses poches, écarta les bras et secoua la tête en ricanant.

— J'ai arrêté de fumer, il paraît que c'est mauvais pour la santé. Désolé, j'aurais dû penser à vous acheter quelque chose de bon à fumer avant de venir de ce côté-ci.

L'expression de son visage redevint sérieuse.

— Vous n'avez d'autre choix que de travailler avec nous. Vous vivez sous un faux nom et votre biographie est tout aussi fausse. Un simple geste de notre part, et votre nouvelle carrière s'arrête brutalement. Vous vous retrouverez enchristé à Bautzen avant même d'avoir eu le temps de dire ouf. Ce qui ne serait pas nouveau pour vous, Haas, vous y avez déjà séjourné une fois, comme nous l'avons appris dans votre dossier. L'autre possibilité serait que vous disparaissiez dans les vastes étendues de la Sibérie… Nous avons en effet mis la main sur quelques documents concernant un certain Kalterer, et je suis persuadé que votre grand frère de

Moscou s'y intéresserait beaucoup. Tout compte fait, je pense qu'il est dans votre intérêt de contracter une bonne assurance-vie – pendant qu'il en est encore temps.

— Il n'existe plus personne du nom de Langenstras. Vous bluffez, vous cherchez à me provoquer.

— Allons, ne jouez pas les naïfs, reprit Fresen en se rapprochant de lui. Vous savez bien que dans votre nouvel État ouvrier et paysan, tout est comme avant – comme chez nous, d'ailleurs… On a besoin d'hommes de qualité des deux côtés. Et c'est ainsi qu'il arrive qu'on embauche des gens comme vous ! Même votre Sécurité d'État cherche d'urgence du personnel qualifié, et quand on en trouve qui est compétent, on peut fermer un œil sur le passé. Et ce n'est pas tous les jours que votre Service de renseignements a la chance de mettre la main sur un Ruprecht Haas, un simple ancien commerçant, un antifasciste exemplaire qui, pendant ses stages de formation, s'est soudainement découvert une extraordinaire fibre… de flic… Il est très rare que de tels talents surgissent du néant.

Impossible de ne pas percevoir l'ironie dans la douce voix de Fresen.

Il ne dit rien. Il ne savait que répondre.

— Vous savez, Langenstras, nous l'avons tous sous-estimé, finalement. Et vous le premier. Langenstras a toujours su s'y prendre. Il a gardé son nom, tout simplement. Il a été plus malin que nous tous – il faut dire aussi qu'il avait les meilleures adresses. On n'a pu lui reprocher aucune mort de Juif. En revanche, on a pu mettre, à son actif évidemment, la traque implacable d'ennemis intérieurs de l'État, et on est très indulgent aujourd'hui pour ce genre de services rendus. Quel est en effet l'État démocratique, libre, qui accepterait de se laisser noyauter par des communistes ou d'autres ennemis de la Constitution ! Ah ! si, comme lui, vous n'aviez été qu'un de ces bureaucrates acharnés…

Fresen tira un paquet de chewing-gum de sa poche et lui en proposa une tablette. Il secoua la tête.

— C'est meilleur qu'une cigarette, en tout cas, et puis ça vous donne l'haleine fraîche… Toujours est-il qu'immédiatement après la guerre, Gehlen s'est rendu aux Américains. Avec tous les documents qu'il leur livrait sur les Russes, ils l'ont accueilli à bras ouverts. Ce qui fait que l'espionnage contre la Russie soviétique n'a pas connu de solution de continuité. Et Gehlen a réuni autour de lui des gens compétents, genre Langenstras. Et c'est par Langenstras que j'ai rejoint ce groupe, pour ainsi dire en qualité de travailleur indépendant. Il est clair qu'on ne peut pas se passer de gens comme nous. C'est comme ça, Haas. O.K. – il a bien fallu en pendre quelques-uns, les sacrifier aux temps nouveaux, je comprends ça, *no problem* ; mais pas du menu fretin comme nous !…

— Nous savons bien ici que chez vous à l'Ouest les anciens nazis ont repris du service.

Mais même à ses oreilles cette phrase sembla un cliché de propagande vide de sens.

— C'est tout ce qui vous est resté de votre humour, Haas ? En face, les vilains anciens camarades de combat et ici, les bons et braves camarades ? Vous ne parlez pas sérieusement ! Tout cela n'est qu'une question de point de vue, de pouvoir. Vous n'êtes tout de même pas devenu communiste uniquement parce que vous êtes resté coincé dans la zone occupée par les Soviétiques et que vous avez commencé votre nouvelle carrière ici ! Nous n'avons tout de même pas été nazis uniquement parce que nous avons vécu dans le Reich allemand. Vous préféreriez certainement vivre à l'Ouest, j'en suis persuadé. Il est vrai que, ici, vous êtes bien considéré, vous passez pour antifasciste et, en tant que persécuté par le régime nazi, vous touchez même une gratification spéciale en plus de votre traitement. Nous n'avons pas la part aussi belle, nous autres, du moins pas encore... Et vous faites de nouveau partie de la police. Et vous êtes prêt à tout pour y rester. Exactement comme votre nouveau chef, Bäumler. Au fait, vous le connaissez, celui-là ? Non ? Encore un qui a gardé son nom. SS-Standartenführer Adalbert Bäumler, Office central pour la Sécurité du Reich, bureau IV, l'homme du Gouvernement général de la Pologne, celui qui s'est acquis une grande réputation dans la liquidation des Juifs. Mais si, vous le connaissez certainement... Eh bien, c'est le même Baümler qui a repris sa carrière au service de votre Sécurité d'État. Il a retourné sa veste. Il paraît que c'est un des meilleurs agents de votre ministre. Comment s'appelle-t-il déjà, celui-là ? Wilhelm Zaisser.

Fresen fit la moue.

— Les anciens camarades sont à l'œuvre partout. Eh oui ! sans nous, pas d'État allemand possible, quel qu'il soit, Est ou Ouest. Ça ne peut que nous rendre fiers, camarade Haas, vous ne pensez pas ?

— Foutez-moi la paix, Fresen. Il y aura bien un jour un retour de bâton. Je vis sous un faux nom, c'est entendu. Ça ne fait pas bien dans le tableau, c'est exact. Mais qu'est-ce qui m'empêche de passer à Berlin-Ouest, et tout de suite si je veux ? Cet après-midi même. Qu'est-ce qui m'empêche de vous compisser, vous et votre Langenstras ? Vous ne trouverez ma signature nulle part. Je n'ai obéi qu'aux ordres, tout bêtement obéi aux ordres.

Il marmonna :

— J'étais soldat, soldat, vous comprenez...

Il s'interrompit, se passa la main sur le visage, puis reprit plus calmement.

— Vous ne trouverez rien, rien. Rien qu'on ne serait pas susceptible de comprendre à l'Ouest. Vous voulez me faire un mauvais parti ? Bien. Je vais donc vous planter là. Foutez-moi la paix.

Fresen tira un rectangle de papier de sa poche et s'éventa avec.

— Vous savez, c'est exactement ce que pensait Langenstras. Que vous diriez tout ça. Cette tendance à l'insubordination, nous connaissons ça depuis avant même la fin de la guerre, comme vous le savez sans doute...

C'était une photo que Fresen tenait en main. Il la laissa tomber sur les genoux de Haas et dit :

— Regardez ça, bien calmement, prenez tout votre temps. Même à l'Ouest, on aime pas trop voir ce genre de choses.

Il reconnut la main, le bras tendu, puis la gamine – instantanément. Une photo de l'exécution. La victime bien éclairée. Juste un petit tas de misère. Flasque, méconnaissable, désarticulée. Le parabellum bien net, lui. Net l'uniforme, net le visage. Son visage. La photo d'un bourreau. Pas d'issue possible. L'image se brouilla sous ses yeux. *Reprenez-vous, mon vieux, faut que je puisse avoir confiance en vous. Il faut que nous soyons forts. Finissez-en. Allez-y. Finissez-en.*

Il n'avait pas tiré. Non, pas lui...

Allez-y. Le temps presse.

Le jeune soldat ne bougeait pas. Les mains dans le dos.

Ce n'est encore qu'une enfant.

Arrêtez de bafouiller. Finissez-en, maintenant !

Le jeune soldat ne bouge pas, regard fixe dans le lointain.

Oui, vraiment, ce n'est encore qu'une enfant. Sa voix.

Le jeune soldat ne dit rien. Il ne bouge pas, perdu dans ses pensées.

C'est bien sa voix. Son visage. Son pistolet. Un coup de feu. Il sent le recul dans son poignet.

La photo tremblait. Sa main tremblait. Pas d'issue. Ce n'était pas un rêve. Il n'avait pas pu faire ça. Et pourtant, si, c'était indéniable.

Fresen se leva.

— Bon, il faut que j'y aille maintenant. On prendra contact avec vous.

Il partit sans le saluer, disparut en se baissant sous les branches. Peu de temps après, il marchait sur la route en direction de la voiture qui s'éloigna. Juste avant qu'elle ne disparaisse derrière une petite côte, une limousine noire entra à vive allure dans la cour du centre de formation et freina devant Haas.

On venait le chercher. Il froissa la photo dans son poing.

Mâchoires crispées, il suivit du regard le chauffeur qui chargeait ses bagages dans le coffre. Il se jeta sur le siège arrière.

— Où allons-nous, camarade capitaine ? Directement au ministère, ou bien vous voulez faire vos courses à l'Ouest avant ? demanda le chauffeur en clignant de l'œil.

— Allez-y, vous connaissez les ordres.

Le chauffeur mit les gaz. Le centre de formation s'éloigna rapidement. Il avait appuyé sur la détente. Il l'avait fait. Tout était allé trop vite. Il y avait été obligé – ordre d'urgence, pas le choix. C'était la seule solution. Oui, Merit, c'était de la lâcheté. On ne pouvait pas tout oublier, tout effacer. Mais il venait de prendre sa décision. Car sa pénitence ne servirait plus à personne, et à lui moins qu'à tout autre.

Il remarqua que le chauffeur le regardait en coin et il s'efforça de respirer plus calmement. Ils roulaient sur la départementale en direction de Berlin. Le paysage fuyait dans le rétroviseur.

Fresen avait raison au moins sur un point : qu'y avait-il à redire à une bonne assurance-vie ?

Le Livre de Poche s'engage pour
l'environnement en réduisant
l'empreinte carbone de ses livres.
Celle de cet exemplaire est de :
550 g éq. CO$_2$
Rendez-vous sur
www.livredepoche-durable.fr

PAPIER À BASE DE
FIBRES CERTIFIÉES

Composition réalisée par PCA

Achevé d'imprimer en août 2013 en France par
CPI BRODARD ET TAUPIN
La Flèche (Sarthe)
N° d'impression : 3001992
Dépôt légal 1re publication : mai 2013
Édition 03 – août 2013
LIBRAIRIE GÉNÉRALE FRANÇAISE
31, rue de Fleurus – 75278 Paris Cedex 06

31/6480/3